D0233776

GABLER KOMPAKT-LEXIKON WERBEPRAXIS

1.500 Begriffe nachschlagen, verstehen, anwenden

von

Joachim Seebohn

Die Deutsche Bibliothek – CIP-Einheitsaufnahme
Ein Titeldatensatz für diese Publikation ist bei
Der Deutschen Bibliothek erhältlich.

Joachim Seebohn ist Diplom-Wirtschafts-Ingenieur (FH), Fachrichtung Werbetechnik und Werbewirtschaft, sowie Inhaber einer Werbeagentur in Waiblingen.

1. Auflage August 1999
2. Auflage Mai 2001

Alle Rechte vorbehalten
© Betriebswirtschaftlicher Verlag Dr. Th. Gabler GmbH, Wiesbaden 2001

Lektorat: Thorsten Hadeler

Der Gabler Verlag ist ein Unternehmen der Fachverlagsgruppe BertelsmannSpringer.

www.gabler.de

Das Werk einschließlich aller seiner Teile ist urheberrechtlich geschützt. Jede Verwertung außerhalb der engen Grenzen des Urheberrechtsgesetzes ist ohne Zustimmung des Verlags unzulässig und strafbar. Das gilt insbesondere für Vervielfältigungen, Übersetzungen, Mikroverfilmungen und die Einspeicherung und Verarbeitung in elektronischen Systemen.

Die Wiedergabe von Gebrauchsnamen, Handelsnamen, Warenbezeichnungen usw. in diesem Werk berechtigt auch ohne besondere Kennzeichnung nicht zu der Annahme, dass solche Namen im Sinne der Warenzeichen- und Markenschutz-Gesetzgebung als frei zu betrachten wären und daher von jedermann benutzt werden dürften.

Gedruckt auf säurefreiem und chlorfrei gebleichtem Papier.

Umschlaggestaltung: Regine Zimmer, Dipl. Designerin, Wiesbaden
Satz: Joachim Seebohn Agentur für Werbung, Waiblingen
Druck und buchbinderische Verarbeitung: Lengericher Handelsdruckerei, Lengerich/Westfalen

Printed in Germany

ISBN 3-409-21416-X

Vorwort zur zweiten Auflage

Das Gabler Kompakt-Lexikon Werbepraxis ist auf ein breites Interesse bei der Leserschaft gestoßen, wofür ich mich herzlich bedanken möchte.
So wurde innerhalb kurzer Zeit die vorliegende zweite Auflage notwendig. Der Inhalt ist nochmals gründlich durchgesehen worden. Die Tabellen und das Adressverzeichnis im Anhang wurden auf den aktuellen Stand gebracht. Möge auch den künftigen Nutzern dieses Lexikon ein nützliches Hilfsmittel bei der Ausbildung, im Studium oder im Beruf sein.

Waiblingen, im März 2001
Joachim Seebohn

Vorwort zur ersten Auflage

Das Fachvokabular in der Werbe- und Kommunikationsbranche hat sich, nicht zuletzt durch den Einzug neuer Medien und Technologien, in den letzten Jahren erheblich vergrößert. Das Gabler Kompakt-Lexikon Werbepraxis bietet nun eine Zusammenstellung von grundlegenden und aktuellen Fachbegriffen der Werbewirtschaft. In mehr als 1.400 Stichwörtern werden wichtige Bereiche der gesamten Werbepraxis berücksichtigt. Das kompakte Nachschlagewerk ist vor allem für Ausbildung, Studium und für Praktiker in der Werbewirtschaft gedacht, dürfte aber auch für Führungskräfte von jeglichen Unternehmen und Institutionen von Nutzen sein, die sich der Medien und Mittel der Kommunikationswirtschaft bedienen.
Mein besonderer Dank gilt zahlreichen Fachverbänden und Institutionen der Werbebranche, die das Buchprojekt mit Anregungen und Informationsmaterial unterstützt haben.
Danken möchte ich auch meiner Mutter sowie Petra Simmat für die sorgfältigen Korrekturarbeiten.
Ebenso möchte ich mich beim Gabler Verlag, insbesondere bei meinem Lektor Thorsten Hadeler, für die Unterstützung und Veröffentlichung dieses Buches bedanken.
Über Anregungen und Verbesserungsvorschläge für künftige Auflagen freuen sich Autor und Verlag.

Waiblingen, im Juni 1999
Joachim Seebohn

Erläuterungen für den Benutzer

- Unter einem aufgesuchten Stichwort ist die speziell diesen Begriff erläuternde, ausführliche Erklärung zu finden, die dem Benutzer sofort erforderliches Wissen ohne mehrmaliges Nachschlagen vermittelt. Die zahlreichen Verweiszeichen (→) erlauben es dem Leser, sich nicht nur umfassend über einen Begriff, sondern auch über dessen Einordnung in größere Zusammenhänge zu unterrichten. Abkürzungen sind in Klammern aufgeführt. Synonyme und ähnliche Bezeichnungen sowie ergänzende Stichpunkte, die den definierten Begriff fachlich abgrenzen, sind zu Beginn des jeweiligen Textes kursiv in Klammern gesetzt.
- Die alphabetische Reihenfolge ist - auch bei zusammengesetzten Stichwörtern - strikt eingehalten. Dies gilt sowohl für Begriffe, die durch Bindestriche verbunden sind, als auch für solche, die aus mehreren, durch Leerzeichen getrennten Wörtern bestehen. So steht z.B. »Marketing-Mix« vor »Marketingstrategien«. Ziffern, Symbole und Sonderzeichen werden durch das jeweilige »Wort« bestimmt (z.B. » @« entspricht »at«).
- Zusammengesetzte Begriffe sind in der Regel unter dem Adjektiv alphabetisch eingeordnet. Wird das gesuchte Wort unter dem Adjektiv nicht gefunden, empfiehlt es sich, das Substantiv nachzuschlagen.
- Substantive sind in der Regel im Singular aufgeführt.
- Die Umlaute ä, ö, ü wurden bei der Einordnung in das Abc wie die Grundlaute a, o, u behandelt; ß wurde in ss aufgelöst.

Abkürzungsverzeichnis

BGB	Bürgerliches Gesetzbuch
bzw.	beziehungsweise
d.h.	das heisst
etc.	et cetera (und so weiter)
evtl.	eventuell
f.	folgende (Seite)
ff.	folgende (Seiten)
GmbH	Gesellschaft mit beschränkter Haftung
hrsg.	herausgegeben
Hrsg.	Herausgeber
i.d.R.	in der Regel
IHK	Industrie- und Handelskammer
o.J.	ohne Jahresangabe
§	Paragraph
sog.	sogenannte(r)
u.a.	unter anderem
usw.	und so weiter
u.U.	unter Umständen
vgl.	vergleiche
z.B.	zum Beispiel
z.T.	zum Teil

Inhaltsverzeichnis

A

Abbildungsmaßstab
(Bereich Reproduktion) Der Abbildungsmaßstab ist das lineare Seitenverhältnis der Reprovorlage (Abbildungsobjekt z.B. eine Fotografie) zum Reproduktionsprodukt (Bildgröße des Endproduktes). Das Größenverhältnis wird in der Regel in Prozent angegeben. Die Breite und die Höhe der Vorlage entsprechen 100 %, demzufolge werden Vergrößerungen oder Verkleinerungen prozentual angegeben.

Abbreviaturen
(Abkürzungen) Einheitliche Abkürzungen bei der Satzherstellung, z.B. nach *Duden*, oder einheitliche Verwendung und Schreibweise von Fachbegriffen und Firmenbezeichnungen wie: GmbH (Gesellschaft mit beschränkter Haftung) oder Hrsg. (Herausgeber).

Abkürzungen
→ Abbreviaturen

Above the Line Advertising
→ Above the Line Werbung

Above the Line Werbung
(Above the Line Advertising) Hierzu gehören sämtliche Werbemaßnahmen, die in den Bereich der → klassischen Werbung fallen: Werbung in Zeitungen, Zeitschriften und sonstigen Printmedien, im Hörfunk, im Fernsehen, im Kino sowie die Außenwerbung. (vgl. → Below the Line Werbung)

Absatzforschung
Teil der → Marketingforschung, der sich mit der Beschaffung, Analyse und Verarbeitung von Informationen befasst, die für Marketingentscheidungen eines Unternehmens im Bereich des Absatzes wichtig sind. Hier werden sowohl der Absatzmarkt als auch das Unternehmen selbst, welches die Waren anbietet, untersucht. Gegenstand der Absatzforschung sind z.B. die Produktpolitik, die Vertriebswege, die Werbung und die Verkaufsförderung. Die Begriffe Marketingforschung, Absatzforschung und Marktforschung werden in der Fachliteratur oft synonym verwendet, obwohl hier eine Abgrenzung gegeben ist. (vgl. → Marktforschung)

Absatzwerbung
→ Werbung

Absterbephase
→ Produktlebenszyklus

Access Provider
(Service Provider) Ein Dienstleister bzw. eine Organisation, der bzw. die den Zugang zu einem Datennetz (z.B. → Internet) ermöglicht. (vgl. → Internet Service Provider)

Account
Die Zugangsberechtigung für einen Computer, einen → Online-Dienst oder für ein spezielles Online-Angebot (z.B. Datenbanken, Online-Zeitschriften). Der Zugang erfolgt über ein Passwort und/oder einen Benutzernamen.

Account-Manager
→ Kontakter/in

Account Services
→ Werbeagentur

ADC
→ Art Directors Club für Deutschland e.V.

AdClick-Rate
Im Rahmen der → Werbeerfolgskontrolle im Internet das Verhältnis der angesehenen Anzeigen bzw. Banner oder Buttons (→ AdViews) zu den angeklickten Anzeigen (→ AdClicks), d.h. wie viele Nutzer, die eine Anzeige gesehen haben, diese auch angeklickt haben (prozentualer Anzeigenabruf).

AdClicks
Im Rahmen der → Werbeerfolgskontrolle im Internet die Anzahl der »Klicks« auf ein → Hyperlink bzw. ein werbungführendes Objekt (→ Banner oder → Button auf einer Internetseite), das auf die → Website des Werbungtreibenden führt.

Add-a-card Anzeige
Eine Zeitschriftenanzeige, der eine Rückantwort- oder Bestellkarte beigeklebt oder beigefügt ist (z.B. für Preisausschreiben, Informationsmaterialanforderungen, Warenbestellungen oder Befragungen).

additive Farben
→ additive Grundfarben

additive Grundfarben (RGB)
Die spektralen Grundfarben sind Rot, Grün und Blau (RGB) und werden auch als Lichtfarben oder Primärfarben bezeichnet. Wenn die drei Grundfarben mit voller Leuchtkraft übereinanderprojiziert werden entsteht der Farbeindruck von Weiß als Resultat der Addition. Weißes Licht wiederum lässt sich mit Hilfe eines Prismas in die drei Grundfarben Rot, Grün und Blau zerlegen. Nach dem additiven Farbsystem arbeiten z.B. Farbbildschirme. In vielen Computerprogrammen lassen sich RGB-Farben erzeugen. Das additive Farbsystem kann alle für das menschliche Auge wahrnehmbaren Farben darstellen, das subtraktive System (vgl. → subtraktive Grundfarben) hingegen kann nur einen Teil des gesamten Spektrums wiedergeben. Daher lassen sich nicht alle RGB-Farben direkt in Prozessfarben (CMYK) für den Druckprozess umwandeln, da es in vielen Fällen keine direkte Entsprechung gibt.

additives Farbsystem
→ additive Grundfarben

Adobe Acrobat
Ein von der Firma *Adobe* entwickeltes Computerprogramm, das u.a. den Datenaustausch per plattformunabhängigem Dokumentenformat (→ Portable Document File/PDF) zwischen verschiedenen Betriebssys-

temen ermöglicht. Dabei wird das Erscheinungsbild der Informationen (z.B. Grafiken, Formatierungen, Schriften) nicht verändert. PDF soll u.a. zu einem Standard für die Druckvorstufe und den Druckbereich werden.

AdReporting
→ Werbeerfolgskontrolle im Internet

Adressenverlag
→ Listbroking

Adressenvermittler
→ Listbroking

Adressverlag
→ Listbroking

AdServer
→ AdServer-Technologie

AdServer-Technologie
»Um Werbeschaltungen im Internet zu optimieren, bietet sich der Einsatz von AdServer-Technologie an. Mit Hilfe eines AdServers lässt sich die gesamte Werbeverwaltung, von der Buchung über die Schaltung bis hin zur Resonanzauswertung, steuern. Nach vorgegebenen Parametern übernimmt das System die Steuerung der zu schaltenden Werbung auf den gebuchten Werbeflächen. Hierzu kann je nach AdServer ein unterschiedlich leistungsfähiges Paket an Regeln definiert werden, nach denen der AdServer entscheidet, welches Motiv gezeigt werden soll. Der AdServer sorgt also dafür, dass die richtige Werbung zum richtigen Zeitpunkt auf den gebuchten Werbeplätzen ausgeliefert wird. Beim AdServer ist eine extrem hohe Systemleistung gefordert. In Bruchteilen von Sekunden muss er nach seinem Regelwerk entscheiden. Dieses Regelwerk nennt man → Targeting. Der Werbungtreibende kann einen AdServer selbst betreiben oder einen Dienstleister in Anspruch nehmen« (dmmv, 1999).

Ad Specials
Unter den Ad Specials versteht man in der Regel alle Werbeformen in Zeitungen und Zeitschriften, die von einer üblichen Anzeigenwerbung abweichen. Hierzu gehören u.a. Beilagen, Beihefter, Duftanzeigen, Anzeigen mit Sonderfarben, Anzeigen mit beigeklebten Warenproben.

AdViews
Im Rahmen der → Werbeerfolgskontrolle im Internet die Anzahl der Sichtkontakte mit einem werbetragenden Objekt (Banner oder Button auf einer Internetseite), das jeweils vollständig auf den Bildschirm des Nutzers geladen wurde (Werbekontakte).

AdViewTime
Im Rahmen der → Werbeerfolgskontrolle im Internet derjenige Zeitanteil bei einem Besuch einer Website, bei dem ein werbungführender Teil des Angebots sichtbar war.

A/D-Wandler
→ Analog-Digital-Wandler

AE-Provision
(Annoncen Expedition-Provision, Agentur-Provision) Die Werbeagen-

turen erhalten für die erbrachten Leistungen bei der Vermittlung von Werbeaufträgen eine sogenannte AE-Provision. Diese Mittlungsprovision bezieht sich auf den Nettobetrag (z.B. der Insertions- bzw. der Streukosten) und liegt in der Regel bei 15 %. Die Werbemedien (z.B. Zeitungs- und Zeitschriftenverlage) gewähren diese Vergütung den Werbemittlern bzw. den Werbeagenturen. Neben dieser Provision werden zwischen den Werbungtreibenden und den Werbeagenturen weitere Vereinbarungen bezüglich einer Honorarvergütung für die verschiedenen werblichen Dienstleistungen getroffen.

Affinität

(Zielgruppenaffinität) Die Zielgruppenaffinität drückt den prozentualen Anteil der Zielgruppe an der gesamten Reichweite eines Mediums bzw. Werbeträgers aus. Je höher der Affinitätswert (maximal 100 %), desto geringer sind die Streuverluste. Unter den Streuverlusten versteht man diejenigen Kontakte zu Personen, die nicht zu den anvisierten Zielpersonen gehören und durch die Belegung des Werbeträgers trotzdem erreicht werden. Der Affinitätswert wird auch als Index in Beziehung zum Anteil der Zielgruppe an der Gesamtbevölkerung (= Index 100) angegeben.

Agentur-Controller/in

Der Controller arbeitet meist selbständig im Auftrag einer Werbeagentur und überprüft deren Wirtschaftlichkeit und Rentabilität. Die ermittelten Daten dienen als Grundlage für die Angebotskalkulation, die Auftragsabwicklung und für zukünftige unternehmerische Entscheidungen. (vgl. → Werbe- und Medienberufe - Berufs- und Tätigkeitsfelder)

Agentur-Provision

→ AE-Provision

Agentureinkommen

→ Billings, → Gross Income

Agenturpräsentation

→ Präsentation

AG.MA

→ Arbeitsgemeinschaft Media-Analyse e.V.

AIDA

→ AIDA-Formel

AIDA-Formel

(AIDA-Modell) Die Stufenmodelle der Werbewirkung wie z.B. die AIDA-Formel gliedern die Wirkung der Werbung in unterschiedliche Teilwirkungen. Die AIDA-Formel nach Lewis (1898) setzt sich aus den folgenden Stufen zusammen:

- (A)ttention (Aufmerksamkeit)
- (I)nterest (Interesse)
- (D)esire (Kaufwunsch)
- (A)ction (Kaufhandlung)

Das Ziel aller Werbemaßnahmen ist zuerst einmal, die Aufmerksamkeit zu erregen. Als zweiten Schritt kommt es darauf an, das Interesse am Werbeobjekt zu wecken. Dieses Interesse muss nun in ein Begehren, dieses Produkt haben zu wollen oder die Dienstleistung in Anspruch zu nehmen, umgesetzt werden. Der

Prozess sollte nun in eine praktische Umsetzung bzw. in einen Kaufakt münden. Die AIDA-Formel gilt als Faustregel für die Gestaltung von Anzeigenwerbung und Werbespots.

AIDA-Modell
→ AIDA-Formel

aided recall
→ Werbeerfolgskontrolle

Aktionswerbung
(Direct-Response-Werbung, Direkt-Reaktionswerbung) Eine Form der Werbung, die den Umworbenen zu einer sofortigen Reaktion veranlassen soll. Hierzu gehören z.B. die Briefwerbung mit beiliegenden Bestellscheinen von Versandhäusern oder Anforderungsformulare für weitere Informationen über ein Produkt oder eine Dienstleistung.

aktives Telefon-Marketing
→ Telefon-Marketing

Aktivierungseffekt
→ Bilder, bildhafte Darstellungen

Akzidenzen
Druckprodukte, die nicht regelmäßig bzw. periodisch erscheinen, z.B. Privat- und Geschäftsdrucksachen, wie Familiendrucksachen, Briefpapier, Plakate, Prospekte, Kataloge. Bücher, Zeitschriften und Verpackungen gehören nicht zu den Akzidenzen.

Alleinstellungswerbung
(Superlativwerbung, Spitzenstellenwerbung) Eine Alleinstellungswerbung liegt dann vor, wenn eine Werbebotschaft vom umworbenen Publikum in einer Weise verstanden wird, durch die der Werbungtreibende mit seinem Unternehmen, seinen Waren oder seinen Dienstleistungen eine Spitzenstellung auf dem allgemeinen Markt einzunehmen scheint. Sehr häufig kommen Formulierungen mit Superlativen zum Einsatz wie z.B. »Das größte Einrichtungshaus«, »Das billigste Geschäft« oder »Das älteste Unternehmen«. Diese Superlativwerbung ist zulässig, wenn die Aussagen wahr und sachlich richtig sind. Dasselbe gilt für Behauptungen, einer kleinen Spitzengruppe von Unternehmen anzugehören (Spitzenstellungswerbung, Spitzengruppenwerbung), z.B. »Eines der größten Möbelhäuser Europas«.

Alleinwerbung
→ Werbung

Allensbacher Werbeträger-Analyse (AWA)
Die AWA ist eine der großen Markt-Media-Analysen in der Bundesrepublik. Die Daten werden vom Institut für Demoskopie in Allensbach jährlich mittels mündlicher Befragung erhoben. In der AWA werden, wie bei der MA (→ Media-Analyse), die folgenden Medien erfasst:
- Publikumszeitschriften,
- Zeitungen,
- Supplements,
- Funk,
- Fernsehen,
- Kino,
- Außenwerbung.

Neben den Reichweitedaten der einzelnen Werbeträger enthält die AWA Angaben über die demographische Struktur der Nutzerschaft sowie Markt- und Zielgruppendaten und eine Beschreibung zielgruppenspezifischen Kaufverhaltens. Die Grundgesamtheit der Untersuchung ist die erwachsene Bevölkerung der Bundesrepublik Deutschland. Die Erhebung erfolgt mit einer → Stichprobe, die auf der Grundlage des Quota-Auswahl-Verfahrens gezogen wird.

allgemeine Anschlagstellen
→ Plakatanschlagstellen

Allgemeinstellen
→ Plakatanschlagstellen

alphanumerische Zeichen
Buchstaben, Zahlen und Sonderzeichen gehören zu den alphanumerische Zeichen.

Altarfalz
→ Fensterfalz

Altarfalz-Anzeige
→ Gatefold-Anzeige

American Standard Code for Information Interchange (ASCII)
Ein weltweit benutzter Standard-Zeichensatz zum Austausch von Daten zwischen Computern, auch über die verschiedenen Computer-Systemgrenzen hinweg (z.B. *Windows, MAC OS, UNIX*).

America Online (AOL)
Größter international tätiger kommerzieller → Online-Dienst, der neben einem eigenen Informationsangebot u.a. auch Homebanking und Online-Shopping bietet.

analog
Physikalische Aufzeichnungs- oder Übertragungsgröße, die Daten gemäß ihres tatsächlichen Wertes darstellt (z.B. unterschiedliche Helligkeitsstufen einer Bildvorlage, Umwandlung von Schwingungen in Stromspannungen). Im Gegensatz zur Digitaltechnik können Informationen beliebige Zwischenwerte annehmen. (vgl. → digital)

Analog-Digital-Wandler
(A/D-Wandler) Ein Baustein zur Umwandlung von analogen in digitale Signale im Bereich der Elektronik und in der Computertechnik.

Andruck
Ein Probe- bzw. Kontrolldruck auf einer Druckmaschine, vor der eigentlichen Druckproduktion. Um die Qualität der Reproduktion, Wirkung der Farben etc. genau beurteilen zu können, erfolgt der Andruck in der Regel auf Originalpapier, welches im späteren Druckprozess verwendet wird. Der Andruck dient zunächst als Korrekturunterlage für die Agentur bzw. den Auftraggeber. Bei der späteren Produktion gilt der genehmigte Andruck als verbindliche Vorgabe für den Auflagendruck bzw. Fortdruck.

Angebotsanspruch
→ Claim

Animated GIF
Eine Variante des GIF-Formates (→ Graphics Image Format), das mehrere Einzelbilder in einer Datei abspeichert und wie einen Film ablaufen lässt.

Animation
Bei einer Animation werden mehrere unterschiedliche Bilder in schneller Abfolge dargeboten und damit der Eindruck einer Bewegung erweckt. Beispiele sind traditionelle Trickfilme, in denen einzelne Bilder nacheinander aufgenommen werden und bei der filmischen Projektion einen Bewegungsablauf ergeben oder Computer-Animationen mit spezieller Software, die in der modernen Filmtechnik für Kino, Fernsehen und Werbefilme weit verbreitet sind.

Animations-Designer/in
Der Animations-Designer gestaltet bewegte Computerbilder (Computer-Animationen), virtuelle Welten (Cyberspace) und 3D-Effekte z.B. für Computerspiele, Lernsoftware und CD-ROMs. (vgl. → Werbe- und Medienberufe - Berufs- und Tätigkeitsfelder)

animierte Banner
→ Banner-Werbung

Ankündigungseffekt
→ Kommunikationswirkung der Werbung

anmoderierter Spot
→ Fernseh- und Hörfunkwerbung

Anmutung
(Anmutungsqualität) Sie ist die erste Stufe des Wahrnehmungsprozesses, ein gefühlsmäßig erster Eindruck eines Objektes (z.B. eines Konsumproduktes). Die von einer Person erlebte Anmutungsqualität wird dem Objekt (z.B. einer Werbebotschaft), das diese ausgelöst hat, als tatsächliche Eigenschaft zugeschrieben. Eine positive Anmutungsqualität z.B. eines Produktes ist für dessen Erfolg entscheidend.

Anmutungsqualität
→ Anmutung

Annonce
→ Anzeige

Annoncen-Expedition-Provision
→ AE-Provision

Anpassungsstrategie
→ Marketingstrategie

Anschnitt
Der Beschnitt z.B. einer Anzeige mit bildhaften Darstellungen und/oder Strukturen, die bis an den Rand eines Druckproduktes reichen sollen. Diese Elemente müssen mindestens drei Millimeter über das Druckformat hinaus angelegt sein, um eventuelle weiße Ränder beim endgültigen Beschnitt in der → Druckweiterverarbeitung zu vermeiden.

antizyklische Werbung
Die antizyklische Werbung ist eine Strategie eines Werbungtreibenden, die bei hohen Umsätzen oder einer positiven wirtschaftlichen Entwicklung eine Verringerung der Werbemaßnahmen vorsieht. Bei rückläufigen Einnahmen oder einer wirtschaftlichen Rezession hingegen wird eine Erhöhung des Werbeetats realisiert. Die antizyklische Werbung passt sich in dieser Hinsicht auch den saisonalen Absatzschwankungen an. (vgl. → zyklische Werbung)

Anzeige

(Annonce, Inserat) Allgemein eine Veröffentlichung bzw. eine Werbeform in gedruckten Medien (z.B. in Zeitungen und Zeitschriften), die nicht zum redaktionellen Bereich gehört. Speziell gestaltete Anzeigen oder Beihefter, die nicht sofort als Werbung zu erkennen sind, müssen aus presserechtlichen Gründen zusätzlich mit dem Wort »Anzeige« versehen werden.

Anzeigenbeleg

Der Werbungtreibende bzw. die Werbeagentur erhalten von den in ihrem Auftrag geschalteten Anzeigen ein oder mehrere Anzeigenbelege, meistens in Form von kompletten Ausgaben des gedruckten Mediums.

Anzeigenblatt

Anzeigenblätter sind periodisch erscheinende Druckerzeugnisse, die sich durch Anzeigenwerbung finanzieren und kostenlos verbreitet werden. Sie dienen vor allem dem örtlichen bzw. regionalen Einzelhandel und den Dienstleistungsunternehmen als Werbeträger. Der redaktionelle Teil der Anzeigenblätter befasst sich überwiegend mit Informationen der Gemeinden bzw. Kommunen. (vgl. → Offertenblatt)

Anzeigen-Erinnerungswert

→ Copy-Test

Anzeigenformat

Die möglichen Formate einer Anzeige sind durch Vorgaben der jeweiligen Zeitschrift oder Zeitung (jeweiliger Satzspiegel, zulässige seitenteilige Anzeigenformate etc.) bestimmt. Man unterscheidet allgemein:

- Anzeigenformate innerhalb des Satzspiegels,
- Anzeigenformate über zwei Seiten hinweg (Bunddurchdruck),
- Anzeigenformate, die angeschnitten sind, d.h. Anzeigen, die über den Satzspiegel hinaus bis an den Rand reichen.

Die Formate gehen von einer ganzen Seite (1/1-Seite) aus und werden überwiegend seitenteilig (z.B. 1/2-, 1/4-, 1/8-, 3/4-Seite) sowie teilweise auch im Hoch- und Querformat als Alternative angeboten.

Anzeigengestaltung

Die wichtigsten Gestaltungselemente für eine Anzeige sind:

- das Bild (→ Artwork),
- die Überschrift (→ Headline eventuell als Unterzeile/Subline) und
- der Textteil (→ Copy).

Je größer und je farbiger eine Anzeige ist, desto mehr Aufmerksamkeit wird ihr zuteil. Jedoch kann auch eine schwarzweiße Anzeige in einem relativ farbigen Umfeld sehr gut wirken und auffallen. Bilder werden grundsätzlich bevorzugt wahrgenommen, danach folgen die Über- und Unterschriften (Head- und Subline) und zum Schluss der übrige Text. Die Head- und Subline sollten bereits den Kern der Werbebotschaft kommunizieren und unter dem Bild positioniert werden. Die Marke, den Absender und eventuell einen zusätzlichen Slogan sollte man rechts unten platzieren. Man geht hier davon aus, dass der letzte Blick beim Umblättern auf diese Stelle fällt und

besser in Erinnerung bleibt. Die »natürliche« Reihenfolge der Betrachtung ist somit:
1. Bild
2. Headline
3. Copy
4. Absender/Marke.

Anzeigen werden in der Regel nur oberflächlich und sehr kurz betrachtet, deshalb ist es notwendig, den Produktnutzen bzw. die zentrale Werbeaussage in den Mittelpunkt der Gestaltung zu stellen und auf das Wesentliche zu reduzieren. Je komprimierter die Darstellung und konzentrierter die Aussagen, desto besser ist die Aufnahme und Verarbeitung durch den Betrachter einer Anzeigenwerbung. (vgl. Unger, 1989, S. 296 ff.)

Anzeigen-Millimeterpreis
Die bei Anzeigen in Zeitungen und Zeitschriften übliche Berechnungsgrundlage für die Ermittlung eines Anzeigenpreises. Der Preis wird für eine Zeile und einer Höhe von einem Millimeter, für eine Spalte (bei jeweils gegebener Spaltenbreite), berechnet.

Anzeigen-Profil
→ Copy-Test

Anzeigenrabatt
(Anzeigen-Rabattstaffel) Ein Preisnachlass, der auf den normalen Grundpreis einer Anzeige gewährt wird. Man unterscheidet die beiden Rabattarten Malrabatt (Malstaffel in der Anzeigenpreisliste) und Mengenrabatt (Mengenstaffel in der Anzeigenpreisliste). Beim Malrabatt wird bei wiederholten Schaltungen einer Anzeige ein Nachlass eingeräumt: je höher die Schaltfrequenz, desto höher der Rabatt. Beim Mengenrabatt kommt die tatsächliche Größe einer Anzeige zum Tragen: je größer die Anzeigenfläche z.B. pro Jahr, desto größer ist der gewährte Rabatt. Je nach den Konditionen in den Anzeigenpreislisten und dem Schaltvolumen und der Anzeigengröße kann die jeweils günstigste Rabattstaffel ausgewählt werden.
Mit sogenannten Rabattkombinationen werden dem Werbungtreibenden zusätzliche Preisnachlässe bei der Belegung von mehreren Werbeträgern (z.B. in verschiedenen Zeitschriften eines Verlagsunternehmens) eingeräumt.

Anzeigen-Rabattstaffel
→ Anzeigenrabatt

Anzeigenschaltung
→ Werbe-Schaltung

Anzeigensplit
(Anzeigensplitting) Man unterscheidet den mechanischen und den geographischen Anzeigensplit:
- *Mechanischer Anzeigensplit:* Zwei oder mehrere verschiedene Versionen von Anzeigenmotiven (z.B. mit unterschiedlichen Bildern) gleichen Formats werden nach einem mechanischen Verfahren über die gesamte Auflage einer Zeitschrift verteilt. Beispielsweise wird Motiv A in der einen Hälfte und Motiv B in der anderen Hälfte der Auflage eingesetzt.
- *Geographischer Anzeigensplit:* In dieser Form des Anzeigensplits belegt ein Werbungtreibender nur

einen Teil der zur Verfügung stehenden Auflage (z.B. nur ein bestimmtes → Nielsen-Gebiet).

Anzeigensplitting
→ Anzeigensplit

Anzeigenstrecke
Eine Insertion von Anzeigen in Zeitungen oder Zeitschriften über mehrere aufeinander folgende Seiten hinweg, die in keiner Form durch redaktionellen Text unterbrochen werden.

Anzeigenwerbung
(Sonderformen) Zu den Sonderformen gehören u.a. Anzeigenwerbungen (vgl. → Anzeige) in den folgenden Medien (vgl. Pepels, 1996, S. 845 f.):
- → Supplement,
- → Lesezirkel,
- → Anzeigenblatt,
- → Stadtillustrierte,
- → Kundenzeitschrift,
- Roman- und Rätselhefte,
- Bücher,
- Verbands-, Vereinsmitteilungen,
- Telefon- und Adressbücher,
- Stadtpläne, Kulturführer.

Zu den Sonderformen bei der Gestaltung einer Anzeigenwerbung gehören u.a.:
- → Beihefter,
- → Beikleber,
- → Beilage,
- → Duftanzeige.

AOD
→ Audio on demand

AOL
→ America Online

AP-Papier
Eine Bezeichnung für Papiersorten, die ganz oder teilweise aus Altpapier hergestellt wurden. Dies können Druck- und Schreibpapiere sowie alle Formen von Verpackungsmaterialien aus Karton, Wellpappe und Papier sein.

Arbeitsgemeinschaft Media-Analyse e.V. (AG.MA)
Die Arbeitsgemeinschaft Media-Analyse ist eine Gemeinschaftsorganisation von werbungtreibenden Unternehmen, Werbeagenturen, Zeitschriften- und Zeitungsverlagen sowie von Rundfunk- und Fernsehsendern. Laut Satzung ist der Zweck der AG.MA »die Förderung der wissenschaftlichen Erforschung der Massenkommunikation für die Media- und Marketingplanung und die Sicherung eines hohen Leistungsstandards derartiger Untersuchungen«. Die AG.MA fördert die Grundlagenforschung im Bereich der Werbeträgeranalysen und führt sie auch selbst durch. Die Durchführung der jährlichen → Media-Analyse (MA) ist ihre wichtigste Aufgabe.

Architekturdesign
→ Corporate Design

Art-Buyer/in
Der Art-Buyer ist ein Mitarbeiter in einer Werbeagentur, der für die Auswahl und den Kontakt zu freien Mitarbeitern, wie Grafikern, Textern und Fotografen zuständig ist und deren kreative Dienstleistungen »einkauft«. (vgl. → Werbe- und Medienberufe - Berufs- und Tätigkeitsfelder)

Art-Director/in

Er ist Leiter der Kreativabteilung bzw. der Grafik in einer Werbeagentur, der die gestalterischen Umsetzungen vom Entwurf bis zur Produktion plant, koordiniert und überwacht. (vgl. → Werbe- und Medienberufe - Berufs- und Tätigkeitsfelder)

Art Directors Club für Deutschland e.V. (ADC)

Der Art Directors Club für Deutschland e.V. ist eine Vereinigung von kreativen Führungskräften/Mitarbeitern in der Werbung und den damit verbundenen Kommunikationsbereichen, wie Fotografie, Film, Fernsehen und Redaktion. Der ADC hat sich zum Ziel gesetzt, die Qualität der Arbeit in diesen Bereichen ständig anzuheben und Maßstäbe zur Beurteilung dieser Qualität zu entwickeln. Der ADC organisiert zu diesem Zweck die Auslese und Prämierung von herausragenden Arbeiten der Kommunikationsbranche (z.B. Kreativ- und Konzeptionsideen, Broschüren, Ausstellungen) mittels eines ADC-Haupt- und eines ADC-Nachwuchswettbewerbes. Für beide Wettbewerbe werden Jurys aus den Reihen der ADC-Mitglieder gebildet. Die prämierten Arbeiten des ADC-Hauptwettbewerbes werden mit der Veröffentlichung im jährlich erscheinenden »Art Directors Club-Jahrbuch« publik gemacht. Filme und Funkspots gibt es zusätzlich auf Videokassette und CD.

Artwork

Unter Artwork versteht man den grafischen Teil bzw. die kombinierten Bildelemente einer Werbebotschaft. Hierzu zählen Zeichnungen, Illustrationen, Fotografien, Foto- und Computergrafik und auch Linien, Flächen und Dekorationselemente zur Unterstützung der typografischen Gestaltung. Verantwortlich in der Werbeagentur ist die Kreativ- (oft Grafik-) Abteilung (Creative service). Innerhalb dieser Gestaltungsabteilung sorgt der Art-Buyer für die Beschaffung freiberuflicher Gestaltungskräfte (Freelancer), wie z.B. Grafiker und Fotografen. Folgende Punkte sind beim Artwork besonders zu beachten:

- *Umwelterfahrungen*: Physikalische, physische und kulturelle Bedingungen bestimmen unsere sinnliche Wahrnehmung. So z.B. die Senkrechte und Waagerechte als »optische Mitte« und damit den Informationswert einer symmetrischen oder asymmetrischen Gestaltung. Oder die bevorzugte Blickrichtung nach rechts, die in unserem Kulturkreis der Schreib-Lese-Richtung entspricht. Oder die - je nach Kultur - spezifischen Assoziationen beim Betrachten von Farben. Diese grundlegenden Regeln und Faktoren sind bei einer Gestaltung mit einzubeziehen.
- *Reduktion:* Dabei soll bei der Gestaltung versucht werden, besonders charakteristische Merkmale von bestimmten Objekten in eine knappe, prägnante Form zu bringen, um die Informationsaufnahme zu beschleunigen. Die visuelle Wahrnehmung unserer Umwelt zeugt von einem Ergänzungsprinzip, d.h., fragmentartige Signale

werden zu ganzen Formen vervollständigt. Punkte ergänzen sich zu Linien, Linien zu Flächen und Flächen zu räumlichen Darstellungen - die reduzierte Form wird durch »visuelles Denken« ergänzt.

- *Information overload:* Die visuelle Gestaltung darf die Informationsverarbeitungskapazität des Betrachters nicht überfordern. Ein sogenannter »information overload« führt zwangsläufig zu einer Beeinträchtigung oder gar Abwehr der Informationsaufnahme. Ein gezielter Einsatz von Symbolen, Farben, Grafiken und Abbildungen kann eine Vielzahl von Einzelinformationen ersetzen. Um eine Überforderung zu vermeiden, sollte man die Gestaltung auf sechs Elemente der Wahrnehmung beschränken, da die durchschnittliche Betrachtungsdauer einer Anzeige oder eines Plakates nur sehr kurz ist.
- *Wiedererkennung:* Eine Ähnlichkeit mit bekannten Objekten und Elementen trägt zum Wiedererkennen und damit zur schnellen Erfassung und Informationsverarbeitung durch den Betrachter bei. Auch durch den Bildteil geweckte Assoziationen erhöhen den Erinnerungswert.
- *Blickfang und Blickführung:* Ein besonders starkes optisches Signal führt zu Interesse und Aufmerksamkeit des Betrachters gegenüber dem Werbemittel - dies kann typografischer und/oder grafischer Herkunft sein. Weitere aufmerksamkeitsstarke Elemente sollen die Blicke zur zentralen Werbebotschaft lenken.
- *Anpassung/Abstimmung:* Die Gestaltung muss der jeweiligen Werbebotschaft und ihren Inhalten, den spezifischen Eigenheiten des gewählten Mediums und der Zielgruppe gerecht werden. Selbstverständlich müssen auch die typografischen Ausdrucksmittel im Einklang mit den Bildelementen stehen und sich gegenseitig ergänzen, um die Werbebotschaft optimal transportieren zu können.
- *Bewertung:* Die ästhetische Bewertung eines Artworks ist individuell stets verschieden und von Emotionen bestimmt. Sie hängt vor allem von den Erfahrungen und dem Bewusstseinsstand des Betrachters bzw. der Zielgruppe ab und ist daraufhin abzustimmen.

ASCII

→ American Standard Code for Information Interchange

Associate Program

→ Internet-Werbeformen

@

»Klammeraffe« oder ausgesprochen »at«. Ein Teil der Internet-Adresse als Trennzeichen, das auf den benutzten Server oder → Online-Dienst beim Versenden von E-Mails (→ Electronic Mail) und Daten hinweist (z.B. info@sr-online.de).

Audience-Effekt

→ Kommunikationswirkung der Werbung

Audio Dubbing

Nachvertonung von Videomaterial, d.h. den Filmsequenzen mit Originalton werden nachträglich verschiedene Audiosignale hinzugefügt oder sie werden vollständig durch neue Töne ersetzt.

Audio on demand (AOD)
Der Begriff bezeichnet den Abruf von Musiktiteln aus einem virtuellen Musikarchiv im → Internet bzw. → World Wide Web und die Speicherung direkt auf den eigenen Computer des Users. Der Nutzer kann dabei unverbindlich verschiedene Musiktitel anhören und danach bestimmte Stücke gegen Bezahlung »herunterladen«.

Audiovision
→ audiovisuelle Medien

audiovisuelle Medien (AV-Medien)
Audiovisuelle Medien verbinden Bild und Ton also akustische mit visuellen Signalen. Zu den AV-Medien gehören z.B. Film, Video und Dia-Audiovisionen.

Auflage
Bei der Produktion und Verbreitung von Printmedien wird zwischen *verbreiteter Auflage, verkaufter Auflage* und *Druckauflage* unterschieden.

- Unter der *verbreiteten Auflage* versteht man die verkaufte Auflage plus Beleg- und Freiexemplare.
- Die *verkaufte Auflage* bezeichnet den Einzelverkauf plus Abo-Exemplare plus sonstiger Verkauf (abzüglich Remittenden = nicht verkaufte, an den Verlag zurückgeschickte Exemplare), wobei hier nur voll bezahlte Exemplare berücksichtigt werden.
- Die *Druckauflage* umfasst alle gedruckten Exemplare abzüglich Makulatur (Ausschuss im Druckprozess und in der Druckweiterverarbeitung).

Auflösung
Die Anzahl der Bildpunkte pro Längeneinheit bei der Darstellung eines Bildes oder eines Dokuments am Computerbildschirm, auf jeglichen Ausgabegeräten wie z.B. Druckern und Belichtungsmaschinen oder beim Druckprozess. Man unterscheidet:

- *Bildschirmauflösung:* Die Darstellung am Computerbildschirm, die in dpi (dots per inch) angegeben wird.
- *Bildauflösung, Scannerauflösung*: Sie wird beim Scannen einer Reprovorlage (z.B. eine Fotografie) oder der Anlage eines neuen Dokuments am Computer bestimmt und in dots per inch (dpi) oder Pixel pro Zoll (pixel per inch, ppi) angegeben.
- *Druckauflösung:* Sie wird durch die verwendete Rasterweite bei der Reproduktion festgelegt und in Linien pro cm (l/cm) oder lines per inch (lpi, l/inch) angegeben. (vgl. → Raster)
- *Auflösung des Ausgabegerätes:* Sie bestimmt die maximale Qualität der Ausgabe auf Druckern, Belichtern und sonstigen Ausgabegeräten und wird in → dpi (dots per inch, Punkte pro inch) gemessen (z.B. 600 und/oder 1.200 dpi bei Laserdruckern).

Aufsichtsdensitometer
→ Densitometer

Aufsichtsvorlage
→ Druckvorlage

Ausbildungsberufe der Werbung
→ Werbe- und Medienberufe (Ausbildungsberufe)

Auskunftsperson
→ Proband

Ausschießen
Ein Begriff der das systematische und druckgerechte Anordnen der einzelnen Seiten bei der Druckformenherstellung beschreibt. Da viele Daten heute bereits digital vorliegen, wird diese Anordnung auch direkt am Computer mit spezieller Software durchgeführt. Der Papierbogen wird dabei optimal ausgenutzt und für die Weiterverarbeitung (z.B. das Falzen und Heften) entsprechend vorbereitet. Der fertig gefalzte Bogen muss später in der richtigen Seitenfolge liegen.

Außendienst-Promotion
→ Verkaufsförderung

Außenwerbung
Hierzu zählen alle Werbemittel, die außerhalb von Gebäuden angebracht sind. Zu den Mitteln der Außenwerbung gehören alle Plakatwerbeformen, die → Verkehrsmittelwerbung, die Dauerwerbung (z.B. Licht- und Leucht- und Fassadenwerbung, Uhrensäulen, Vitrinen) sowie einige Sonderformen, wie z.B. Videosäulen und verschiedene elektronische Medien.

Ausstellung
→ Messe und Ausstellung

Auszeichnen
Unter dem Auszeichnen versteht man die Bestimmung gestalterischer und typographischer Merkmale auf einem Layout. Die Anweisungen für die Satzherstellung (z.B. Schriftgröße und Stil) werden durch Kennzeichnungen im Manuskript vermerkt.

Autorkorrektur
Alle Änderungen und Korrekturen eines bereits gesetzten Textes durch den Autor oder Auftraggeber, die über reine Setz- und Rechtschreibfehler hinausgehen. Auch nachträgliche Änderungen oder Korrekturen des Auftraggebers (z.B. auch bei Bild- oder Grafikelementen bei einem Proof oder einem erfolgten Andruck) zählen zur Autorkorrektur.

Autotrace
→ Autotracing

Autotracing
(Autotrace) Die automatische Umwandlung der Umrisslinien von Bildvorlagen (Bitmaps, Pixelbilder) in vektororientierte Linien bzw. Kurven, durch Computerprogramme wie z.B. *Adobe Streamline*, *Macromedia FreeHand* und *Adobe Illustrator*. Die Vorlagen werden per Autotracing in → Bézier-Kurven umgewandelt und lassen sich entsprechend nachbearbeiten und verändern.

AV-Medien
→ audiovisuelle Medien

AWA
→ Allensbacher Werbeträger-Analyse

B

Backup
Eine Sicherungskopie von Computerprogrammen oder jeglichen Computerdaten auf einem zusätzlichen Datenträger, wie z.B. einer Diskette, einer Wechselplatte oder einer externen Festplatte.

Bandenwerbung
Ein Teilbereich der → Außenwerbung, der die Werbung mit Plakaten, Schrifttafeln, Schildern oder Werbebändern in Sportstadien, Reit- und Rennbahnen oder in Veranstaltungshallen bezeichnet.

Bankpostpapier
Ein hochwertiges holzfreies Schreib- und Schreibmaschinenpapier, das sehr oft mit einem Wasserzeichen versehen ist.

Banner
(Bereich Internet) Kleine Werbeflächen auf Internetseiten im → World Wide Web, die durch anklicken eine Verbindung mit der Homepage bzw. mit dem Internetangebot des Werbungtreibenden herstellt. Der Begriff Button wird für die kleineren Banner-Formate benutzt. Es gibt mittlerweile verschiedene Arten von Bannern, die verschiedene Möglichkeiten der grafischen Darstellung und der Interaktivität bieten. Allen gemeinsam sind jedoch die folgenden Grundmerkmale (dmmv, 1999):

- Integration in eine Website als Werbeträger,
- rechteckiges Format,
- Interaktionsmöglichkeit durch den Betrachter.

(vgl. → Banner-Werbung)

Banner-Anzeigen
→ Banner-Werbung

Banner-Werbung
(Bereich Internet) Der Banner ist zur Zeit die vorherrschende Werbeform im World Wide Web. Die einfache Handhabung und die vielfältigen Werbemöglichkeiten haben die Banner-Werbung im Internet zum Erfolg geführt. Um den Betrachter einer Website auf einen Banner aufmerksam zu machen, werden immer neue Formen der Interaktivität entwickelt. Nachfolgend werden einige Banner-Arten kurz beschrieben (vgl. dmmv, 1999):

- *Statische Banner:* Die Browser- bzw. die Navigationssoftware für das Internet konnte am Anfang lediglich statische, d.h. keine animierten Grafiken anzeigen. Daraus ergaben sich einfache Banner, die nur durch ihre grafische Gestaltung Aufmerksamkeit erzeugen konnten. Die Interaktionsmöglichkeit beschränkte sich auf einen »Klick«, der lediglich auf die Website des Werbungtreibenden führte.

- *Animierte Banner:* Neuere Browser-Versionen erlauben Animationen, d.h. Sequenzen von verschiedenen Einzelbildern hintereinander ablaufen zu lassen, die eine Bewegung erzeugen. Eine erhöhte Aufmerksamkeit und die Möglichkeit, eine Werbebotschaft als kleinen Film zu gestalten, sind die wesentlichen Vorteile von animierten Bannern.
- *HTML-Banner:* Ein HTML-Banner besteht nicht nur aus einer einzelnen grafischen Darstellung, sondern aus einer Reihe von HTML-Befehlen, die innerhalb des Quellcodes der Seite des Werbeträgers eingefügt werden. Auf diese Weise können interaktive Elemente wie Pull-Down Menüs und Auswahlboxen verwendet werden. Der Nutzer kann z.B. ein bestimmtes Produkt innerhalb des Banners auswählen und durch einen Klick direkt zu den entsprechenden Informationsseiten gelangen.
- *Nanosite-Banner:* Diese Form der Banner kann man auch als Mini-Website bezeichnen. Auf der zur Verfügung stehenden Fläche des Banners wird eine komplett funktionsfähige Website erzeugt, d.h. es können beliebig viele und komplexe Website-Bereiche angeklickt werden. Der aufgerufene Inhalt wird dabei nicht in einem neuen Fenster, sondern ebenfalls an demselben Werbeplatz angezeigt. Hierbei ist es z.B. möglich, dem Nutzer komplette Mini-Shops mit allen Funktionalitäten anzubieten, ohne dass er die gewählte Website verlassen muss.
- *Rich-Media-Banner:* Bei dieser Bannerart werden verstärkt Multimedia-Elemente wie Video-, Audio- oder 3D-Effekte eingesetzt. Die Ausgestaltung und Darstellungsgeschwindigkeit der Rich-Media-Banner wird von der Entwicklung neuer Technologien für das Internet bestimmt sein.

(vgl. → Internet-Werbeformen)

Bartering

Beim Bartering handelt es sich um ein reines Tauschgeschäft zwischen einem Werbetreibenden und einem Hörfunk- oder Fernsehsender, der seine Werbung ausstrahlt. Der Werbetreibende finanziert und produziert sendefähiges Hörfunk- oder TV-Programm und erhält dafür als Gegenleistung Werbezeiten vom jeweiligen Sender.

Baseline

→ Copy

Basismedium

(Leitmedium) Dasjenige Medium bzw. derjenige Werbeträger, mit dem man den größten Teil der anvisierten Zielpersonen bei der Durchführung einer Kommunikationsmaßnahme bzw. einer Werbekampagne erreichen kann.

Baud

Eine Maßeinheit bei der Datenübertragung z.B. zwischen zwei Modems bzw. zwischen Computer und Modem, die auch Baudrate genannt wird. Dieses Maß gibt an, wie viele Male pro Sekunde bei der Übertragung ein Signalwechsel stattfindet. Wenn jeder Zustand der Verbindung dabei ein → Bit darstellt, ist diese Zahl dem Wert → Bit pro Sekunde (bps) gleichzusetzen.

Baudrate
→ Baud

BDW Deutscher Kommunikationsverband
Der BDW Deutscher Kommunikationsverband ist ein Berufs- und Interessenverband von Fachkräften der Kommunikationsarbeit, die beratend, kreativ, organisatorisch oder wissenschaftlich in den Bereichen der Werbung oder Absatzkommunikation eine Tätigkeit ausüben. Der Verband setzt sich für die fachliche Information und berufliche Förderung seiner Mitglieder (Berater, Texter, Designer, Manager, Marketingexperten, Verkaufsförderer, Verkaufstrainer, Marktforscher und PR-Manager), die Vertretung gemeinsamer Interessen und die allgemeine Förderung des Ansehens der gesamten Werbung ein. Die Kontaktpflege zu Universitäten, Hochschulen, Akademien und Werbefachschulen gehört ebenso zu den Aufgaben des BDW.

Bedruckbarkeit
Ein Begriff für die Oberflächeneigenschaften von Papieren, wie Glätte, Saugfähigkeit und Fähigkeit der Farbaufnahme, die sich auf den Druck, die Druckweiterverarbeitung und die Qualität des Endproduktes auswirken. (vgl. → Verdruckbarkeit)

Bedruckstoff
Allgemeine Bezeichnung für alle Werkstoffe, die mittels eines bestimmten Druckverfahrens bedruckt werden können (z.B. Papier, Kunststoff, Glas).

Befragung, Interview
(Bereich Marketingforschung) Die Befragung ist bei der Markt-, Media- und Werbeforschung eines der wichtigsten Instrumente zur Informationsgewinnung. Bei einer Befragung werden ausgesuchte Personen durch gezielte Fragen zu einer Aussage veranlasst. Ein Problem sind Erhebungsfehler, die durch ein unterschiedliches Sprachverständnis zwischen Befragtem und Interviewer und mehrdeutigen Begriffen entstehen. Die Form der Befragung kann mündlich (auch per Telefon), schriftlich, computergestützt bei der Erfassung der Daten sowie direkt am Computer (ohne Interviewer) erfolgen. Je nach Art der Interaktion zwischen Interviewer und Befragten unterscheidet man (vgl. Koschnick, 1995, b, S. 94):

- *persönliche, mündliche Befragungen* (auch mittels computergestützter Datenerfassung möglich),
- *schriftliche Befragungen* (per Post oder unter Aufsicht),
- *telefonische Befragungen* (auch mittels computergestützter Datenerfassung möglich),
- *Computerbefragungen* (ohne Interviewer, der Befragte liest die Fragen am Bildschirm und gibt die Antworten direkt in den Computer ein).

Eine Befragung in persönlicher oder auch telefonischer Form bezeichnet man auch als Interview. Bei den Interviews unterscheidet man (vgl. Zentes, 1996, S. 36 ff.):

- *Standardisiertes oder strukturiertes Interview:* Wenn dem Interview ein standardisierter Fragenkatalog zugrunde liegt und möglicherweise auch bereits vorgegebene Antwortmöglichkeiten (geschlossene Fragen), spricht man von einem standardisierten Interview. Der Interviewer stellt lediglich die Fragen, notiert die Antworten und gibt eventuell Erläuterungen, falls eine Frage nicht richtig verstanden wird.
- *Teil-standardisiertes oder teil-strukturiertes Interview:* Für den Interviewer ist lediglich ein gewisser Leitfaden mit bestimmten, meist offenen Fragen vorgegeben. Bei der Reihenfolge und Formulierung der Fragen kann hier flexibel reagiert werden.
- *Nicht-standardisiertes, unstrukturiertes, freies oder auch Tiefeninterview:* Diese Form des Interviews verzichtet ganz auf einen festgelegten Fragebogen und setzt einen mit der Befragungsmaterie besonders vertrauten und qualifizierten Interviewer voraus. Bei diesen Interviews wird den Befragten die Möglichkeit einer völlig freien Stellungnahme gegeben.

Nach der Anzahl der Befragten unterscheidet man zwischen Einzel- und Gruppenbefragungen bzw. Gruppendiskussionen. Bei der Anzahl der Befragungsthemen differenziert man zwischen Einthemen- bzw. Spezialbefragungen und Mehrthemen- bzw. Omnibusbefragungen.

Die schriftliche Form der Befragung erfolgt meistens mit vorgegebenen Antwortkategorien (geschlossene Fragen), die sich besser auswerten und vergleichen lassen. Die zu Befragenden erhalten per Post, persönlich oder mittels Medien (z.B. Zeitungen oder Zeitschriften) einen Fragebogen, der ausgefüllt zurückgeschickt werden soll. Damit die Rücklaufquote der Fragebogen möglichst hoch ausfällt, sollten Anreize, wie z.B. ein Preisausschreiben und ein motivierendes Begleitschreiben die Aktion unterstützen. Eine mögliche Beeinflussung durch den Interviewer (Interviewer-Bias) bei der Beantwortung der Fragen entfallen bei dieser Befragungsform.

Beihefter

Sonderblätter, kleine Prospekte oder mehrseitig vorgedruckte fertige Anzeigen, die in eine Zeitschrift oder in eine Lesezirkelmappe (→ Lesezirkelwerbung) eingeheftet werden.

Beikleber

(Einkleber) Anzeigenseiten oder ein Werbeprospekt werden im Zeitschriftenformat in eine Zeitschrift eingeklebt. Auch Postkarten oder kleine Warenproben können als Beikleber auf einer Anzeige bezeichnet werden.

Beilage

Blätter oder Werbeprospekte, die einer Zeitung, einer Zeitschrift oder einer Lesezirkelmappe (→ Lesezirkelwerbung) lose beigelegt werden.

Beleg

(Belegexemplar) Der Nachweis dafür, dass ein in Auftrag gegebenes Werbemittel auch tatsächlich veröffentlicht bzw. produziert wurde. Bei einer geschalteten Anzeige erhält

der Werbetreibende bzw. die Werbeagentur z.B. eine Belegseite oder eine komplette Ausgabe der entsprechenden Publikation (→ Anzeigenbeleg).

Belegexemplar
→ Beleg

Belegung
→ Werbe-Schaltung

Belichter
Ein computergesteuertes Gerät für die hochaufgelöste Ausgabe von Druckvorlagen auf lichtempfindlichem Papier oder auf Film. Die komplexen Grafik-, Bild- und Textdaten aus der → Druckvorstufe werden über ein RIP (vgl. → Raster Image Processor) elektronisch für die Belichtung umgewandelt bzw. gerastert.

Belichtungsmaschine
→ Belichter

Below the Line Advertising
→ Below the Line Werbung

Below the Line Werbung
(Below the Line Advertising) Unter dem Begriff Below the Line Advertising versteht man alle Kommunikationsformen, die nicht unter den Bereich der klassischen Werbung (Above the Line Advertising) fallen. Hierzu gehören z.B.: → Verkaufsförderung, → Öffentlichkeitsarbeit, → Sponsoring, → Messen und Ausstellungen, → Direktmarketing, → Event-Marketing und die neuen Medien. (vgl. → Above the Line Werbung)

Benefit
→ Consumer Benefit

Benutzeroberfläche
Das grafische Erscheinungsbild eines Computerbetriebssystems (z.B. *Windows, MAC OS, UNIX*) oder eines Computerprogramms, einschließlich der Art und Weise der Interaktion und Navigation, mit der der Nutzer am Computer arbeitet.

Beobachtung
(Bereich Marketingforschung) Die Beobachtung ist neben der → Befragung ein wichtiges Erhebungsinstrument der Markt-, Media- und Werbeforschung. Die Beobachtung erfolgt ohne direkte verbale Kommunikation zwischen Beobachter und Beobachtetem (Proband). Sie wird mit Hilfe von technischen Geräten, wie Videokameras, Monitore oder einfach mittels eines Beobachters durchgeführt. Die folgenden Beobachtungsarten lassen sich unterscheiden:

- *Feldbeobachtung:* Bei einer Feldbeobachtung wird das Verhalten des Probanden unter natürlichen Bedingungen ermittelt. Beispiele für eine Feldbeobachtung sind Passanten- und Schaufensterbeobachtungen oder die Beobachtung des Einkaufsverhaltens von Kunden in Supermärkten (Kundenlaufstudien).
- *Laborbeobachtung:* Eine Laborbeobachtung findet, im Gegensatz zu einer Feldbeobachtung, in einem künstlich geschaffenen Versuchsumfeld statt. Hier kommen sehr häufig versteckte Kameras und andere technische Hilfsmittel (z.B.

Schnellgreifbühne, Blickaufzeichnung, Tachistoskop) zum Einsatz. Die Beobachtung der Handhabung von neuen Verpackungen, das Beobachten des Leserverhaltens von Zeitschriften oder das Vorabtesten von Werbemitteln sind Möglichkeiten einer Laborbeobachtung.

- *Teilnehmende und nicht-teilnehmende Beobachtung:* Bei der teilnehmenden Beobachtung spielt der Beobachter eine teilnehmende Person, die den Proband sogar zu gewissen Handlungen »herausfordern« kann. Bei der nicht-teilnehmenden Beobachtung hat der Beobachter lediglich die Aufgabe, das Verhalten der Testperson zu dokumentieren, ohne dabei aktiv einzugreifen.

Berliner Format
→ Zeitungsformate

Berufsfelder der Werbung
→ Werbe- und Medienberufe (Berufs- und Tätigkeitsfelder)

Beschaffungswerbung
→ Werbung

beschichtetes Papier
Mit Harzen, Cellulosederivaten, Erdölprodukten sowie Kunststoffen veredelte Papiere, die gewünschten Anforderungen, wie z.B. Aromadichte (Lebensmittelverpackungen) oder bestimmten technischen Erfordernissen (z.B. Fotorohpapiere) genügen müssen.

Beschnitt
→ Anschnitt

Beschnittmarken
Gedruckte Markierungsstriche, mit denen die Größe der fertigen, gedruckten Seite bestimmt wird. Diese Marken sind bei der → Druckweiterverarbeitung beim endgültigen Beschneiden der Seiten zum fertigen Druckprodukt erforderlich.

Bestellung unter Bezugnahme auf das Werbemittel
→ Werbeerfolgskontrolle

Betriebssystem
Eine Sammelbezeichnung für die Systemsoftware eines EDV-Systems, die die gesamte Steuerung aller Rechenvorgänge, die Verwaltung des Speichers und der Dateien sowie die Kommunikation mit anderen Computern und/oder Geräten übernimmt. Die Verbindung und Kommunikation zu den am Computer direkt angeschlossenen Geräten (z.B. Tastatur, Monitor, Computer-Maus, Drucker) wird durch die Systemsoftware ebenso ermöglicht. Ein Betriebssystem ist die Grundvoraussetzung für die Installation und den Betrieb von jeglicher Software (z.B. Text-, Grafik- oder Dateiverwaltungsprogramme). Bekannte und verbreitete Betriebssysteme sind z.B. *DOS, Windows, MAC OS.*

Bézier-Kurve
Von einem französischen Mathematiker entwickelte digitale grafische Darstellungsmöglichkeit von Kurven. Die Kurven werden durch Anfangs- und Endpunkte (Ankerpunkte) sowie durch tangentenähnliche Punkte bei allen Richtungsänderungen definiert. Durch Veränderung

der Länge und/oder Richtung dieser Tangenten wird der Verlauf der Kurve zwischen zwei Ankerpunkten bestimmt. Viele Computerprogramme wie z.B. *Macromedia FreeHand* und *Adobe Illustrator* arbeiten mit Bézier-Kurven. Neben der direkten Konstruktion bzw. Gestaltung von Objekten mit diesen Kurven bieten diese Programme auch Autotrace-Funktionen, d.h. vorhandene Bildvorlagen können geladen und anschließend nachgezeichnet bzw. vektorisiert werden. Die Vorlagen werden auf diesem Wege in Bézier-Kurven umgewandelt und lassen sich entsprechend nachbearbeiten.

big picture
→ Corporate Design

Bildagentur
Ein selbständiges Dienstleistungsunternehmen, das umfangreiches Bildmaterial zu den verschiedensten Themenbereichen für die Gestaltung von Kommunikationsmaßnahmen zur Verfügung stellt. Je nach Art und Umfang der Bildmaterialnutzung werden unterschiedliche Gebühren fällig.

Bildauflösung
→ Auflösung

Bilder, bildhafte Darstellungen
(Bereich Werbewirkung) Bilder nehmen eine besondere Stellung in der Werbung ein. Ergebnisse der modernen Konsumentenforschung haben gezeigt, dass die menschliche Informationsverarbeitung zu einem großen Teil mittels »bildhafter Vorstellungen« erfolgt. Diese Überlegenheit in der Werbewirkung kann durch die folgenden vier Effekte erläutert werden (vgl. Schulisch, 1986, o.S.):

- *Reihenfolgeeffekt:* Bildhafte Darstellungen werden in der Regel vor dem Text betrachtet. Ihr Inhalt wird somit zuerst erfasst, besser gelernt und in Erinnerung behalten.
- *Aktivierungseffekt:* Bildliche Darstellungen lösen, im Gegensatz zu Texten, eine stärkere innere Aktivierung (Erregung) aus und verbessern dadurch die Wirkung der jeweiligen Werbung.
- *Gedächtniseffekt:* Bildhafte Darstellungen werden grundsätzlich besser in Erinnerung behalten als Worte.
- *Manipulationseffekt:* Bildliche Darstellungen sind besser zur Verhaltenssteuerung geeignet, weil ihre Wirkung vom Empfänger in der Regel weniger durchschaut und kontrolliert wird.

Bilderdruckpapier
Holzfreies oder holzhaltiges, beidseitig mit einer Streichmasse versehenes, d.h. → gestrichenes Papier. Marktüblich sind Bilderdruckpapiere mit matten und glänzenden Oberflächen. Die Einsatzgebiete liegen im Mehrfarbendruck in mittleren und kleineren Auflagen, wie z.B. bei der Produktion von Fachzeitschriften, Werbeschriften, Broschüren und Prospekten.

Bild-Erinnerungswert
→ Copy-Test

Bildmarke
→ Bildzeichen

Bildplatte
Ein Datenträger, auf dem sich analoge Videobilder und digitale Text- und Audioinformationen ablegen lassen und der von einem Laser abgetastet bzw. gelesen wird. Die Informationen auf der Bildplatte können vom Benutzer weder gelöscht noch verändert werden. Einsatzbereiche sind z.B. Nachschlagewerke, Spielfilme sowie Produkt- oder Unternehmenspräsentationen, die im Rahmen der Verkaufsförderung oder Werbung eingesetzt werden.

Bildschirmauflösung
→ Auflösung

Bildschirm-Font
→ Font

Bildschirmtext (BTX)
Ein → Online-Dienst, mit dem die Deutsche Bundespost in den 80er-Jahren gestartet ist (später umbenannt in Datex-J) und der inzwischen ein Bestandteil von → *T-Online* geworden ist.

Bildzeichen
(Bildmarke) Ein Bildzeichen ist ein ausschließlich aus einer Grafik oder einer anderen bildhaften Darstellung bestehendes → Güte-, Firmen- oder → Warenzeichen (wie z.B. der *Mercedes*-Stern).

Billings
(Agentureinkommen) Die Billings sind die Brutto-Umsätze der Agentur, die sich aus den Einzel- und Pauschalhonoraren, den Provisionen sowie allen Medienkosten (Produktion und Schaltkosten) zusammensetzen. Die Billings entsprechen dem Gesamtetat für bestimmte Werbemaßnahmen, die ein Unternehmen einer Werbeagentur zur Verfügung stellt. In den Fachzeitschriften der Werbebranche werden die Gesamt-Billings der größten Agenturen in regelmäßigen Abständen in Form einer Rangreihe veröffentlicht. Das → Gross Income ist hingegen der Netto-Umsatz der Agentur.

Binary digit
→ Bit

Bindung
(Bereich Druckweiterverarbeitung) In der → Druckweiterverarbeitung wird zwischen den verschiedenen Bindetechniken → Drahtheftung, → Fadenheftung, → Klebebindung sowie einiger Sonderformen (z.B. Ring-, Spiral- oder Schraubheftung bei Kalendern oder Katalogen) unterschieden.

Bit (binary digit)
Kleinste digitale und speicherbare Informationseinheit, die zwei Zustände (0 oder 1) annehmen kann. Acht Bit entsprechen einem Byte und können ein bestimmtes Computerzeichen (z.B. einen Buchstaben) darstellen.

Bitmap-Bild
→ Bitmap-Datei

Bitmap-Datei
Ein Rasterfeld, das eine Grafik (Bitmap-Grafik, Pixel-Grafik, Rastergrafik) oder ein Bild (Bitmap-Bild) oder eine Schrift (Bitmap-Font) aus einzelnen Pixeln aufbaut. In einer

Bitmap-Datei ist jedem Pixel ein Datenbit zugeordnet, das sich einzeln ansteuern und bearbeiten lässt. Jeder Punkt kann lediglich zwei verschiedene Zustände annehmen: entweder schwarz (Bildstelle, gedruckter oder belichteter Punkt) oder weiß (keine Bildstelle, kein gedruckter oder belichteter Punkt). Bei einer Vergrößerungen einer Bitmap-Datei ist die »Treppen-« bzw. »Sägezahnstruktur«, die durch den Pixelaufbau bedingt ist, deutlich zu erkennen. Dieser Qualitätsverlust tritt bei der Vergrößerung einer → Vektor-Datei nicht auf.

Bitmap-Font
→ Bitmap-Datei

Bitmap-Grafik
→ Bitmap-Datei

Bit pro Sekunde (Bit/s, bps)
Eine Maßeinheit für die Geschwindigkeit der Datenfernübertragung bzw. für das maximale Datenvolumen, das innerhalb einer Sekunde über eine Leitung übertragen werden kann.

Bit/s
→ Bit pro Sekunde

Bit-Tiefe
In der Computertechnik die Anzahl der verwendeten Bits zur Darstellung eines Pixels. Der Farb- und Tonwertumfang eines Bildes bei der Ausgabe oder die Darstellung auf einem Monitor werden durch die Bit-Tiefe bestimmt. Bei einer Bit-Tiefe mit einem Bit kann nur schwarz oder weiß dargestellt werden (z.B. monochromer Bildschirm). Bei einer Bit-Tiefe von acht Bit lassen sich bereits 256 verschiedene Graustufen- oder Farbabstufungen darstellen. Neuere Grafik- und Bildbearbeitungsprogramme arbeiten z.B. auf 24- oder 32-Bit-Basis. Neben der Darstellung von Millionen von Farben sind Zusatzfunktionen wie z.B. Maskierungen durch diese Bit-Tiefe möglich.

Blickfang
→ Artwork, → Werbemittel-Gestaltung

Blickführung
→ Artwork, → Werbemittel-Gestaltung

Blindmuster
→ Dummy

Blindprägung
Ein Prägedruck im Hochdruckverfahren oder mittels spezieller Pressen, bei dem keine Druckfarbe eingesetzt wird. Die geprägten Bildstellen stehen erhaben oder vertieft auf dem Bedruckstoff. Die Blindprägung wird z.B. zur Hervorhebung von besonderen grafischen und textlichen Elementen bei hochwertigen Drucksachen und Verpackungen eingesetzt.

Blindtext
Beliebiger Text einer bestimmten Schriftart und Schriftgröße, der zur Herstellung eines → Layouts stellvertretend für den späteren Originaltext eingesetzt wird. Zur Simulation werden dieselben Schriftarten und -größen eingesetzt.

Blockheftung
→ Drahtheftung

Blocksatz
→ Satzarten

Body-Copy
Der reine Textteil (die → Copy) eines Werbemittels bzw. einer Werbebotschaft wird in die → Headline (evtl. Subline), die Schlusszeile (Baseline) und den argumentierenden Hauptteil (Body-Copy) unterteilt.

Bogenmontage
→ Montage

Bogenoffsetdruck
→ Offsetdruck

Bogensatz
→ Satzarten

Bolstering-Effekt
→ Kommunikationswirkung der Werbung

Bookmark
Eine Art Lesezeichen eines → Web-Browsers, das beim »Surfen« im → World Wide Web bzw. → Internet die häufig besuchten Internetseiten mit ihrer Adresse speichern kann. Die mit einer Bookmark einmal gekennzeichneten Internetseiten erscheinen in einer Liste in der Browser-Software (z.B. *Microsoft Internet Explorer, Netscape Communicator*) und können von dort direkt angesteuert werden.

Botschaft
→ Werbebotschaft

bps
→ Bit pro Sekunde

Brand-Image
→ Image

Branding
→ Markenpolitik

Brand Licensing
→ Licensing

brand mark
→ Markenpolitik

brand name
→ Markenpolitik

Breitbahn
Kennzeichnung eines zu bedruckenden Papierbogens bezüglich seiner Laufrichtung. Bei Bogenpapieren, die aus einer Papierbahn herausgeschnitten werden können, unterscheidet man Schmalbahn und Breitbahn:

- *Schmalbahn:* Die Fasern des Papiers verlaufen parallel zur längeren Seite des Papierbogens.
- *Breitbahn:* Die Fasern liegen parallel zur kürzeren Seite des Papiers.

Bei der Papierbogenbestellung ist die Dehnrichtung meistens unterstrichen oder die Maschinenrichtung ist mit einem »M« markiert oder das Papierformat ist mit den Abkürzungen SB (Schmalbahn) bzw. BB (Breitbahn) gekennzeichnet. (vgl. → Laufrichtung)

Briefing
Unter dem Briefing versteht man die schriftliche Bestandsaufnahme und genaue Aufgabenstellung eines Wer-

bungtreibenden an einen Dienstleister der Kommunikationsbranche (häufig die Werbeagentur). Ein Briefing beinhaltet alle wesentlichen Informationen, die bei der Konzeption, Gestaltung und Durchführung einer Kommunikationsmaßnahme berücksichtigt werden müssen. Hierzu zählen z.B. die Festlegung von Marketing- und Kommunikationszielen, die Beschreibung der Marktverhältnisse, Etatangaben, das Verbraucherverhalten, die Produkteigenschaften, Analyse der Konkurrenz, die Distributionsverhältnisse sowie die genaue Bestimmung der Zielgruppen. Das Briefing dient als Zielvorgabe und allgemeine Leitlinie für alle am Kommunikationsprozess Beteiligten.

Briefwerbung
→ Aktionswerbung, → Direct-Mail-Werbung

Browser
→ Web-Browser

Bruttoreichweite
Während man unter der → Nettoreichweite die Anzahl der Personen einer Zielgruppe versteht, die von einem Werbeträger oder einer Werbeträgerkombination mindestens einmal erreicht werden, ist die Bruttoreichweite die Summe der Reichweiten mehrerer Werbeträger inklusive der Überschneidungen. Mehrfach erreichte Personen werden hier auch mehrfach gezählt. Die Bruttoreichweite kann in Prozent (→ Gross Rating Point/GRP) oder in absoluten Zahlen (Bruttokontakte) angegeben werden.

BTX
→ Bildschirmtext

BuBaW-Verfahren
→ Werbeerfolgskontrolle

Buchbinderei
Die Buchbinderei ist für den Bereich der → Druckweiterverarbeitung zuständig. Hier werden alle bedruckten Bögen zu Endprodukten, wie z.B. Faltblättern, Illustrierten, Plakaten und Büchern verarbeitet. Die Druckprodukte werden z.B. gefalzt, zusammengetragen, geheftet und auf das Endformat zugeschnitten.

Buchbindung
→ Bindung

Buchdruck
→ Hochdruck

Buchdruckpapier
Holzfreie oder holzhaltige Papiere mit meist hohem Volumen, d.h. großer Papierdicke, die vor allem für Bücher eingesetzt werden. Man bezeichnet diese Sorten auch als Werkdruckpapier.

Budget
→ Werbeetat

Budgetierung
→ Werbeetat

Bumerang-Effekt
→ Kommunikationswirkung der Werbung

Business-to-Business-Werbung
(Industriewerbung, Fachwerbung) Die Werbung von Unternehmen für In-

dustriegüter betrifft die Ansprache von Personen in ihrer Eigenschaft als Berufsverantwortliche, die rational und nicht gefühlsmäßig entscheiden. Diese Werbung versucht sachlich und fachlich korrekt zu informieren, zu beraten und zu überzeugen. Die Werbeinhalte beziehen sich z.B. auf die Leistungsfähigkeit, die technischen Details und den Verkaufserfolg des jeweiligen Industrieproduktes.

Business-TV
Ein firmeninternes Fernsehprogramm, das für das Unternehmen, seine Niederlassungen und Tochtergesellschaften selbst produziert und ausgestrahlt wird. Business-TV ist ein neueres Kommunikationsinstrument der internen Öffentlichkeitsarbeit (Human Relation) und sorgt für die Information und Motivation der eigenen Mitarbeiter. Wie das → Intranet dient auch das Firmenfernsehen zur schnellen und anschaulichen Vermittlung von Informationen und der gesamten Kommunikation in einem Unternehmen.

Büttenpapier
In Handarbeit hergestelltes bzw. handgeschöpftes Papier, das u.a. unregelmäßige Ränder aufweist. Maschinell kann dieser Effekt durch Stanzen oder Beschneiden nachgeahmt werden.

Button
(Bereich Internet) Eine sehr kleine Werbefläche auf Internetseiten im → World Wide Web, die durch Anklicken eine Verbindung mit der Homepage bzw. mit dem Internetangebot des Werbungtreibenden herstellt. Größere Flächen werden → Banner genannt. Der Begriff Button wird für die kleineren Banner-Formate benutzt. (vgl. → Banner-Werbung)

Byte
Die kleinste adressierbare digitale Speichereinheit. Ein Byte besteht aus acht → Bit. Ein Byte kann 256 verschiedene Zustände annehmen, d.h. dass sich damit 256 verschiedene → alphanumerische Zeichen darstellen lassen.

C

CAD
→ Computer Aided Design

Call Center
Ein Unternehmensbereich oder ein externer Dienstleister, der das Telefonmarketing übernimmt. Ein Call Center dient der Optimierung des Dialogs mit den bestehenden oder neu zu gewinnenden Kunden. Zu den Aufgaben gehören vor allem: Kundenbindung. Kundenbetreuung und -beratung (z.B. Service-Hotlines bzw. Support), die reibungslose Vertriebsabwicklung (z.B. Bearbeitung von Bestellungen und Reklamationen) sowie die Neukundengewinnung.

Carry-over-Effekt
→ Kommunikationswirkung der Werbung

Cartridge
(Wechselplatte) Ein Begriff für die unterschiedlichen, auswechselbaren Speichermedien bei Computern bzw. angeschlossenen externen Laufwerken. Dies kann beispielsweise ein magnetisches Medium (z.B. System Syquest: 44/88/270 MB, Zip: 100/250 MB, Jaz: 1 oder 2 GB), ein optisches Medium (z.B. 230/650 MB; 1,3/2,6 GB) oder eine Magnetbandkassette (DAT-Band) sein. Wechselplatten werden für Backup-Zwecke oder für den Austausch von Daten eingesetzt.

CAS
→ Computer Aided Selling

Catch Phrase
→ Copy-Analyse

CBT
→ Computer Based Training

CC-Zeitschrift
→ Controlled Circulation-Zeitschrift

CD-DA
(Compact Disc-Digital Audio)
CD zur speziellen Speicherung von Musik, deshalb auch Audio-CD genannt.

CD-i
(Compact Disc-interactive)
Spezieller Standard der CD-Technik. Dieses Format erfordert einen CD-i-Player und ein Standard-Fernsehgerät, für den mobilen Einsatz gibt es tragbare CD-i-Player mit integriertem Monitor. Der Programmablauf wird mittels eines im CD-i-Player integrierten Computerchips gesteuert, ein Computer ist nicht erforderlich. Das Handling gegenüber der herkömmlichen CD-ROM ist einfacher, da keine Installations- und Ladeprozeduren erforderlich sind. Ein CD-i-Player kann zudem Audio-CDs, Video-CDs und Photo-CDs abspielen. Einsatzbereiche sind z.B. Homeshopping (CD-i als Katalog), Pro-

dukt-Promotion, Unterstützung für den Außendienst (CD-i mit Produktinfos, Videosequenzen), Unterstützung von Verkaufsförderungsaktionen am → Point of Sale (POS).

CD-Konstanten
→ Werbekonstanten

CD-R (Compact Disc-Recordable)
Die CD-R ist eine beschreibbare Compact Disc. Für den Schreibvorgang, auch »Brennen« genannt, wird neben einem Computer ein CD-Brenner, eine passende Software und ein CD-Rohling, d.h. eine unbeschriebene CD-R benötigt. Auf eine CD passen 650/730 MB an Daten. Mit einem herkömmlichen CD-ROM-Laufwerk sind die gespeicherten Daten lesbar, allerdings nach dem Brennvorgang nicht mehr zu ändern oder durch weitere Daten zu erweitern. Die CD-R eignet sich als Backup-Medium für größere Datenmengen, die nicht aktualisiert werden müssen. (vgl. → CD-RW)

CD-ROM (Compact Disc-Read Only Memory)
Die CD-ROM eignet sich als Speicher für größere Datenmengen. Die Daten der herkömmlichen CD-ROM können gelesen und kopiert, nicht jedoch verändert werden. Die Speicherung erfolgt auf Laser-optischer Basis. Die Vorteile gegenüber anderen Speichermedien sind u.a.: sehr günstiges Preis-Leistungs-Verhältnis, langfristig zuverlässige Datenspeicherung bei hoher Datensicherheit (ca. 30 Jahre bei entsprechender Lagerung), einfache Handhabung, leichter Transport. Die Einsatzbereiche für die CD-ROM als Datenträger sind vielfältig: Computersoftware, Schriften-, Grafik- und Fotosammlungen für den DTP-Einsatz, Firmendarstellungen, Versandhauskataloge, Produktpräsentationen, Produktinformationen am → Point of Sale (POS).

CD-RW (Compact Disc-ReWritable)
Die CD-RW ist eine wiederbeschreibbare Compact Disc. Für das mehrmalige Beschreiben wird, neben dem Computer, ein CD-Brenner mit CD-RW-Technologie, eine dazugehörende Software und eine unbeschriebene CD-RW benötigt. Mit einem CD-RW-Laufwerk sind die gespeicherten Daten zu lesen, zu ändern, zu löschen oder durch weitere Daten zu ergänzen. Die CD-RW eignet sich besonders als Backup-Medium für größere Datenmengen, die in größeren Abständen zu aktualisieren sind.

Celebrity Licensing
→ Licensing

Central Processing Unit (CPU)
Eine Bezeichnung für die Zentraleinheit bzw. den Mikroprozessor eines Computers.

Character Licensing
→ Licensing

Chart
Eine Bezeichnung für Listen, Aufstellungen, Schaubilder oder Präsentationsmittel auf Folien, Papier oder Pappen.

Chat
Ein englischer Begriff für die direkte Kommunikation im → World Wide Web bzw. im → Internet über Tastatur und Computer-Bildschirm zwischen zwei oder mehreren Internetnutzern. Im World Wide Web gibt es unzählige Chat-Foren zu den unterschiedlichsten Themen und Fachgebieten.

Cheshire-Etiketten
Mit Adressen beschriftete Selbstklebeetiketten, benannt nach dem Hersteller der Etikettiermaschine.

Chromokarton
Ein mehrlagiger Karton, dessen oberste Schicht aus Zellstoff oder holzfreiem Altpapierstoff besteht und gestrichen ist. Dieser Karton wird z.B. für Verpackungsmaterialien, Bucheinbände und Warenständer eingesetzt.

CHS
→ Computer Handled Selling

City-Light-Poster
→ Plakatanschlagstellen

Claim
(Angebotsanspruch) Der Claim ist eine Umschreibung der faktischen (produktbezogenen) Basis oder der werblichen (emotionalen) Basis für eine Werbekonzeption. Hierbei handelt es sich noch nicht um den fertigen Werbetext, sondern lediglich um den sachlichen Inhalt, der in der Kampagne transportiert werden soll. Der Claim definiert, was ein Angebot zu können behauptet bzw. verspricht. Es handelt sich also um eine absenderorientierte Botschaft. Sie findet sich meist im Slogan einer Kampagne.

Clip-Art
Vorgefertigte und gebrauchsfähige Muster, Rahmen, Grafiken, Illustrationen und Symbole für die Gestaltung von Print- und Non-Printmedien. Clip-Arts werden häufig in großen Sammlungen auf CD-ROM zur lizenzfreien Nutzung auf dem Markt angeboten.

Clubkarte
→ Networking

CMS
→ Color Management System

CMYK, YMCK
Englisch: Cyan, Magenta, Yellow, Black (Kontrast). Die subtraktiven Grundfarben oder Prozessfarben für den Farbdruck. Durch die Komponenten Cyan, Magenta, Gelb und Schwarz lässt sich drucktechnisch das gesamte Farbspektrum darstellen.

Color Management System (CMS)
Ein System, das für die einheitliche Darstellung von Farben auf verschiedenen Eingabe-, Bearbeitungs- und Ausgabegeräten (z.B. Monitor, Farbdrucker, Druckmaschine) bzw. bei der Computersoftware (z.B. Grafik- und Bildbearbeitungsprogramme) zuständig ist. Die verschiedenen Geräte werden kalibriert und mit denselben Farbprofilen eingestellt. Die Zwischenergebnisse und auch das gedruckte Endprodukt werden per Messgerät kontrolliert.

Commercial
Eine Fernseh- oder Hörfunkwerbung bzw. ein TV- oder Funk-Spot. Der Begriff wird auch für eine Werbedurchsage benutzt.

Compact Disc-Digital-Audio
→ CD-DA

Compact Disc-interactive
→ CD-i

Compact Disc-Read Only Memory
→ CD-ROM

Compact Disc-Recordable
→ CD-R

Compact Disc-ReWritable
→ CD-RW

Company-Image
→ Image

Composing
Das manuelle, fotografische oder elektronische Zusammenfügen und Bearbeiten von einzelnen Bildvorlagen zu einem Gesamtbild.

CompuServe
Ältester, kommerzieller → Online-Dienst.

Computer Aided Design (CAD)
Eine Bezeichnung für die computergestützte Entwicklung, Konstruktion und Gestaltung z.B. von Produkten, Maschinen, Werkstücken und Gebäuden. Spezielle CAD-Computerprogramme unterstützen den Techniker und Entwickler z.B. bei der Entwicklung von neuen Produkten. Der Computerbildschirm ersetzt dabei das Zeichenbrett des technischen Mitarbeiters.

Computer Aided Selling (CAS)
Die elektronische Unterstützung von Verkaufsaktivitäten durch den Einsatz von Computern. Die Verkäufer bzw. die Außendienstmitarbeiter werden durch ein computergestütztes Informations- und Kommunikationssystem aktiv bei ihrer Arbeit unterstützt (vgl. Wamser, Fink, Hrsg., 1997, S. 121 ff.):

- *Produktpräsentation:* Per mobilem Computer können Produktkatalog, Visualisierung der Produkte, Produktfunktionen in Form von Animationen und Grafiken, Auflistung von Verkaufsargumenten präsentiert werden.
- *Angebotskalkulation:* Per Computer und geeigneter Software kann sehr schnell ein individuelles Angebot für den Kunden erstellt werden.
- *Auftragserfassung:* Die computergestützte Auftragserfassung und direkte Datenübermittlung an das Unternehmen verkürzt die Auftragsbearbeitung.
- *Interpersonelle Kommunikation und Datenaustausch:* Die computergestützte Kommunikation zwischen Außendienst, dem Unternehmen, seinen Niederlassungen usw. ermöglicht ein wirtschaftliches Vertriebssystem.

Computer-Animateur/in
Der Computer-Animateur gestaltet, ebenso wie der Animations-Designer, bewegte Computerbilder. Sein Aufgabenfeld erstreckt sich auf Wer-

be- und Kinofilme sowie spezielle Präsentationssoftware. (vgl. → Werbe- und Medienberufe - Berufs- und Tätigkeitsfelder)

Computer-Animation
→ Animation

Computer Based Training (CBT)
Ein Begriff für das computergestützte Lernen. Spezielle Computerprogramme werden von vielen Unternehmen, z.B. für die Aus- und Weiterbildung der Mitarbeiter, eingesetzt.

Computerbefragung
→ Befragung

Computer-Betriebssystem
→ Betriebssystem

Computer Handled Selling (CHS)
Die elektronische Unterstützung von Verkaufsaktivitäten durch den Einsatz von Computern. Der Verkäufer wird dabei vollständig durch ein computergestütztes Informations- und Kommunikationssystem ersetzt (vgl. → Computer Aided Selling). Beispiele sind Warenhauskataloge auf CD-ROM, → Infoterminals bzw. Verkaufsterminals sowie alle Online-Verkaufsaktivitäten über das → Internet bzw. → World Wide Web sowie über → Online-Dienste wie z.B. *T-Online* und *America Online (AOL).*

Computer-to-film
Die Ausgabe digitaler Informationen aus der → Druckvorstufe über einen → Belichter auf Papier- oder Filmmaterial.

Computer-to-plate (CTP)
Elektronisches Verfahren zur Übertragung digitaler Satz- und Reprodaten vom Computer direkt auf die Druckplatte. Die konventionelle Filmherstellung entfällt hierbei. (vgl. → Digitaldruck)

Computer-to-press
Die digitalen Text- und Bilddaten aus der → Druckvorstufe werden in Rasterdaten umgewandelt und direkt an die Druckmaschine übergeben. Dort werden nicht veränderbare Druckplatten mit Hilfe eines Laserverfahrens hergestellt (vgl. → Computer-to-print). Der anschließende Druckprozess wird mit wasserlosem → Offsetdruck durchgeführt. (vgl. → Digitaldruck)

Computer-to-print
Die Übertragung digitaler Informationen aus der → Druckvorstufe direkt auf eine wiederbeschreibbare Bildträgertrommel in einer digitalen Druckmaschine. Bei jedem Druck ist eine Veränderung der zu übertragenden Informationen möglich. Mit diesem System sind auf diese Weise z.B. individuelle und personalisierte Werbebriefe herzustellen. (vgl. → Digitaldruck)

Consumer Benefit
Teilbereich der → Copy-Strategie. Produkte und Dienstleistungen sind für den Verbraucher nur dann attraktiv, wenn sie einen ganz bestimmten Nutzen erbringen. Diesen Verbrauchernutzen nennt man Consumer Benefit. Er muss schriftlich definiert werden und in die Werbe- und Kommunikationsarbeit mitein-

bezogen werden. Neben dem Grundnutzen gilt es hier besonders, einen oder mehrere Zusatznutzen herauszustellen (z.B. Design, Funktionalität), um sich gegenüber der Konkurrenz eindeutig abzuheben. Die Herausstellung des Consumer Benefits in den Werbemaßnahmen soll den potenziellen Kunden überzeugen. Die Theorie des → Unique Selling Proposition (USP) geht noch einen Schritt weiter, indem sie einen Produktnutzen herausarbeitet, der einzigartig ist und praktisch gegenüber der Konkurrenz eine Alleinstellung bedeutet. Der USP ist daher besonders im Bereich der Zusatznutzen zu suchen. Der Unique Selling Proposition kann im Produkt selbst und seinen Eigenschaften begründet liegen *(natürlicher USP)* oder mittels Werbung erst emotional geschaffen werden *(künstlicher USP/→ Unique Advertising Proposition).* (vgl. Pflaum / Bäuerle, Hrsg., 1995, S. 65 ff.)

Consumer Promotion
→ Verkaufsförderung

Content-Provider
Personen, Unternehmen oder Organisationen, die eigene Informationen im Internet (meistens im → World Wide Web) anbieten und verbreiten (Inhalts-Anbieter).

Controlled Circulation-Zeitschrift (CC-Zeitschrift)
Eine Fachzeitschrift, die ausschließlich durch Werbung finanziert wird und die kostenlos an ganz bestimmte Zielgruppen in einem bestimmten Rhythmus verschickt wird.

Convenience Goods
Convenience Goods sind Gewohnheitsartikel, bzw. Güter des täglichen Bedarfs. Hierzu gehören Lebens- und Genussmittel, wie Brot, Milch, Zigaretten, aber auch Gebrauchsgüter, wie Zahnbürsten. Im Haushaltsetat des Verbrauchers nehmen diese Güter keinen großen Raum ein. Aus Verbrauchersicht bestehen bei diesen Produkten keine nennenswerten Qualitäts- und Preisunterschiede, so dass der Einkauf auf bequeme Art und ohne großen Aufwand in der unmittelbaren Nähe des Wohn- oder Arbeitsplatzes stattfindet.

Cookies
Cookies sind Informationen, die beim »Surfen« im → Internet bzw. → World Wide Web, bei einer Kommunikation mit einem Web-Server auf der lokalen Festplatte des »Surfers« bzw. Nutzers (bzw. in der verwendeten Browser-Software) abgelegt werden. Dies kann beispielsweise eine Kundennummer sein, durch die der Nutzer beim nächsten Besuch der Website identifiziert werden kann.

Co-op-Werbung
→ Verbundwerbung

Copy
(Werbetext) Im deutschen Werbejargon bezeichnet man den reinen Textteil eines Werbemittels als die Copy, die auf der Grundlage der → Copy-Strategie entwickelt wird. Die Copy besteht aus der → Headline (evtl. Subline), der → Body-Copy und der Baseline (Schlusszeile).

Als Copy bezeichnet man auch ein Exemplar einer Zeitschrift, Zeitung oder eines sonstigen periodisch erscheinenden Printmediums. (vgl. → Copy-Preis)

Copy-Analyse

Die genaue Positionierung eines Produkts erfolgt letztendlich durch den Verbraucher: seine Meinung, seine Einschätzung, seine Vorstellung vom Produkt. »Denn nicht die Realität des Angebots ist die Realität im Marketing, sondern die Vorstellung der Kunden über die Realität des Angebots«. Man versetzt sich hierbei in die Lage eines Konsumenten. Mittels verschiedener repräsentativer Werbebeispiele, die über einen längeren Zeitraum hinweg in der Werbung eingesetzt wurden, versucht man nun die Positionierung eines Angebots zu bestimmen. Die Werbe- und Kommunikationsmaßnahmen der Konkurrenz können dabei anhand mehrerer Kriterien analysiert und untereinander verglichen werden. Die folgende Vorgehensweise ist sinnvoll (Pepels, 1996, S. 123 ff. und Koschnick, 1996, S. 211 f.):

- *Markenname und Produktbezeichnung:* Diese identifizieren das gerade analysierte Angebot. Oft geben Namenszusätze bereits Anhaltspunkte für die bestimmungsgemäße Nutzung eines Produkts.
- *Monoprodukt/Range:* Hierbei wird festgelegt, ob es sich beim betrachteten Produkt um ein singuläres Angebot oder um eine Version einer differenzierten Angebotsfamilie handelt.
- *Claim (Angebotsanspruch):* Der Claim definiert, was ein Angebot zu können behauptet bzw. verspricht. Es handelt sich also um eine absenderorientierte Botschaft. Sie findet sich meist im Slogan einer Kampagne.
- *Slogan:* Hier wird der Slogan explizit zitiert. Er soll die Zusammenfassung der Leistungen eines Angebots darstellen (z.B. Vorsprung durch Technik/ *Audi*).
- *Reason Why (Anspruchsbegründung):* Der Reason Why definiert, wie die beanspruchte Position untermauert wird. Dies geschieht meist durch eine sachliche Argumentation. In der Print-Werbung ist sie für gewöhnlich in der Copy zu finden.
- *Main Benefit (Nutzenversprechen):* Der Main Benefit definiert, welchen Nutzen ein Kunde aus der Wahrnehmung des Angebots ziehen kann. Es handelt sich also um die abnehmerorientierte Fassung des Anspruchs. Sie erfolgt meist in der Headline (Printmedien) oder im Catch Phrase (Elektronische Medien).
- *Headline/Catch Phrase:* Die Headline (Printmedien) oder der Catch Phrase (Elektronische Medien) soll den Nutzen prägnant formulieren (z.B. Neid und Missgunst für 99 Mark/*Sixt*).
- *Proof (Nutzenbeweis):* Der Proof kann den Nutzen durch Dramatisierung unterstützen, ist jedoch nicht obligatorisch. Dazu gibt es verschiedene Techniken.
- *Key Visual:* Hierbei handelt es sich um den visuellen Kerneindruck (Big Picture), der erinnert und mit dem beworbenen Angebot in direkte Verbindung gebracht wer-

den soll. Dies ist besonders angesichts von Erkenntnissen innerhalb der Imagery-Forschung (→ innere Markenbilder) von Bedeutung, die vereinfacht besagen, dass Bildinformationen besser und schneller wahrgenommen, länger behalten und einfacher aktiviert werden können, als reine Textinformationen.

- *CD-Konstanten:* Hier handelt es sich um eine ganze Reihe von Elementen, die eine präzise Identifizierung des Absenders und seine leichte Wiedererkennung gewährleisten sollen (z.B. Symbole, Typographie, Farben, Platzierungen).
- *Tonality (Tonalität):* Die Tonality ist die Art der Sprache, über die ein Absender mit den gemeinten Empfängern kommuniziert. Daraus lassen sich wichtige Rückschlüsse auf das Selbstverständnis der Marke ziehen.
- *Zielgruppe, Typus:* Hier wird auf hypothetischer Basis definiert, wer sich durch eine Werbung angesprochen fühlen soll bzw. wie sich die Zielgruppe zusammensetzt. Auch hierbei ist man lediglich auf begründete Vermutungen angewiesen.
- *Net Impression:* Dies ist die Zusammenfassung aller Eindrücke der analysierten Werbemittel zu einer Schlüsselinformation (Information Chunk). Letztlich bleibt infolge der allgemeinen Informationsüberlastung allenfalls diese Net Impression im Gedächtnis der Zielpersonen haften, die dann leistungsfähig genug sein sollte, um Reaktionen und Kaufhandlungen auszulösen.

Copy-Plattform

Sie ist bei der Entwicklung von Werbekonzeptionen die schriftliche Formulierung der → Copy-Strategie. Hier werden die Zielgruppe beschrieben, das Image des Werbeobjekts festgelegt, der → Consumer Benefit, der → Unique Selling Proposition (USP) und die → Kommunikationsziele bestimmt.

Copy-Preis

Der in der Regel gebundene bzw. verbindliche Einzelverkaufspreis einer Zeitschrift, Zeitung oder eines sonstigen periodisch erscheinenden Printmediums, der vom Handel eingehalten werden muss.

Copy-Strategie

Die Copy-Strategie ist die in der → Copy-Plattform festgelegte Gestaltungsstrategie. Die Copy-Strategie im weiteren Sinne setzt sich aus den folgenden vier Elementen zusammen (vgl. Unger, 1989, S. 132 ff.):

- *Kommunikationsziel:* Hier gilt es, die langfristig gültigen Kommunikationsziele, bezogen auf die spezifischen Zielgruppen, kurz und präzise zu formulieren. Die Creative Strategy beschreibt, wie die gesteckten Ziele erreicht werden können.
- *Produktversprechen (→ Consumer Benefit, → Unique Selling Proposition):* Mit diesem soll die wesentliche Leistung des Produktes, bzw. seine Vorteile gegenüber der Konkurrenz, beschrieben werden, wobei die konkrete Werbeaussage noch nicht formuliert wird.
- *Begründung (→ Reason Why):* Sie dient dazu, die aufgestellten Be-

hauptungen glaubhaft zu machen.
- → *Tonality:* Hiermit wird der kreative, verbale und visuelle Stil bzw. Grundton der Kommunikationsmaßnahmen festgelegt.

Copy-Test

Der Copy-Test ist eine Sammelbezeichnung für verschiedene Testverfahren zur Untersuchung des Mediennutzungsverhaltens von Personen durch Ermittlung der Kontaktwahrscheinlichkeiten. So wird z.B. unter Vorlage einer Zeitung, Zeitschrift oder auch einer Anzeige der Wiedererkennungswert sowie Feststellungen über die Nutzung und Einstellungen erhoben. Speziell in der redaktionellen Forschung und bei Anzeigentests ist dies ein Befragungsablauf, bei welchem dem Leser eine Ausgabe vorgelegt wird, der diese durchblättert und angibt, welche Beiträge und/oder Anzeigen er gelesen/angesehen hat und welche nicht.

Verschiedene Verlage führen in regelmäßigen Abständen Befragungen zu den redaktionellen Inhalten bei ihren Lesern durch. Diese Verlage bieten ihren Anzeigenkunden an, sich mit Zusatzfragen kostenlos an diese Erhebungen anzuschließen. Hierbei kann die Beachtung einzelner Anzeigen im jeweiligen Heft ermittelt werden. In der Regel können folgende Werte ausgewiesen werden (vgl. Pepels, 1996, S. 125):
- *Anzeigen-Erinnerungswert*, d.h. Anteil der Leser, die sich an eine Anzeige erinnern.
- *Produkt-Erinnerungswert*, d.h. Anteil der Leser, die sich an ein beworbenes Produkt erinnern.
- *Marken-Erinnerungswert*, d.h. Anteil der Leser, die sich an die Marke des beworbenen Produkts erinnern.
- *Bild-Erinnerungswert*, d.h. Anteil der Leser, die sich daran erinnern, was in der Anzeige abgebildet war.
- *Text-Erinnerungswert*, d.h. Anteil der Leser, die sich daran erinnern, was in der Anzeige ausgesagt wurde.
- *Allgemeine Beurteilung* anhand einer Notenskala mit Begründung.
- *Anzeigen-Profil* durch Eintrag in ein Polaritätenprofil.

Corporate Behavior

Die einheitliche und widerspruchsfreie Ausrichtung aller Verhaltensweisen der gesamten Belegschaft in einem Wirtschaftsunternehmen sowohl im Innen-, als auch im Außenverhältnis. Corporate Behavior stellt die Leitlinien im Verhalten gegenüber Kunden, Lieferanten, Kapitalgebern, Wettbewerbern, Interessengruppen usw. sowie gegenüber den eigenen Mitarbeitern dar. (vgl. → Corporate Identity)

Corporate Communications

(Unternehmens-Kommunikation) Die Gesamtheit der kommunikativen bzw. werblichen Aktivitäten eines Wirtschaftsunternehmens, nach innen (betriebsintern) und nach außen (gesamte Öffentlichkeit). Zu den internen Zielgruppen gehören die eigenen Mitarbeiter und deren Familien, Gesellschafter und gegebenenfalls Aktionäre. Die externen Zielgruppen eines Unternehmens sind vor allem (vgl. Diller, Hrsg., 1994, S. 160):

Corporate Communications

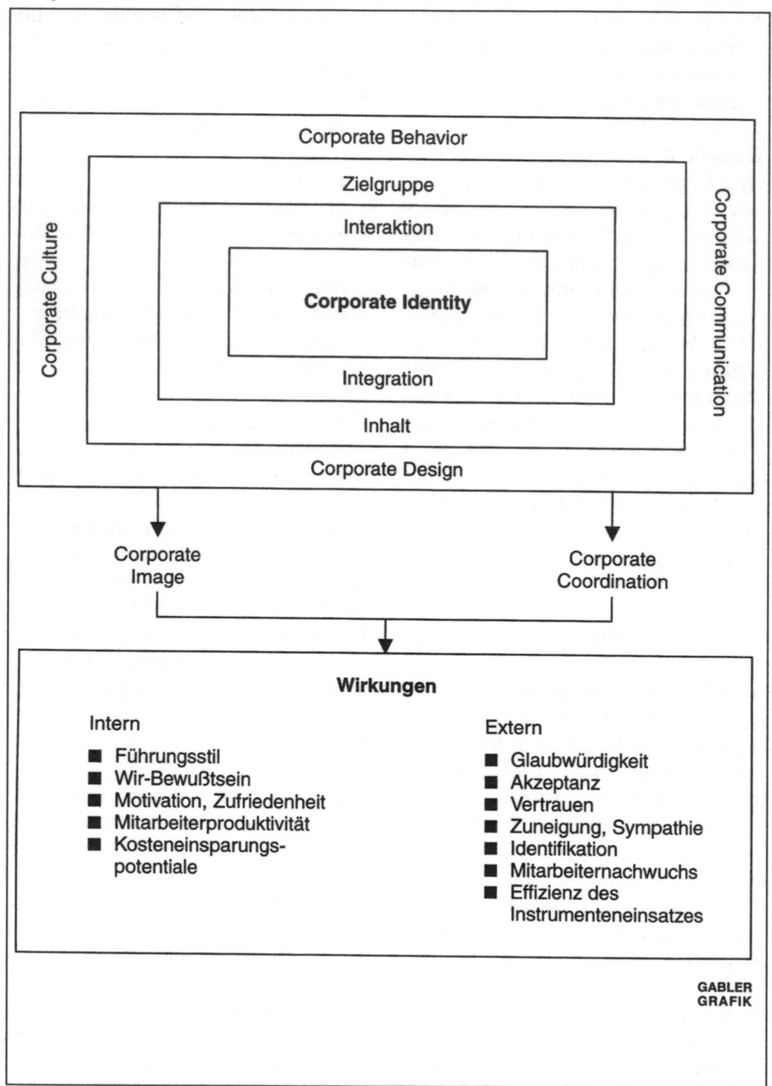

Corporate Identity als ganzheitliches Strategiekonzept der Unternehmenskommunikation/Corporate Communications (Quelle: Meffert, 1998, S. 688)

- bestehende und potenzielle Kunden,
- bestehende und potenzielle Lieferanten,
- bestehende und potenzielle Groß-, Einzelhändler und Vertriebsfirmen,
- Wettbewerber in derzeitigen und zukünftigen Märkten,
- eigene und fremde Interessengruppen und Verbände,
- Publikums- und Fachmedien,
- gesellschaftliche und fachliche Multiplikatoren,
- lokale, regionale, nationale und internationale Öffentlichkeit und
- staatliche, kirchliche und sonstige Institutionen.

Abhängig von den jeweilige Kommunikationszielen werden verschiedene Kommunikationsinstrumente eingesetzt: beispielsweise interne PR für die Mitarbeiter, Werbung für die Kunden, Sponsoring für die breite Öffentlichkeit und Szene-Marketing für spezielle Zielgruppen. Diese aufeinander abgestimmten Kommunikationsprogramme sollen das schnelle Erkennen/Wiedererkennen des Unternehmens und ein bestimmtes Image und/oder eine Einstellungsänderung bei den angesprochenen Zielgruppen erzeugen. Die durch das → Corporate Design festgelegten Gestaltungselemente und Richtlinien sind dabei zu berücksichtigen. (vgl. → Corporate Identity)

Corporate Culture

(Unternehmenskultur) Ein Überbegriff für Wertvorstellungen, Normen, Standards und Denkmuster - eine Art Kultur, die ein Unternehmen prägt und seine Prozesse leitet. Die Unternehmenskultur ist durch die Geschichte des Unternehmens und seine Umwelt beeinflusst, sie ist individuell und einzigartig. Corporate Culture ist macht-, rollen- und leistungsorientiert und führt die Mitarbeiter nach bestimmten Regeln und aufgrund einer bestimmten Firmenphilosophie. Diese tritt in Form von Symbolen (z.B. Worte, Gesten, Kleidung, Sprachsystem), in Form von Verhaltensvorbildern (z.B. angesehener Firmengründer) und Ritualen (z.B. Grüßen, Ehrungen, Betriebsfeiern) in Erscheinung. (vgl. → Corporate Identity)

Corporate Design

Unter Corporate Design versteht man das gesamte einheitliche visuelle Erscheinungsbild eines Unternehmens (z.B. Logo, Geschäftspapiere, Fahrzeugbeschriftungen, Verpackungen von Produkten, Gestaltung der Werbung). Beim Corporate Design lassen sich die folgenden Bereiche generell unterscheiden (vgl. Pepels, 1996, S. 126 ff.):

- *Objektdesign* als Gestaltung der Produkte oder Verkörperung von Ideen,
- *Architekturdesign*, also vor allem die Innen- (Einrichtungen, Ausstattungen) und Außengestaltung von Gebäuden,
- *Grafikdesign*, die zentralen gestalterischen Elemente (u.a. Logo, Farben, Formen, Schriften, Layoutraster, Fotostil),
- *Sprachdesign*, also die Tonalität, die Art der Ansprache (Corporate Wording) der Unternehmenskommunikation gegenüber den Zielgruppen.

Das Corporate Design soll ein beständiges und damit einprägsames Unternehmensbild bei den Zielgruppen schaffen. Bei der Gestaltung von jeglichen Kommunikationsmaßnahmen werden dieselben Schriften, grafischen Elemente, Farben, Platzierungen usw. eingesetzt, um eine schnelle Wiedererkennung der Firma bzw. der Produkte und Dienstleistungen zu erreichen und um ein bestimmtes Image zu erzeugen. Die Vorgaben für die einheitlichen, visuellen Gestaltungen von z.B. Geschäftspapieren oder Anzeigen (u.a. Logo-Größe, Farben, Platzierungen) werden in der Regel in einem Gestaltungshandbuch dokumentiert. Diese Gestaltungsrichtlinien sollten langfristig eingesetzt und, falls es notwendig sein sollte, nur in kleinen Schritten verändert werden. Die Gestaltungselemente bestehen aus den verschiedenen Teilen (vgl. Pepels, 1996, S. 126 ff.):

- *Tonality:* Wie schon erwähnt, die Form und Art der Ansprache einer Zielgruppe in Werbetexten, Slogans und Spots. Dies kann z.B. sachlich und nüchtern oder frech und jugendlich erfolgen.
- *Visuality:* Sie besteht aus den visuellen Kernbildern (Big Picture), mittels diesen die zentrale Werbeaussage transportiert und veranschaulicht wird. Hier werden Probleme aufgezeigt und das entsprechende Produkt als Problemlöser dargeboten.
- *Fotostil:* Die Inszenierung von Bildern, die teilweise von berühmten Fotografen realisiert werden und unverwechselbare Bildstimmungen schaffen.
- *Layoutraster:* Für Anzeigen, Werbemittel und sonstige Drucksachen werden verbindliche Vorgaben bezüglich Satzspiegel, Platzierung der Bilder, Headlines usw. festgelegt. Die schnelle Wiedererkennbarkeit einer Kampagne oder eines Werbemittels wird dabei entscheidend unterstützt.
- *Typographie:* Die Typographie bestimmt die Auswahl und die Anordnung von Schriften (Schriftart, Stil, Punktgröße, Symbole) und die äußere Anordnung und Gestaltung von Textbereichen.
- *Farben:* Die farblichen Einheitlichkeiten werden in einer oder mehreren Hausfarben definiert. Diese finden einen konstanten Einsatz bei allen Produkten, Werbemitteln und sonstigen Kommunikationsmaßnahmen. Die Hausfarben werden meistens gemäß der → HKS- oder → Pantone-Farbskala verbindlich festgelegt und dienen auch als Vorgabe und zur Standardisierung der unterschiedlichsten Druckprodukte.
- *Logo:* Das Logo ist Absender und zentrales Erkennungsmerkmal bei allen kommunikativen Aktivitäten des Unternehmens. Das Firmen-Signet kann aus einem Wort-, Zahlen-, Bild- oder kombiniertem Wort-Bild-Zeichen bestehen.
- *Slogan:* Der Slogan fasst die werbliche Kernaussage in einem kurzen Satz zusammen und bildet in Verbindung mit dem Logo den Kern der Werbung.
- *Jingles und Musik:* Beide dienen der gefühlsmäßigen Unterstützung von Werbebotschaften und dienen zur Wirkungsverstärkung bei den

Corporate Identity

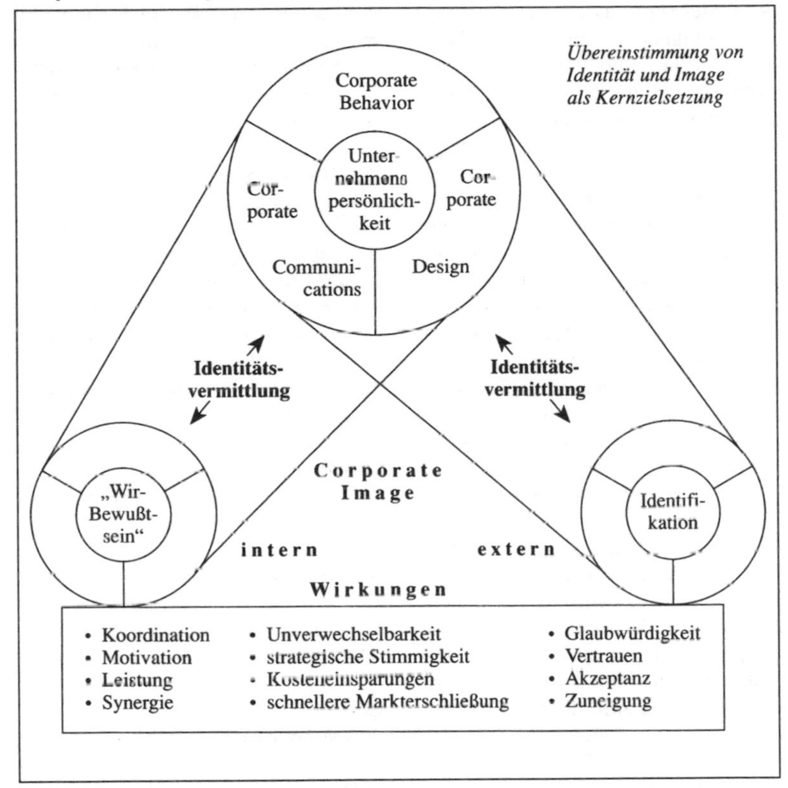

Corporate Identity als Konzept der Identitätsvermittlung (Quelle: Berndt / Hermanns, Hrsg., 1993, S. 52)

Zielgruppen. In vielen Fällen sind für die Werbung komponierte Songs in den Hitparaden gelandet, wo sie für eine zusätzliche Werbewirkung gesorgt haben.

Corporate Identity

Als Corporate Identity bezeichnet man die spezifische, unverwechselbare Identität eines Unternehmens. Die Unternehmensphilosophie gilt hierbei als Grundlage. Mit den Mitteln der → Corporate Communications, des → Corporate Design, der → Corporate Culture sowie des → Corporate Behavior wird versucht ein ganz bestimmtes Image betriebsintern und -extern aufzubauen. Zur

Corporate Identity gehören somit die Unternehmensgrundsätze, Wertvorstellungen, Zielsetzungen, Leitbilder sowie alle Ausdrucks- und Kommunikationsformen gegenüber relevanten Teilöffentlichkeiten. Ein Unternehmen lässt sich grundsätzlich von zwei Seiten betrachten: Zum einen aus der eigenen Sicht (Selbstbild oder Corporate Personality), zum anderen aus der Sicht der vielen relevanten Beziehungsgruppen (Kunden, Lieferanten, Wettbewerber usw.). Dieses Bild von außen bezeichnet man auch als Corporate Image. Eine Corporate Identity-Strategie versucht nun mit Hilfe von geeigneten Kommunikationsmaßnahmen das Selbstbild des Unternehmens in Übereinstimmung mit dem Fremdbild zu bringen. Inwieweit dies gelungen ist, wird anhand der → Marketingforschung mittels Befragungen bei den Konsumenten überprüft. Erst wenn Selbstbild und Corporate Image in Einklang stehen, läßt sich von einem gelungenen Corporate Identity-Konzept sprechen.

Corporate-Image
→ Corporate Identity, → Image

Corporate Personality
→ Corporate Identity

Corporate Placement
→ Product Placement

cost per order (cpo)
Die gesamten Kosten für die Gewinnung eines neuen Kunden für ein Produkt oder eine Dienstleistung oder die Gewinnung eines neuen Abonnenten für ein Printmedium. Hierzu gehören z.B. die Kosten für Werbebriefe, Prospektmaterial, Warenproben bzw. Probehefte, Abo-Prämien, Porto, Versand und Nachfassaktionen.

Coupon-Anzeige
Eine Zeitungs- oder Zeitschriftenanzeige, die ein Feld zum Ausschneiden enthält, mit dessen Hilfe der Leser z.B. Informationen oder Produkte anfordern kann. Die Anzeige ist oft mit einer Kennziffer (→ Kennziffermethode) versehen, um den Werbeerfolg der Anzeigenschaltung genau messen zu können.

Cover
Titelseite, Umschlag, »Aufhänger« bei gedruckten Medien.

Cover-Gatefold
Eine → Gatefold-Anzeige, die auf den Umschlagseiten einer Zeitschrift eingesetzt wird.

cpo
→ cost per order

CPU
→ Central Processing Unit

Creative Director
→ Kreativdirektor

Creative Placement
→ Product Placement

Creative Services
→ Werbeagentur

Credential
→ Präsentation

Cross Buying
→ Cross Selling

Cross Media
→ Cross Media Publishing

Cross Media Publishing
Der Begriff Cross Media hat eine vielschichtige Bedeutung. Er umfasst das medienneutrale Aufbereiten und Verwalten von jeglichen Text- und Bilddaten, den Prozess der gestalterischen und inhaltlichen Anpassung an die unterschiedlichen Print- und elektronischen Medien (z.B. gedruckter Katalog und CD-ROM) unter Berücksichtigung der medienspezifischen Eigenheiten sowie das professionelle Publizieren bzw. Veröffentlichen dieser Informationen. Durch das medienneutrale und datenbankgestützte Verwalten von Informationen wird die Übernahme der Daten und ihre Bearbeitung und Anpassung an andere Medien erleichtert. Auf diese Weise können z.B. Kataloge und Bücher schnell, kostengünstig und gleichzeitig als gedruckte Ausgabe, auf CD-ROM und im Internet veröffentlicht werden.

Cross Selling
Unter Cross Selling versteht man die Aktivierung von vorhandenen Kundenkontakten für weitere Produktkäufe oder für die Nutzung von weiteren Dienstleistungen eines Wirtschaftsunternehmens. Cross Selling ist eine Technik innerhalb des → Database-Marketing und wird z.B. von Banken, Versicherungen und Bausparkassen planmäßig und gezielt eingesetzt. In diesen Dienstleistungsbereichen liegt es besonders nahe, dem bestehenden Kunden mehrere Angebote zu unterbreiten. Im Medienbereich verfolgt z.B. die *Kirch-Gruppe* mit einer Verkettung von Programmzeitschriften, Privatfernsehen, Pay-TV und Kaufvideos ein umfangreiches Cross Selling-Konzept.

CTP
→ Computer-to-plate

Cursor
Der Cursor ist die Schreibmarke bei der Arbeit am Computerbildschirm. Er zeigt die Stelle auf dem Bildschirm an, an der der nächste vom Benutzer getippte Buchstabe erscheinen wird. Die Steuerung des Cursors auf dem Bildschirm kann über Steuertasten oder spezielle Eingabegeräte, wie Computer-Maus, → Trackball oder Trackpoint erfolgen.

Cyan
→ Prozessfarben

Cyberspace
Cyberspace bezeichnet einen vom Computer erzeugten künstlichen Erfahrungs- bzw. Erlebnisraum (z.B. ein virtuelles Produkt, ein virtuelles Warenhaus oder ein Computerspiel). Ein im Cyberspace befindlicher Anwender kann sich in virtuellen Räumen frei und individuell bewegen sowie den Computer zu bestimmten Handlungen veranlassen. Der Computer reagiert auf die Eingaben des Nutzers mit entsprechenden Bildern, Aktionen und/oder Tönen.

D

DAB
→ Digital Audio Broadcast

Dachmarke
→ Markenarten

DAGMAR-Formel
Die DAGMAR-Formel nach *Colley* ist eine der klassischen Werbewirkungsmodelle. Sie gliedert die Werbewirkung in vier verschiedene Stufen:
- Awareness (Bewusstsein)
- Comprehension (Einsicht)
- Conviction (Überzeugung)
- Action (Kaufhandlung).

Ebenso wie bei der → AIDA-Formel werden einzelne Teilwirkungen als Vorstufe zu einer Kaufhandlung angenommen. Diese Formel ist auch als eine Art Checkliste für Prozesse anzusehen, die die Werbung auslösen soll. (vgl. Zentes, 1996, S. 67)

Database
Computergestützte Kundendateien, z.B. mit Adressen, Branchenangaben, Kauf- und Bestellverhalten und Bestellmengen, die die Grundlage des → Database-Marketing darstellen.

Database-Marketing
Unter Database Marketing versteht man computergestützte Systeme, die im Rahmen des → Direktmarketing Adress- und weiteres personenbezogenes Datenmaterial bereitstellen. In Form von Kundendatenbanken werden Namens-, Adress-, Auftrags- und sonstige Daten erfasst, gespeichert und ausgewertet. Diese Datenbanken ermöglichen eine persönliche Ansprache der einzelnen Kunden und bieten somit die Grundlage für ein effizientes Direktmarketing.

Dauerwerbesendung
Dauerwerbesendungen sind überlange Spots von mindestens 90 Sekunden Dauer, die im wesentlichen aus Werbung bestehen und während der gesamten Sendezeit mit dem Begriff Dauerwerbesendung oder Werbesendung gekennzeichnet sein müssen. Diese Form der Werbung wird vor allem für erklärungsbedürftige Produkte, wie z.B. Heimtrainer, eingesetzt.

Dauerwerbung
→ Außenwerbung

d-box-decoder
→ Set-Top-Box

Dealer Promotion
→ Verkaufsförderung

Decoder (TV)
→ Set-Top-Box

Degenerationsphase
→ Produktlebenszyklus

Dehnrichtung

→ Laufrichtung

Delphi-Methode

Unter der Delphi-Methode versteht man eine Prognosetechnik mittels schriftlicher Befragung von Experten. In mehreren Runden werden die Teilnehmer in Bezug auf zukünftige Entwicklungen befragt. Die Experten bleiben untereinander anonym, so dass eine gegenseitige Beeinflussung im Meinungsbildungsprozess nicht gegeben ist. Die jeweiligen Prognosen müssen schriftlich begründet werden. Das Ziel ist die systematische Ausnutzung von Expertenwissen für bestimmte Prognoseprobleme. Ein Unternehmen kann mit Hilfe der Delphi-Methode und dem dadurch gewonnenen Wissen z.B. seine Forschungs- und Entwicklungsarbeit entsprechend ausrichten. (vgl. Tietz, 1993, S. 49 f.)

Densitometer

Das Densitometer ist ein Dichte-Messgerät im Bereich Druck und Reproduktion. Ein Durchlichtdensitometer misst die Dichte (Lichtdurchlässigkeit) der Tonwerte an Filmen (Filmschwärzung = Opazität) sowie die Dichte von Rastertönen. Bei Aufsichtsvorlagen (Druckvorlagen oder Druckprodukten) kommt ein Aufsichtsdensitometer zum Einsatz. Hier wird die Farbschichtdicke und ebenso Tonwerte und Rastertonwerte gemessen und beurteilt. (vgl. Teschner, 1995, S. 93 f.)

Desktop Publishing (DTP)

Unter dem Begriff DTP (Desktop Publishing) versteht man das vollständige Herstellen von Druckvorlagen am Computer. Ein DTP-System besteht aus einem Personal Computer, spezieller Software, einem Drucker und gegebenenfalls zusätzlicher Hardwareausstattung, wie z.B. Großbildschirm, Scanner, Wechselplattenlaufwerke. Die komplette Produktion der Druckvorstufe wird auf elektronischem bzw. digitalem Wege durchgeführt. Die Anwender erstellen und kontrollieren die Layouts und den Umbruch über den Bildschirm des Computers. Alle Produktionsschritte und Produktionsmittel für das Herstellen einer Druckvorlage werden an einem Arbeitsplatz zusammengefasst: Satz- und Bilderfassung, Layout, Umbruch und Kontrollausdrucke.

Bei der Anbindung an ein Digitaldrucksystem (vgl. → Digitaldruck) kann auch der komplette Druckprozess in das DTP-System miteinbezogen sein.

Desktop Publishing-Spezialist/in

Dieses Berufsfeld umfasst den gesamten Bereich der digitalen Text-, Grafik- und Bildverarbeitung mit professioneller Software wie z.B. *QuarkXPress, PageMaker, Adobe Photoshop, Macromedia FreeHand, Adobe Illustrator.* Layouts und Druckvorlagen werden mit diesen Programmen für die Produktion von jeglichen Printmedien hergestellt. (vgl. → Werbe- und Medienberufe - Berufs- und Tätigkeitsfelder)

Deutscher Kommunikationsverband

→ BDW Deutscher Kommunikationsverband

Deutscher Werberat

Im Jahre 1972 gründete der → Zentralverband der deutschen Werbewirtschaft (ZAW) das selbstdisziplinäre Organ Deutscher Werberat. Dieser ist eine Institution bzw. eine Selbstkontrolle der werbenden Wirtschaft. Werbemaßnahmen der politischen Parteien, der Kirchen, der Gewerkschaften oder von sozialen Einrichtungen fallen nicht in den Zuständigkeitsbereich des Deutschen Werberates (vgl. ZAW, 1998 b, S. 17 f.):

Arbeitsweise des Deutschen Werberats

- Der Werberat arbeitet nach dem System eines Schiedsrichters. Berechtigte Kritik an Werbeaktivitäten vermittelt das Gremium an die Entscheider in den Unternehmen mit dem Ziel, dass die Werbemaßnahme eingestellt oder geändert wird.
- Bei ungerechtfertigter Kritik, z.B. bei gesellschaftspolitischen Extrempositionen, stellt sich der Werberat schützend vor die angegriffene Firma.
- Die Anzahl der aufgrund einer einzelnen Werbemaßnahme eingehenden Beschwerden ist nicht entscheidend für das Tätigwerden des Gremiums. Eine einzelne Beschwerde kann bereits eine Werbeaktivität stoppen.
- Vorbeugend wird das Gremium tätig, indem es werbende Firmen, Werbeagenturen und die Medien ständig über seine Spruchpraxis und auch über Urteile deutscher Gerichte informiert.

Aufgaben des Gremiums

- Werbung im Hinblick auf Inhalt, Aussage und Gestaltung weiterzuentwickeln und Missstände festzustellen und zu beseitigen,
- Leitlinien selbstdisziplinären Charakters zu entwickeln,
- Grauzonen im Vorfeld der gesetzlichen Grenzen zu ermitteln und Darstellungen, die anstößig oder unzuträglich sind, zum Schutze der Umworbenen abzustellen.

Grundlagen der Entscheidungen

Vier zentrale Maßstäbe bilden die Grundlage für Entscheidungen des Werberats:

- Die allgemeinen Gesetze,
- die zahlreichen werberechtlichen Vorschriften - sie verbieten Unlauterkeit und Irreführung in der Werbung,
- die Verhaltensregeln des Deutschen Werberats zu einigen Spezialbereichen - zum Beispiel für die Werbung vor und mit Kindern in Fernsehen und Hörfunk oder für die Bewerbung von alkoholischen Getränken,
- die aktuell herrschende Auffassung über Sitte, Anstand und Moral in der Gesellschaft. Dazu zählen nicht nur die Verhaltensweisen der Bürger im öffentlichen Leben, sondern auch die dargestellte Wirklichkeit in den redaktionellen Teilen der Medien.

(siehe Abbildung folgende Seite)

Dialog-Spot

→ Fernseh- und Hörfunkwerbung (Sonderwerbeformen)

Dia-Werbung

Eine Werbeform in Kinos. Man unterscheidet stummes Dia, Ton-Dia und Dia auf Film (ein Standbild wird auf Film kopiert und vorgeführt).

Deutscher Werberat

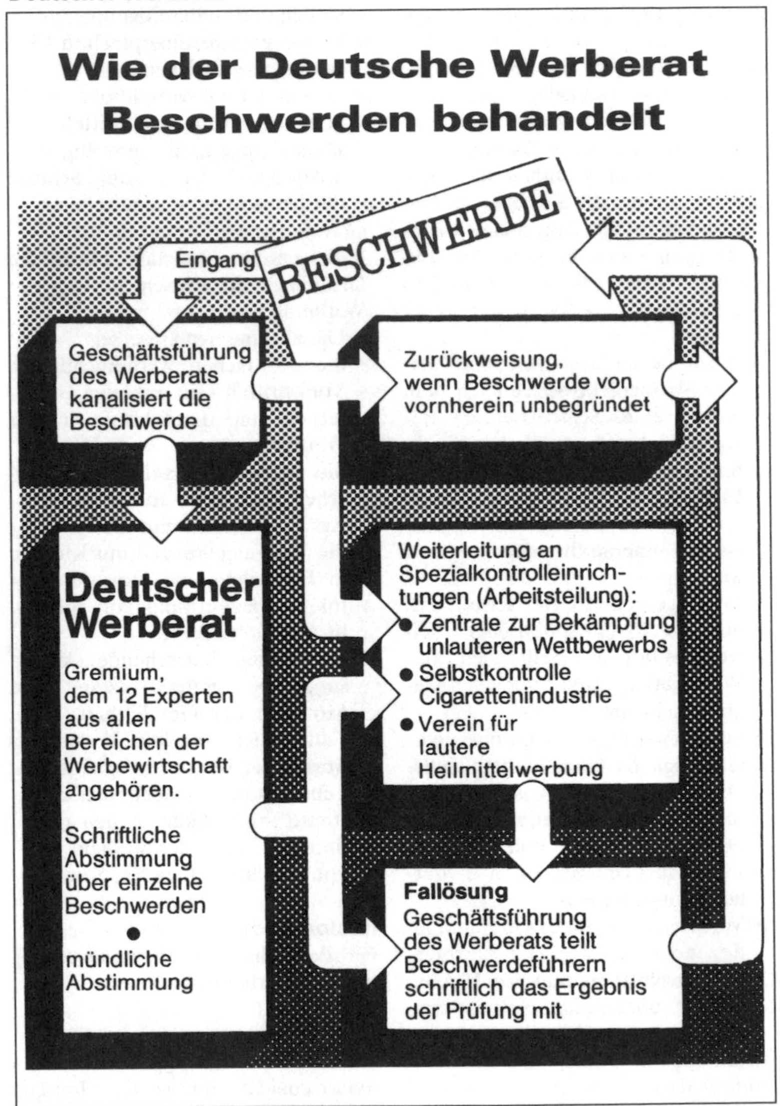

Arbeitsweise des Deutschen Werberates (Quelle: ZAW, 1994, S. 55)

Dichte-Messgerät
→ Densitometer

Dickte
(Bereich Typographie) Unter der Dickte (oder auch Dicke) versteht man die Breite eines Buchstabens. Der freie Raum um einen Buchstaben, der außerhalb des eigentlichen Schriftbildes liegt bezeichnet man als »Fleisch«.

Didot-Punkt
→ typographischer Punkt

Dienstleistungswerbung
→ Werbung

differenzierte Marketingstrategie
→ Marketingstrategie

Differenzierungsstrategie
→ Marketingstrategie

digital
Im Gegensatz zur Analogtechnik (vgl. → analog), bei der die Daten gemäß ihres tatsächlichen Wertes dargestellt werden (z.B. unterschiedliche Helligkeitsstufen einer Bildvorlage), können die Werte bei der Digitaltechnik nur bestimmte Zwischenwerte annehmen. Die Darstellung digitaler Informationen beruht dabei auf binären Ziffern und Zahlen (vgl. → Bit, → Byte).

Digital Audio Broadcasting (DAB)
Digital Audio Broadcasting ist das zukünftige europäische Rundfunkverfahren, mit dem Tonprogramme, Bilder, Texte und Daten über terrestrische Sendernetze sowie über direkt empfangbare Satelliten verbreitet werden. DAB soll in der Zukunft die bestehenden analogen Rundfunksysteme ersetzen. Mit Hilfe der Digitaltechnik können gleichzeitig mehrere Tonprogramme und begleitende oder eigenständige Datendienste flächendeckend und störungsfrei verbreitet werden. Digital Audio Broadcast ist multimediafähig, d.h. Daten, Texte, Grafiken und Bilder können auf einem DAB-Gerät mit Daten-Display (z.B. farbiger Flachbildschirm) empfangen und mit Hilfe eines Adapters von einem Computer verarbeitet werden. So ist es z.B. möglich, Datenbanken aufzubauen. Anwendungen von DAB sind u.a. Automarktangebote, Kursentwicklungen, Fahrpläne, Veranstaltungskalender und andere Daten, die vom Radionutzer jederzeit abgerufen und gespeichert werden können. Auf diese Weise kann z.B. dem Autofahrer auch parallel zum gesprochenen Verkehrshinweis eine Karte mit einer empfohlenen Umleitungsstrecke auf dem Bildschirm eingeblendet werden.

Digitaldruck
Der Digitaldruck ist ein System für ein- und mehrfarbigen, ein- oder beidseitigen Druck. Die von verschiedenen Herstellern angebotenen Digitaldruck-Systeme reichen von Hochgeschwindigkeitsversionen von Farblaserdruckern bis hin zu traditionelleren, technisch am → Offsetdruck orientierten Druckmaschinen. Die Kosten und der Zeitaufwand für die Filmbelichtung und -montage sowie teilweise für die Herstellung von Druckplatten werden bei diesen Verfahren eingespart. Die Entwick-

lung digitaler Drucksysteme ist noch nicht abgeschlossen und lässt noch einige Innovationen erwarten. Nachfolgend ein kurzer Überblick:

- *Computer-to-print (variabler Digitaldruck):* Die digitalen Text- und Bilddaten aus dem Computer werden direkt auf elektrofotografischem Weg per LED-Zellen auf eine wiederbeschreibbare Bildleitertrommel übertragen. Anstelle von herkömmlichen Druckfarben werden Pulvertoner oder Flüssigfarbe eingesetzt. Durch unterschiedliche Ladungen werden die Farbpartikel entsprechend angezogen und auf den Bedruckstoff aufgebracht. Jeder einzelne Druck kann auf diesem Wege eine individuelle Gestaltung annehmen. Mit Hilfe dieses Verfahrens ergeben sich völlig neue Einsatzmöglichkeiten, wie z.B. gedruckte und persönlich adressierte Werbebriefe.
- *Computer-to-press:* Die digitalen Text- und Bilddaten aus der Druckvorstufe werden in Rasterdaten umgewandelt und direkt an die Druckmaschine übergeben. Dort werden Druckplatten mit Hilfe eines Laserverfahrens hergestellt. Der anschließende Druckprozess wird mit wasserlosem → Offsetdruck durchgeführt.
- *Computer-to-plate (CTP):* Die digitalen Text- und Bilddaten aus der Druckvorstufe werden direkt auf eine Druckform bzw. Druckplatte übertragen. Die herkömmliche Montage und Filmherstellung entfällt hierbei. Der anschließende Druckprozess entspricht dem konventionellen → Offsetdruck.

digitale Bogenmontage
→ Montage

digitale Drucksysteme
→ Digitaldruck

digitale Druckverfahren
→ Digitaldruck

Digitaler Hörfunk
→ Digital Audio Broadcast, → Digitales Satelliten Radio

digitale Seitenmontage
→ Montage

Digitales Fernsehen
→ Digital Video Broadcasting

Digitales Satelliten Radio (DSR)
Ein Verfahren zur digitalen Verbreitung von Hörfunkprogrammen über Satellit, das eine Versorgung großer Gebiete ermöglicht. Es eignet sich zur Weiterverbreitung über Kabel, garantiert eine hohe Klangqualität und ermöglicht die Lautstärkeregelung getrennt für Musik und Sprache. DSR-Programme können bisher nur stationär über Kabel oder Satellitenempfangsanlagen empfangen werden. (Medien Daten Südwest, 1999)

Digital Imaging
Das digitale Erfassen, Speichern, Archivieren, Bearbeiten, Präsentieren und Ausgeben von jeglichen Bildinformationen auf einem Computersystem mit entsprechenden Ausgabegeräten, wie z.B. Druckern und Belichtungsmaschinen. (vgl. → Desktop Publishing, → elektronische Bildverarbeitung)

digitalisieren
Die Umsetzung von jeglichen analogen Informationen (z.B. Text, Zeichen, Bilder, Grafiken, Töne) in eine verschlüsselte und eindeutig definierte digitale Form (z.B. die digitale Reproduktion eines Fotos mit Hilfe eines Scanners oder das Einlesen eines Textes mit einer OCR-Software).

Digitalproof
Ein digitales Farbprüfverfahren zur Kontrolle von Layouts. Die gespeicherten Daten werden vom Computer direkt und ohne Film auf ein Proofmaterial übertragen. Beispiele für diese Verfahren sind Tintenstrahl-, Thermotransfer- und Farbsublimationsdrucke.

Digital Versatile Disc-Read Only Memory
→ DVD-ROM

Digital Video Broadcasting (DVB)
Europäische Norm für die digitale Fernsehübertragung. DVB ermöglicht gegenüber der herkömmlichen analogen TV-Übertragungstechnik die Verbreitung einer größeren Anzahl von Fernsehprogrammen sowie neuer Datendienste. Ein Schlüsselelement für Digital Video Broadcasting ist die Bildkodierung mit dem Ziel, die Datenraten des Videosignals soweit zu reduzieren, dass mehrere Programme auf einem analogen Übertragungskanal Platz finden. Die Rechenalgorithmen zur Datenreduktion von Videosignalen wurden international durch eine Expertengruppe erarbeitet und in dem sogenannten generischen Standard MPEG-2 für unterschiedliche Bildauflösungen festgelegt. (Medien Daten Südwest, 1999)

DIN
(Bereich Druckindustrie) Abkürzung für Deutsche Industrie Norm. In diesen Normen werden z.B. Maße, Begriffe (Definitionen) und Anwendungen aus allen Gebieten der Technik festgelegt. Wichtige DIN-Normen für die Druckindustrie sind:
- DIN 476 → Papierformate
- DIN 5033 Farbmessung
- DIN 16 511 Korrekturzeichen
- DIN 16 514 Drucktechnik - Begriffe für den Hochdruck
- DIN 16 515 Farbbegriffe
- DIN 16 520 Grundfarben zum Farbenmischen
- DIN 16 524 Prüfung von Drucken und Druckfarben
- DIN 16 528 Drucktechnik - Begriffe für den Tiefdruck
- DIN 16 529 Drucktechnik - Begriffe für den Flachdruck
- DIN 16 536 Farbdichtemessung / Andrucken
- DIN 16 538/9 Euroskala (europäische Farbskala) für den Offsetdruck
- DIN 16 544 Begriffe Reproduktionstechnik
- DIN 16 547 Rasterwinkelungen
- DIN 16 610 Drucktechnik - Begriffe für den Siebdruck.

Direct-Mailing
(Mailing) Adressierte (oft auch personalisierte) Postaussendung als Medium der Direktwerbung. Das Mailing kann z.B. aus bedrucktem Versandumschlag, Anschreiben (Werbebrief), Folder und Response-Karte

bestehen. Für die mit einer Direct-Mailing-Aktion verbundenen Produktions- und Versandarbeiten kann ein → Lettershop beauftragt werden. (vgl. → Direct-Mail-Werbung)

Direct-Mail-Werbung
(Briefwerbung) Teil der → Direktwerbung. Hier werden z.B. Prospekte, Kataloge, Broschüren und Werbebriefe per Post direkt verschickt. Man unterscheidet generell zwischen Massenwurfsendungen und persönlich adressierten Werbebriefen. Für die mit einer Direct-Mailing-Aktion verbundenen Produktions- und Versandarbeiten kann ein → Lettershop beauftragt werden.

Direct Response Television (DRTV)
Direct Response Television umfasst alle Werbeformen im Fernsehen, bei denen der Zuschauer Waren oder Dienstleistungen über eine eingeblendete Telefonnummer direkt bestellen kann.

Direct-Response-Werbung
→ Aktionswerbung

Direktmarketing
Unter dem Begriff Direktmarketing versteht man alle Marketingaktivitäten eines Wirtschaftsunternehmens durch direkte, individuelle Kommunikation mit der entsprechenden Zielgruppe. Hierzu gehören u.a. die → Direktwerbung mit gedruckten Werbemitteln, die → Verkaufsförderung, der → persönliche Verkauf oder die Kommunikation mit elektronischen Medien (z.B. Telefax, Electronic Mail). Direktmarketing im weiteren Sinne ist jede unmittelbare Kommunikation zwischen einem Unternehmen und seinen potenziellen Kunden: das Verkaufsgespräch bzw. die Beratung, die Zusendung von Prospekten, Katalogen, Warenproben und auch die indirekte Kontaktaufnahme z.B. durch eine Anzeigenwerbung, auf die der Umworbene reagieren kann. (vgl. Koschnick, 1997, S. 287)

Direkt-Reaktionswerbung
→ Aktionswerbung

Direktwerbe-Fernsehspots
→ Direct Response Television

Direktwerbung
Unter der Direktwerbung versteht man alle direkten und individuellen Maßnahmen werblicher Kommunikation zwischen einem Unternehmen und seinen Zielgruppen. Die persönliche Form der Kommunikation, wie z.B. das Verkaufsgespräch, gehören nicht zur Direktwerbung (vgl. → Direktmarketing). Die Werbebotschaft wird direkt an die Umworbenen überwiegend mittels einer Drucksachenwerbung bzw. Briefwerbung übermittelt. Neben den Werbebriefen zählen zu den Werbemitteln der Direktwerbung z.B. auch Prospekte, Broschüren, Kataloge, Flugblätter und Warenproben. Die Empfänger dieser Werbemittel sind u.a. Einzelpersonen, Haushalte oder bestimmte Wirtschaftsunternehmen. (vgl. Koschnick, 1996, S. 240)

Display
(Displaymaterial) Objekte und Materialien zur Gestaltung von Ver-

kaufsflächen und zur Umsatzförderung am → Point of Sale. Hierzu gehören z.B. Warenauslagen, Verkaufsständer, Aufstellplakate, Deckenanhänger, aufblasbare Puppen.

Displaymaterial
→ Display

Dissonanz
→ kognitive Dissonanz

Dissonanztheorie
→ kognitive Dissonanz

Distributionspolitik
Teilbereich des → Marketing-Mix, der die Gestaltung der Vertriebswege, die vertraglichen Beziehungen der Distributionsmitglieder, den Einsatz von Verkaufstechniken, die Gestaltung der logistischen Systeme (Betriebs- und Lieferbereitschaft) sowie die Standortwahl für ein Unternehmen umfasst. Funktion der Vertriebspolitik ist die Kontaktaufnahme zu den Partnern am Markt, um Austauschprozesse überhaupt zu ermöglichen. Aufgabe der Distributionslogistik ist es, entsprechend der Kundennachfrage:

- das richtige Produkt,
- im einwandfreien Zustand,
- zur richtigen Zeit,
- an den richtigen Ort,
- zu möglichst geringen Kosten

auszuliefern.

Diversifikation
→ Produktpolitik

Domain
(Domäne) Ein Teil einer Internet-Adresse, der den Namen des Computers bzw. des Servers (oft identisch mit der Bezeichnung der Organisation oder Firma des Teilnehmers) oder eines Online-Dienstes (z.B. *T-Online*) enthält sowie das Herkunftsland oder die Art des Internet-Angebots näher bezeichnet (z.B. http://www.microsoft.de, wobei »microsoft« für das Unternehmen und »de« für Deutschland steht). Diese Endung der Internet-Adresse wird auch Top Level-Domain oder First Level-Domain genannt. Den Namen des Computers, Servers oder Online-Dienstes bezeichnet man auch als Second Level-Domain oder Secondary Domain.

Domain-Adresse
Die eindeutige Adresse eines Teilnehmers im → World Wide Web (z.B. http://www.microsoft.de). Die Endung der Adresse bezeichnet das Herkunftsland oder die Art des Teilnehmers.

Kategorien:

- arts Kunst- und Kulturangebote
- com kommerzielle Firmen
- edu Bildungsstätten (z.B. Hochschulen)
- firm Unternehmen aller Art
- gov Regierungsbereiche
- info Informationsanbieter
- mil Militär
- net Netzwerke
- nom private Nutzer und für individuelle Namensgebungen
- org Organisationen
- rec Unterhaltung
- store kennzeichnet Waren- und Dienstleistungsangebote
- web steht allgemein für Inhalte im World Wide Web.

Herkunftsländer z.B.:
- au Australien
- be Belgien
- br Brasilien
- dk Dänemark
- de Deutschland
- fr Frankreich
- uk Großbritannien
- hk Hongkong
- in Indien
- it Italien
- ip Japan
- ca Kanada
- at Österreich
- ru Russland
- se Schweden
- ch Schweiz
- es Spanien
- us USA.

Domain-Name
Der Bereichsname, durch den ein Computer oder Server eindeutig im → Internet gekennzeichnet ist. Beispielsweise http://www.microsoft.de, wobei »www« (World Wide Web) für die Sub-Domain, »microsoft« für die Second Level-Domain und »de« für die First Level-Domain (Top Level-Domain) stehen. (vgl. → Domain, → Domain-Adresse)

Domäne
→ Domain

Doppelleser
→ externe Überschneidung

dots per inch
→ dpi

Download
Das Übertragen bzw. Herunterladen von jeglichen Informationen (z.B. Bilder, Grafiken, Texte, Programme, E-Mails) von einem Server bzw. Rechner auf die Festplatte des eigenen Computers (z.B. aus dem → Internet bzw. → World Wide Web).

dpi (dots per inch)
Punkte pro Zoll (1 Zoll = 2,54 cm). Maß für die Auflösungsfeinheit, d.h. Anzahl möglicher Punkte pro Längeneinheit. Gebräuchliche Auflösungen sind z.B. 300 bis 1.200 dpi für Laserdrucker, 2.400 dpi und mehr für sogenannte Laserbelichter, 72 bis 92 dpi für Computermonitore.

Drahtheftung
In der → Druckweiterverarbeitung das Binden einzelner Blätter oder Falzbogen mit Draht. Man unterscheidet Blockheftung bzw. Seitenstichheftung und Rückstichheftung. Bei der Blockheftung werden einzelne Blätter seitlich mit einem Draht geheftet, das Druckprodukt lässt sich dabei nicht gut aufschlagen. Bei der Rückstichheftung werden einzelne Falzbogen ineinander gesteckt und durch den Rücken hindurch mit Draht geheftet, dabei lässt sich das Druckprodukt gut aufschlagen. Die meisten Zeitschriften werden auf diese Weise in einer Fertigungsstraße (Sammelhefter) zusammengetragen und mit Draht geheftet.

Drehbuch
Bei einem Werbefilm, einer beliebigen Filmproduktion oder bei der Herstellung eines anderen audiovisuellen Mediums (z.B. → Multivision) wird auf der Grundlage des → Treatment ein Drehbuch erstellt, das die Szenenfolgen in verschiedenen

Spalten (Bild, Töne bzw. Musik und Text) mit Skizzen, inhaltlichen Texten und gestalterischen bzw. technischen Hinweisen eindeutig beschreibt. (vgl. → Exposé, → Treatment, → Storyboard)

DRTV
→ Direct Response Television

Druck
→ Druckverfahren

Druckauflage
→ Auflage

Druckauflösung
→ Auflösung

Druckauftrag
(Checkliste)

- Arbeitstitel,
- Format (Größe, Satzspiegel, angeschnittenes Format),
- Umfang (Seitenanzahl),
- Abbildungen/Lithos (Größe, Umfang, Strichaufnahmen, gerasterte Fotos, Rasterweite, einfarbig/vierfarbig),
- Bedruckstoff (z.B. Papier: Qualität bzw. Sorte, Gewicht, Farbe),
- Druckfarben (ein- oder mehrfarbig),
- Druckart (z.B. Offsetdruck, Tiefdruck, Siebdruck),
- Druckveredlung (z.B. Prägung),
- Druckweiterverarbeitung (schneiden, falzen, binden, heften, verpacken),
- Auflage,
- Preis (Stückpreis, Gesamtpreis) bei Preisangaben beachten, ob Preis je 100 oder je 1.000 Stück angegeben ist,
- Termin,
- Liefer-/Rechnungsanschrift,
- Versandart (z.B. Spedition, Kurier),
- Muster bzw. Belegexemplare für Agentur und Kunde.

Drucker-Font
→ Font

Druckfarben
Druckfarben bestehen aus den Hauptbestandteilen Farbmittel, Bindemittel und Druckhilfsmittel (z.B. für die Trocknung der Druckfarben). Die Druckfarben für den vierfarbigen Druck (CMYK) sind nach der → Euro-Skala genormt und man nennt sie → Prozessfarben. (vgl. → Schmuckfarben)

Druckform
Der Informationsträger im Druckprozess, durch den die zu druckenden Stellen auf den Bedruckstoff übertragen werden. Je nach dem eingesetzten Druckverfahren spricht man von einer Druckplatte (z.B. → Offsetdruck) bei flexiblen Druckformen und von Druck- oder Formzylindern (→ Tiefdruck) bei starren Druckformen.

Druckfreigabe
→ Imprimatur

Drucklackierung
Die Veredlung und der Oberflächenschutz von Druckerzeugnissen durch das Aufbringen eines speziellen Lackes, der auf die Druckfarben abgestimmt ist. Die Drucklackierung erfolgt abschließend in der Druckmaschine.

Druckmedien

→ Printmedien

Druckpapier

Ein Sammelbegriff für sämtliche Papiere, die als Bedruckstoff bzw. als Träger von gedruckten Informationen geeignet sind. Die Papiere müssen die Druckfarbe rasch aufnehmen können, möglichst schnell trocknen und dabei dimensionsstabil sein, d.h. sie dürfen sich in der Ausdehnung im feuchten Druckprozess nicht verändern. Neben einer ausreichenden Glätte wird auch ein bestimmtes Maß an Festigkeit und Steifigkeit des Papiers verlangt, damit die Verarbeitung in der Druckmaschine störungsfrei erfolgen kann.

Druckplatte

→ Druckform

Drucksysteme

→ Druckverfahren

Drucktechnologie

→ Digitaldruck, → Hochdruck , → Offsetdruck, → Siebdruck, → Tiefdruck

Druckverfahren

Die Druckverfahren unterscheiden sich hinsichtlich der eingesetzten Technologie. Das wesentliche Merkmal zur Differenzierung der Druckverfahren ist die Lage der druckenden Stellen auf der Druckform:

- beim → Hochdruck sind die druckenden Stellen der Druckform erhaben,
- beim → Tiefdruck sind die druckenden Stellen der Druckform vertieft (Näpfchen),
- beim → Offsetdruck (Flachdruck) sind die druckenden Stellen der Druckform annähernd auf einer Ebene,
- beim → Siebdruck (Durchdruck) bestehen die Bildstellen aus einer Schablone, durch die die Druckfarbe hindurchgedrückt und auf den Bedruckstoff aufgebracht wird.

Neben den eben genannten traditionellen Druckverfahren ist die Entwicklung digitaler Drucksysteme (vgl. → Digitaldruck) noch in vollem Gange. Diese Verfahren werden teilweise mit konventionellen Drucksystemen verknüpft.

Druckvorlage

Unter den Druckvorlagen versteht man jegliche Unterlagen, die für den Prozess der Informationsübertragung beim Druck benötigt werden. Hierzu gehören Vorlagen für das Setzen von Texten (→ Manuskript) sowie alle zweidimensionalen Reproduktionsvorlagen (z.B. Farb- und Schwarzweiß-Fotos, Dias, Grafiken, Illustrationen, Logos). Die einzelnen Druckvorlagen lassen sich in drei verschiedene Gegensatzpaare klassifizieren:

- *Einfarbige und mehrfarbige Druckvorlagen:* Einfarbige Vorlagen sind in der Regel nur schwarz auf weißem Karton (z.B. Strichzeichnung, Schwarzweiß-Foto). Hingegen setzen sich mehrfarbige Druckvorlagen aus zwei oder mehreren Farben (z.B. Hausfarben, zusätzliche Schmuckfarben oder Farbfotos) zusammen und sind dementsprechend auch aufwendiger zu reproduzieren.

- *Strich- und Halbtonvorlagen:* Bei den Strichvorlagen liegen alle Elemente in nur einer Tonstufe vor (z.B. eine technische Zeichnung oder eine Tusche-Zeichnung). Bei den Halbtonvorlagen kommen zwischen den hellsten und dunkelsten Bildstellen weitere unterschiedliche Tonwerte (Halbtöne) vor, weshalb man hier von Halbtonvorlagen spricht.
- *Aufsichts- und Durchsichtsvorlagen:* Bei Aufsichtsvorlagen handelt es sich um nicht durchscheinende Objekte (z.B. Farb- und Schwarzweiß-Fotos, Zeichnungen und Illustrationen auf Papier oder Karton). Durchsichtsvorlagen lassen sich hingegen durchleuchten (z.B. Dias, Filme). Beim Reproduktionsprozess wird zwischen diesen beiden Vorlagenformen generell unterschieden.

Druckvorstufe (Prepress)
Eine Sammelbezeichnung für alle Produktionsbereiche, die vor der eigentlichen Druckproduktion angesiedelt sind. Hierzu gehören die Arbeitsbereiche von der Erfassung, Herstellung, Bearbeitung und Gestaltung von jeglichen Text- und Bilddaten bis hin zur Druckformherstellung.

Druckweiterverarbeitung
Am Ende der Druckproduktion steht die Druckweiterverarbeitung. Die gedruckten Bogen aus der Druckerei werden in der industriellen Buchbinderei zu fertigen Druckerzeugnissen verarbeitet. Die Einzelteile werden zusammengefügt (zusammengetragen), gefalzt, geheftet/geklebt/gebunden, endgültig beschnitten sowie transport- und verbrauchsgerecht verpackt. In der Buchbinderei entstehen auf diese Weise eine Vielzahl von unterschiedlichen Druckprodukten, wie gefalzte Einzelblätter, Prospekte, Kataloge, Zeitschriften, Kalender und Bücher. Für die Druckweiterverarbeitung stehen verschiedene Produktionsmittel zur Verfügung: z.B. Papierschneidemaschinen, Falz- und Heftmaschinen sowie Buchfertigungsstraßen.

Druckzylinder
→ Druckform

DSR
→ Digitales Satelliten Radio

DTP
→ Desktop Publishing

Duft-Anzeige
Duftstoffe werden auf einer Anzeige z.B. in einer Zeitschrift aufgebracht und versiegelt und lassen sich durch Reiben oder durch Abziehen eines Papierstreifens freisetzen, oder die Duftproben werden in Form von Warenproben der Anzeige beigeklebt.

Dummy
(Blindmuster, Handmuster) Handgefertigte Blindmuster/Blindbände (d.h. ohne den fertigen Satz) in Einzelauflage, die im Umfang, Format und in der Ausstattung dem späteren Druckprodukt entsprechen. Dummys sind Prototypen, die zur Veranschaulichung des später gedruckten Endproduktes hergestellt werden.

Durchschuss

Optische Wirkung von Schrift

Texte mit verschiedenen Schriftgrößen und unterschiedlichen Zeilenabständen bzw. unterschiedlichem Durchschuss

7 Punkt Schrift mit 9 Punkt Zeilenabstand (Durchschuss)

Unter Werbung versteht man alle Formen der gezielten und geplanten Beeinflussung von Menschen. Werbung kann im politischen, kulturellen oder wirtschaftlichen Bereich stattfinden. Der Bereich Wirtschaftswerbung kann sich auf ein Unternehmen oder eine Institution als Ganzes beziehen oder auf Produkte oder Dienstleistungen. Die Wirtschaftswerbung im engeren Sinne wird mit der Absatzwerbung gleichgesetzt.

8 Punkt Schrift mit 9,5 Punkt Zeilenabstand (Durchschuss)

Unter Werbung versteht man alle Formen der gezielten und geplanten Beeinflussung von Menschen. Werbung kann im politischen, kulturellen oder wirtschaftlichen Bereich stattfinden. Der Bereich Wirtschaftswerbung kann sich auf ein Unternehmen oder eine Institution als Ganzes beziehen oder auf Produkte oder Dienstleistungen. Die Wirtschaftswerbung im engeren Sinne wird mit der Absatzwerbung gleichgesetzt.

9 Punkt Schrift mit 10,5 Punkt Zeilenabstand (Durchschuss)

Unter Werbung versteht man alle Formen der gezielten und geplanten Beeinflussung von Menschen. Werbung kann im politischen, kulturellen oder wirtschaftlichen Bereich stattfinden. Der Bereich Wirtschaftswerbung kann sich auf ein Unternehmen oder eine Institution als Ganzes beziehen oder auf Produkte oder Dienstleistungen. Die Wirtschaftswerbung im engeren Sinne wird mit der Absatzwerbung gleichgesetzt.

10 Punkt Schrift mit 11,5 Punkt Zeilenabstand (Durchschuss)

Unter Werbung versteht man alle Formen der gezielten und geplanten Beeinflussung von Menschen. Werbung kann im politischen, kulturellen oder wirtschaftlichen Bereich stattfinden. Der Bereich Wirtschaftswerbung kann sich auf ein Unternehmen oder eine Institution als Ganzes beziehen oder auf Produkte oder Dienstleistungen. Die Wirtschaftswerbung im engeren Sinne wird mit der Absatzwerbung gleichgesetzt.

Dünndruckpapier
Ein Papier mit niedrigem Flächengewicht, das u.a. für Mailings, Kataloge, Prospekte, Beipackzettel und Formulare verwendet wird.

Duplexdruck
Eine einfarbige Reproduktion wird bei der Wiedergabe durch den Einsatz des Duplexverfahrens farbig und plastischer, als ein einfarbiger Druck. Dies geschieht durch das Übereinanderdrucken zweier kontrastunterschiedlicher Schwarzweiß-Reproduktionen desselben Bildes in zwei verschiedenen Farben. Überwiegend wird folgende Methode angewandt: Ein kontrastreicher Farbauszug für schwarz wird auf einem kontrastreduzierten Farbauszug in einer helleren Farbe (z.B. Grau oder Braun) mit einer anderen Rasterwinkelung gedruckt. Dies führt zu einer Erweiterung des Tonwertumfangs beim fertig gedruckten Bild. Eine hohe Farbdichte in den Bildtiefen bei gleichzeitig weichen Übergängen bei den hellen Tönen (Lichtern) und mittleren Tönen sorgt für eine optimale Wiedergabe.

Durchdruck
→ Siebdruck

Durchlichtdensitometer
→ Densitometer

Durchschuss
(Bereich Satztechnik) Ein Begriff aus der Satzherstellung, der den Zeilenzwischenraum (Zeilenabstand) beschreibt. Der Zeilenabstand ist die Distanz zwischen der Unterkante der Vorzeile und der Oberkante der Folgezeile bei einem Text. Siehe hierzu die nebenstehende Abbildung.

Durchsichtsvorlage
→ Druckvorlage

DVB
→ Digital Video Broadcasting

DVD-Audio-Format
→ DVD-ROM

DVD-ROM
(Digital Versatile Disc-Read Only Memory)
Die DVD-ROM hat das Format einer herkömmlichen CD-ROM, kann jedoch statt 650/730 Megabyte zwischen 4,7 und 17 Gigabyte an Daten speichern. Zum Abspielen sind spezielle DVD-ROM-Laufwerke erforderlich, die zukünftig als neuer Standard die alten CD-ROM-Drives ersetzen sollen. Dem DVD-ROM-Format folgen bereits Standards und entsprechende Laufwerke für eine einfach (DVD-Recordable) und mehrfach beschreibbare Version (DVD-RAM), ein DVD-Audio- und ein DVD-Video-Format. Das DVD-Video-Format ist als Nachfolger des verbreiteten VHS-Systems konzipiert und bietet neben der erstklassigen Qualität z.B. die Möglichkeit, einen Film mehrsprachig auf einer DVD unterzubringen. Die DVD-Technologie bietet sich als umfangreicher Massenspeicher für Lexika, Enzyklopädien, Sammlungen von Fotos, Software und zur Datensicherung an.

DVD-Video-Format
→ DVD-ROM

E

EBV
→ elektronische Bildverarbeitung

Eckfeldanzeige
Eine Anzeige, die an zwei Seiten von redaktionellem Text umgeben und am Rand platziert ist. Sie steht oft als einzige Anzeige auf der Seite.

E-Commerce
→ Electronic Commerce

Edutainment
Ein Kunstwort, das sich aus den Begriffen Education (Ausbildung) und Entertainment (Unterhaltung) zusammensetzt. Zum Bereich Edutainment gehören z.B. Lernprogramme für Schule und Ausbildung auf CD-ROM, die mit Audio- und Videosequenzen unterhaltsam aufbereitet worden sind.

Einfarbendruck
Bei einem Einfarbendruck werden mit einer einzigen Druckfarbe (z.B. Schwarz oder einer beliebigen anderen Farbe) alle druckenden Bildstellen (z.B. Texte, Grafiken, Bilder) eingefärbt und auf den Bedruckstoff aufgebracht.

einfarbige Druckvorlage
→ Druckvorlage

Einführungsphase
→ Produktlebenszyklus

Einführungswerbung
→ Werbung

Einkleber
→ Beikleber

einseitige Kommunikation
→ Kommunikation

Einstellungswirkung
→ Kommunikationswirkung der Werbung

einstufige Kommunikation
→ Kommunikation

Einthemenbefragung
→ Befragung

Einzelbefragung
→ Befragung

Einzelhandelswerbung
→ Werbung

Einzelmarke
→ Markenarten

Einzelpräsentation
→ Präsentation

Einzelumwerbung
→ Werbung

Einzelwerbung
→ Werbung

Electronic Commerce (E-Commerce)

Dieser Begriff bezeichnet jegliche geschäftliche Information, Kommunikation und Transaktion eines Unternehmens über elektronische Medien. Hierzu gehören z.B. sämtliche kommerzielle Unternehmenstätigkeiten im → Internet bzw. → World Wide Web, firmeninterne elektronische Aktivitäten, die Bereitstellung von elektronischen Informationen an Partnerfirmen aber auch Kommunikationstechnologien wie Telefax und → Electronic Mail (E-Mail). Die folgenden beiden Bereiche lassen sich dabei generell unterscheiden:

- Electronic Commerce zwischen verschiedenen Unternehmen (Business to Business-Bereich),
- Electronic Commerce zwischen Unternehmen und Verbrauchern bzw. Kunden (Business to Consumer-Bereich).

Zum Electronic Commerce im Internet bzw. World Wide Web und → Online-Diensten gehören u.a.:

- virtuelle Produkte, Shops und Warenhäuser,
- Angebote von Produkten und Dienstleistungen,
- Anleitungen und Informationen zu Produkten,
- Bestellung von Waren und Dienstleistungen durch den Kunden,
- Kundenbetreuung, technische Unterstützung (Kundensupport),
- → Audio on demand, → Video on demand etc.,
- Online-Magazine und -Zeitschriften,
- elektronischer Zahlungsverkehr,
- E-Mail.

In der Zukunft sind weitere Formen bzw. eine Erweiterung des Electronic Commerce in Bezug auf die Kommunikation mit Behörden in Vorbereitung. Auf diese Weise sind z.B. Steuererklärungen, Umsatzsteuervoranmeldungen und behördliche Anträge per Internet möglich.

Electronic Mail (E-Mail)

Die elektronische Übermittlung von Informationen von einem Computer zu einem anderen Computer mittels einer Telefon- bzw. digitalen Datenleitung. Eine Art elektronische Brief- und Datenpost.

Electronic Marketing

Der Einsatz und die Nutzung neuer elektronischer Informations- und Kommunikationsmedien im Rahmen der Marketingaktivitäten eines Unternehmens. Electronic Marketing setzt die neuen Medien (z.B. → Internet bzw. → World Wide Web, → CD-ROM, → CD-i, → Infoterminals am → Point of Sale oder → Point of Information) gezielt zur Erreichung der Marketingziele ein. (vgl. → Electronic Commerce)

Electronic Trading

Ein Teilbereich des Electronic Commerce, der die Bestellung von Waren und Dienstleistungen über elektronische Medien beschreibt.

Elektronische Bildverarbeitung (EBV)

EBV-Systeme sind professionelle und qualitativ hochwertige Anlagen, die für die Produktion in der Druckvorstufe eingesetzt werden. Die Systeme umfassen u.a. die digitale Reproduktion und Bearbeitung von jeglichen Bildvorlagen, die Texterfassung, die komplette Gestaltung und Produktion von einzelnen Seiten und vollständigen Endprodukten mit Texten und Bildern, wie Prospekte und Kataloge sowie die Druckvorlagenherstellung auf geeigneten Ausgabegeräten wie Belichtungsmaschinen.

elektronisches Panel
→ Panel

E-Mail
→ Electronic Mail

Encapsulated PostScript (EPS, EPSF)
Ein Standard-Daten- bzw. Speicherformat, das alle Informationen zur Darstellung (z.B. einer Abbildung oder auch einer ganzen Seite mit Text) in einer einzigen Datei zusammenschließt und den Datenaustausch zwischen verschiedenen Programmen ermöglicht. Das Format besteht aus einer PICT-Fassung für die Bildschirmdarstellung und einem PostScript-Text, der an den Drucker geschickt wird. EPS-Dateien können Pixel- oder Vektordateien oder eine Kombination von beiden sein. Das EPS-Format eignet sich im professionellen DTP-Bereich für Bilder, Grafiken, Strichzeichnungen und vollständige Seitenlayouts. PostScript-Dateien können z.B. direkt an einen Belichter ausgegeben werden. Der PostScript-Code einer EPS-Datei ist → plattformunabhängig.

Entgeltpolitik
→ Preispolitik

EPS
→ Encapsulated PostScript

EPSF
→ Encapsulated PostScript

Erhaltungswerbung
→ Werbung

Erinnerungswerbung
→ Werbung

Etat
→ Werbeetat

Etat-Direktor/in
Er ist für die Koordination, Kostenkontrolle und die Verwaltung von bestimmten Werbeetats zuständig, die von einer Werbeagentur betreut werden. (vgl. → Werbe- und Medienberufe - Berufs- und Tätigkeitsfelder)

Etatpräsentation
→ Präsentation

Europa-Skala
→ Euro-Skala

Euro-Skala
(Europa-Skala) Farbskala für den Offsetdruck, die die Prozessfarben Cyan, Magenta, Gelb und Schwarz genau festlegt.

Event Licensing
→ Licensing

Event-Manager/in
Das → Event-Marketing inszeniert bzw. veranstaltet besondere Ereignisse im Rahmen der Unternehmenskommunikation, wie z.B. Aus-

stellungen, Shows, Sport- und Musikveranstaltungen. Der Event-Manager plant und betreut diese Aktionen. (vgl. → Werbe- und Medienberufe - Berufs- und Tätigkeitsfelder)

Event-Marketing

Unter Event-Marketing versteht man die Inszenierung von besonderen Ereignissen und Veranstaltungen im Rahmen der Unternehmenskommunikation. Durch erlebnisorientierte firmen- und/oder produktbezogene Events sollen emotionale und physische Reize und starke Aktivierungsprozesse bei den Zielpersonen erreicht werden. Das Event-Marketing schafft unmittelbare Kontakte zu den Anwesenden und unterstützt und ergänzt dabei die »unpersönlichen« Kommunikationsmittel Werbung, Verkaufsförderung und Öffentlichkeitsarbeit. Events können firmenintern (z.B. Außendienstkonferenz, Festakte, Händlerpräsentationen) und firmenextern (z.B. Wanderpräsentationen, Kongresse, Ausstellungen, Sponsoring Events, wie Sport- und Musikveranstaltungen, Jugend-Events, wie Rockkonzerte, Techno-Parties) als Kommunikationsmittel eingesetzt werden.

Expansionswerbung

→ Werbung

Experiment

(Bereich Marketingforschung) Mit einem Experiment versucht man in der → Marketingforschung, unter kontrollierten und überprüfbaren Bedingungen eine Hypothese (Annahme eines bestimmten Sachverhalts bei Variierung der Bedingungen) zu testen. Bei einem Experiment wird mindestens eine unabhängige Variable (z.B. Packungsgestaltung, Produktname) variiert und der dadurch hervorgerufene Effekt (z.B. gefühlsmäßige Wirkung, Wertigkeit des Produkts) gemessen. Man unterscheidet → Befragung/Interview und → Beobachtung sowie Feld- und Laborexperimente (vgl. → Beobachtung). Feldexperimente finden in einem natürlichen Umfeld, Laborexperimente hingegen unter künstlichen Bedingungen statt. Mittels Experimenten bzw. Tests können beispielsweise verschiedene marketingpolitische Instrumente vorab getestet werden (vgl. Weis, 1990, S. 104):

- Produkt-Tests (Produktpolitik)
- Namens-Tests (Produktpolitik)
- Verpackungs-Tests (Produktpolitik)
- Werbemittel-Tests (Kommunikationspolitik)
- Preis-Tests (Preispolitik) etc.

Exposé

Im Exposé werden auf der Grundlage eines → Briefings die Umsetzungsideen bzw. das Konzept für eine bestimmte Aufgabenstellung schriftlich dargelegt. Ein Exposé ist z.B. bei Untersuchungen im Bereich der → Marketingforschung oder bei der Gestaltung von Werbekampagnen, insbesondere bei der Produktion von Werbefilmen oder anderen → audiovisuellen Medien ein erster Schritt für die geplante Umsetzung. (vgl. → Treatment, → Drehbuch, → Storyboard)

externe Überschneidung
(Quantuplikation/Duplikation) In der → Media- und Leserschaftsforschung die Überschneidung der Nutzer/Leser bei unterschiedlichen Werbeträgern. Externe Überschneidungen ergeben sich aus dem Umstand, dass ein Mediennutzer mehrere Werbeträger (z.B. mehrere Zeitschriften) gleichzeitig nutzt, in denen z.B. zeitgleich eine Anzeige erscheint. Die → Bruttoreichweite wird dadurch erhöht, d.h. die Zielpersonen haben mehrfach Kontakt mit einem Werbemittel. Die → Nettoreichweite hingegen verringert sich. Bei Überschneidungen im Bereich von Zeitungen und Zeitschriften spricht man auch von Doppellesern. (vgl. → interne Überschneidung)

Extranet
Ein firmeninternes Computernetz, das im Prinzip wie das → Internet bzw. das → World Wide Web funktioniert. Per Computer lassen sich die vom Unternehmen in diesem Informationsdienst zur Verfügung gestellten Informationen wie Bilder, Grafiken, Rundschreiben, Telefonverzeichnisse, Mitarbeiterzeitschriften usw. abrufen. Die Kommunikation zwischen den einzelnen Mitarbeitern wird per E-Mail ebenso ermöglicht. Im Gegensatz zum → Intranet sind an ein Extranet zusätzlich auch beispielsweise Niederlassungen, Außenstellen, Geschäftspartner und Kunden an das Netz angeschlossen.

E-Zine
Eine Zeitschrift, die in keiner gedruckten Version, sondern ausschließlich in einer elektronischen Form erscheint (z.B. im → World Wide Web). Im Gegensatz hierzu erscheinen viele Zeitungen und Zeitschriften sowohl in gedruckter als auch in einer Online-Version.

F

Fachangestellte/r für Medien- und Informationsdienste
Die Fachangestellten für Medien- und Informationsdienste arbeiten in der Wirtschaft oder im öffentlichen Dienst daran, Medien und Informationen aus dem In- und Ausland zu beschaffen, zu bearbeiten und zu archivieren. Sie setzen dazu elektronische und konventionelle Informations- und Kommunikationssysteme ein und nutzen weltweite Datennetze. Die Ausbildung erfolgt in den Fachrichtungen Archiv, Bibliothek, Information und Dokumentation oder Bildagentur. (vgl. → Werbe- und Medienberufe - Ausbildungsberufe)

Fachkraft für Veranstaltungstechnik
Das Berufsbild bietet einen qualifizierten Einstieg in die Messe-, Kongress- und Ausstellungsbranche. Für Veranstaltungs- und Messehallen, Theater und Konzerthäuser oder auch bei Unternehmen für professionelle Veranstaltungstechnik planen und kalkulieren die Fachkräfte Licht, Bild, Ton und jede Art von technischer Ausstattung, wie z.B. Projektions- oder Datenübertragungen bei Messen und Ausstellungen. Ein wesentlicher Ausbildungsbestandteil ist die kundenorientierte Beratung. (vgl. → Werbe- und Medienberufe - Ausbildungsberufe)

Fachzeitschrift
Fachzeitschriften sind periodisch erscheinende, berufsbezogene oder branchenorientierte Zeitschriften mit fachspezifischen redaktionellen Themen und Anzeigeninhalten. Die Inhalte dieser Zeitschriften sollen den Leser fachlich aktuell informieren und sein Wissen erweitern. Fachzeitschriften werden überwiegend beruflich genutzt. (vgl. → Special Interest-Zeitschrift)

Fadenheftung
In der → Druckweiterverarbeitung bei der Buchblockheftung die qualitativ hochwertigste und haltbarste Bindetechnik. Die einzelnen Falzbogen werden durch einen Nähvorgang mit Zwirn miteinander verbunden. Zur besseren Stabilität wird in den meisten Verfahren ein Gewebe (Gaze) auf den Buchrücken aufgebracht durch welches die Fäden gezogen und vernäht werden. Für Schreibhefte und manche Broschüren werden einfacherere Verfahren der Fadenheftung eingesetzt, bei denen die Fäden am Rücken nur verleimt werden und damit nicht sehr haltbar sind.

Fadenzähler
Ein Vergrößerungsgerät (Lupe) mit mehrfacher Vergrößerung. Der Fadenzähler wird im Repro- und Druckbereich zur Beurteilung von Details (z.B. → Raster) eingesetzt.

Falzarten

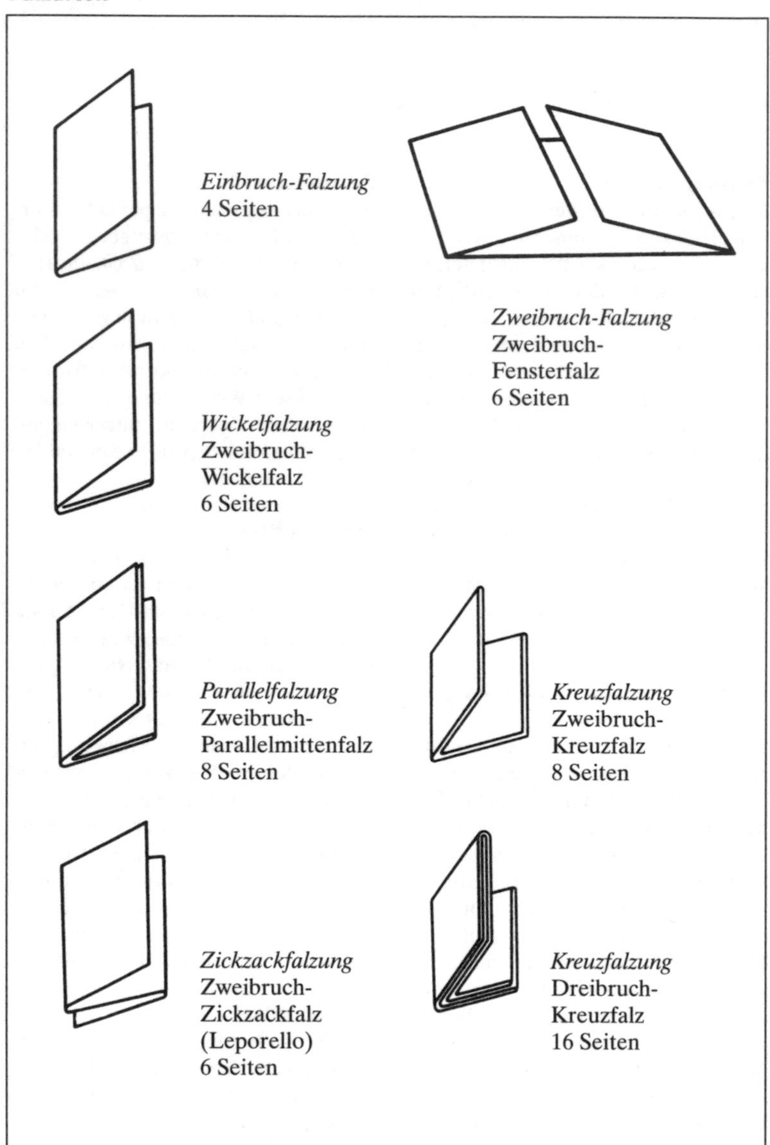
Einbruch-Falzung
4 Seiten
Zweibruch-Falzung
Zweibruch-
Fensterfalz
6 Seiten
Wickelfalzung
Zweibruch-
Wickelfalz
6 Seiten
Parallelfalzung
Zweibruch-
Parallelmittenfalz
8 Seiten
Kreuzfalzung
Zweibruch-
Kreuzfalz
8 Seiten
Zickzackfalzung
Zweibruch-
Zickzackfalz
(Leporello)
6 Seiten
Kreuzfalzung
Dreibruch-
Kreuzfalz
16 Seiten

Fahne
Älterer Begriff innerhalb der Satzherstellung. Eine Fahne ist ein Korrekturabzug einer noch nicht umbrochenen, d.h. endgültig fertig gestalteten Druckseite.

Faksimile
Eine möglichst originalgetreue und drucktechnische Wiedergabe, z.B. eines Kunstwerkes, eines handgeschriebenen Buches oder einer Urkunde. Die Qualitätsanforderungen an das Druckergebnis sind dementsprechend sehr hoch.

Falzarten
In der → Druckweiterverarbeitung werden die bedruckten Papierbogen aus der Druckerei gefalzt. Man unterscheidet generell die beiden Falzarten Kreuzfalz und Parallelfalz. Beim Kreuzfalz wird jeweils im rechten Winkel gefalzt, bei einem Parallelfalz erfolgt die Falzung immer parallel (z.B. Wickelfalz, Zickzackfalz bzw. Leporellofalz). Des Weiteren kommen kombinierte Falzungen zum Einsatz. (vgl. → Falzen, → Falzmuster, → Falzschema)

falzen
In der → Druckweiterverarbeitung werden die bedruckten Papierbogen aus der Druckerei gefalzt. Die Bogenfläche wird geknickt und man spricht von einem Bruch. Die Seiten auf dem Rohbogen sind in einer Weise angeordnet, aus der sich nach dem Falzvorgang ein Druckprodukt mit der richtigen Seitenfolge ergibt. Man unterscheidet generell die beiden Falzarten Kreuzfalz und Parallelfalz. Beim Kreuzfalz wird jeweils im rechten Winkel gefalzt, d.h. die längere Bogenseite wird stets halbiert. Bei einem Parallelfalz erfolgt die Falzung immer parallel. (vgl. → Falzarten, → Falzmuster, → Falzschema)

Falzmuster
Ein Musterbogen, der nach dem richtigen Falzschema gefalzt und anschließend mit den fortlaufenden Seitenzahlen versehen wurde. Das Falzmuster dient beim konventionellen bzw. manuellen Ausschießen als Hilfsmittel für die korrekte Anordnung der Seiten bei der Druckformherstellung. (vgl. → Falzarten, → Falzen, → Falzschema)

Falzschema
Die genaue Anleitung in der → Druckweiterverarbeitung für die Falzung der bedruckten Papierbogen (z.B. Dreibruch-Kreuzfalz, Zweibruch-Parallelfalz). (vgl. → Falzarten, → Falzen, → Falzmuster)

Farbauszug
Die reprotechnische Zerlegung der Farben einer Farbvorlage in ihre Farbanteile (Cyan, Magenta, Gelb und Schwarz). Die somit hergestellten Farbauszüge sind eine Voraussetzung für den Druck mit → Prozessfarben (CMYK). Die Zerlegung der Farbvorlage erfolgt durch den Einsatz von Filtern. Die Farbauszugsfilter arbeiten nach dem subtraktiven Farbmischprinzip, d.h. sie lassen die Lichtstrahlen ihrer Eigenfarbe passieren. Bei der Herstellung von Farbauszügen wird als Filter jeweils die Gegen- oder Komplementärfarbe eingesetzt.

Farben

→ Farbenwirkung

Farbenwirkung

Farbe verleiht der Werbung eine zusätzliche Eigenschaft. Sie belebt die visuelle Botschaft, betont sie, macht sie besser wahrnehmbar und leichter erfassbar. Die Bedeutungen und Wirkungen von Farben unterscheiden sich bei verschiedenen Nationen und Kulturkreisen zum Teil erheblich. Zwei Sphären des Unterbewusstseins haben aktiv teil an der affektiven Wahrnehmung von Farben. Einerseits das kollektive Unbewusste und andererseits das individuelle Unbewusste. Ersteres wird als in jedem Menschen wirksam angenommen. Demzufolge scheinen alle Individuen des gleichen Kulturkreises ähnlich zu reagieren, wenn sie denselben Farben ausgesetzt werden. In dieser Kategorie findet man den symbolischen Wert der Farben, z.B. Rot für Liebe, Purpur für Melancholie und Grün für Hoffnung. Andere Empfindungen entspringen dem individuellen Unbewussten. Sie sind personenspezifisch und hängen von der Eigenart der betreffenden Person sowie von den Erfahrungen, die sie bewusst oder unbewusst mit den betreffenden Farben im Lauf des Lebens gesammelt hat, ab. Eine Vorliebe oder Abneigung gegenüber bestimmten Farben resultiert aus dem individuell Unbewussten.

Jeder Farbe wird eine psychologische Eigenschaft zugeordnet:

- *Schwarz:* dunkel, kompakt, ein Symbol des Todes, ein Eindruck von Vornehmheit, Würde und Eleganz.
- *Weiß:* Reinheit, das Unerreichbare.
- *Grau:* Symbol für Unschlüssigkeit, Mangel an Energie, Monotonie, Depression.
- *Grün:* Symbol für Hoffnung, Ruhe, Gesundheit (Gemüse, Obst, Natur, Freizeit, Ferien).
- *Rot:* Kraft, Lebhaftigkeit, Energie, Männlichkeit, Dynamik, Charme (Verkehrsschilder, Leitsysteme).
- *Rosa:* Schüchternheit, Sanftheit, Weiblichkeit, Liebe, Liebenswürdigkeit, Güte, Intimität (Babyartikel, Kosmetik).
- *Braun:* Festigkeit, großer Nutzen, Behaglichkeit, Gesundheit (Kaffee, Lederwaren).
- *Orange:* Wärme, Energieausstrahlung, Kommunikation, Großzügigkeit, Gefühlsüberschwang (Telekommunikation, Energieunternehmen).
- *Blau:* Tiefgründigkeit, Seriösität, Kälte, Frische, Eis (Kühlgeräte, Eisartikel).
- *Gelb:* Leuchtkraft, Heiterkeit, Jugendlichkeit, Sonne.
- *Violett:* geheimnisvoll, rätselhaft, Traurigkeit, Melancholie, Würde.

Farbe kann das Gefühl von Kälte oder Wärme aber auch eine bestimmte Gewichtsempfindung vermitteln. Es ist allgemein bekannt, dass Weiß und Gelb die »leichtesten«, Dunkelviolett und Schwarz hingegen die »schwersten« Farben sind. Auch Beziehungen zwischen Farben und Geschmacksempfinden haben sich nachweisen lassen:

- *sauer* (Gelbgrün),
- *süß* (Orangengelb bis Rot),
- *süßlich* (Rosa),
- *bitter* (Marineblau, Braun, Oliv-

Eigenschaften von Farben und Einsatz in der Werbung

Farbe	Eigenschaft/Ausstrahlung	Einsatz in der Werbung
Braun	Wärme, Behaglichkeit	z.B. Kaffee, Leder
Blau	Kälte, Nüchternheit, Sachlichkeit	z.B. Kühlgeräte, Werkzeug, Hifi-Geräte, Tiefkühlprodukte
Grün	Natur, Gesundheit, Lebenskraft, Natürlichkeit	z.B. Obst, Gemüse, Pflanzen, Freizeit, Erholung
Rot	Wärme, Wichtigkeit, Signalfarbe	z.B. Heizung, Energie
Orange	Wärme, Energie, Kommunikation	z.B. Energie, Telekommunikation
Rosa	Verspieltheit, Zärtlichkeit, Weiblichkeit	z.B. Körperpflegemittel, Babyartikel, Kosmetik
Schwarz	Exklusivität, Eleganz	z.B. Designproduke, Mode
Gold	Prestige, Erhabenheit	z.B. Schmuck

Eigenschaften von Farben und Einsatz in der Werbung (vgl. Koschnick, 1996, S. 304)

grün, Violett),
- *salzig* (Grau mit Blassgrün oder mit Blassblau).

Folgende Verknüpfung besteht zwischen Farbe und Geruchssinn:
- *scharf, würzig* (Orange),
- *leicht würzig* (Grün),
- *parfümiert* (Violett, Fliederblau oder die dem Parfümtyp entsprechende Farbe, z.B. Grün für Tannenduft),

und ganz allgemein:
- *Wohlgerüche* (helle, reine und zarte Farben),
- *schlechte Gerüche* (dunkle, trübe und überwiegend warme Farben).

Ganz allgemein kann man sagen, dass die sogenannten kalten Farben – besonders Blau – »bitter« sind, während die warmen Farben »süß« wirken. Farben, die den Appetit am meisten reizen, sind am geeignetsten für Nahrungsmittel. Diese sind vor allem Orange, Blassgelb, Zinnoberrot, Blassgrün, Hellbraun und Braun. Durst entspricht einem Gefühl der Spannung zwischen Trockenheit und dem sehnsüchtigen Verlangen nach einer Flüssigkeit, oder in Farben ausgedrückt sind das Gelbbraun, Ocker oder Rötlichgelb (trocken) und Grünblau und Blau (flüssig). Besondere Bedeutung und Prestige werden bei der Verwendung von vornehmen und erlesenen Farben, dazu gehören Violett, Weinrot, Weiß, Goldgelb und Schwarz, erreicht. (vgl. Schulisch, 1986, o.J.)

Farbmanagement-Systeme
→ Color Management System

Fashion Leader
→ Innovatoren

Faxabruf
→ Fax on demand, → Faxpolling

Fax on demand
Ein Faxabruf-System von einer Datenbank, in der mehrere Dokumente abgelegt sein können. Fax on demand-Systeme reagieren auf die Eingabe eines Tastentelefons oder auf die menschliche Stimme. Der Nutzer wählt auf seinem Faxgerät eine entsprechende Nummer und erhält per Sprachcomputer die entsprechenden Anweisungen für den Faxabruf und wählt die entsprechenden Dokumentenseiten aus. Kurze Zeit später werden die gewünschten Dokumente per Fax übertragen. Einsatzbereiche sind z.B. Angebots- und Preislisten, technische Unterstützung bei Software- oder Computerproblemen sowie die unterschiedlichsten Informationsdienste. (vgl. → Faxpolling)

Faxpolling
Ein Faxabruf-System von einer Datenbank, in der mehrere Dokumente abgelegt sein können. Im Gegensatz zu → Fax on demand hat beim Faxpolling jedes Dokument eine eigene Abrufnummer. Kurze Zeit nach dem das gewünschte Dokument angewählt wurde, wird es per Fax automatisch übertragen. Beim manuellen Faxpolling muss zusätzlich die Starttaste des Faxgerätes gedrückt werden. Einsatzbereiche sind z.B. Angebots- und Preislisten von Unternehmen, technische Unterstützung bzw. Informationsseiten bei Software- oder Computerproblemen sowie die unterschiedlichsten Informationsdienste.

Feinpapier
Eine Qualitätsbezeichnung für bestimmte hochwertige Papiere, an die höchste Anforderungen z.B. bezüglich der Oberfläche und der Alterungsbeständigkeit gestellt werden. Feinpapier wird u.a. für qualitativ hochwertige Geschäfts- und Werbedrucksachen verwendet

Feldbeobachtung
→ Beobachtung

Fensterfalz
(Altarfalz) Ein Parallelfalz in der Druckweiterverarbeitung mit sechs oder acht Seiten Umfang. Die äußeren Seiten werden dabei nach Innen geklappt und bei acht Seiten Umfang nochmals in der Mitte gefalzt.

Fernseh-Spot
(TV-Spot) Eine Fernseh-Werbesendung von mehreren Sekunden Dauer mit multisensorischer Wirkung in Form von Bildern, Tönen und Texten. Bei der Konzeption und Gestaltung von TV-Spots ist zum einen das Desinteresse der Zuschauer zu überwinden und zum anderen auf eine fernsehgerechte Aufbereitung der Werbung zu achten. TV-Spots sind in der Regel zwischen 6 und 60 Sekunden lang. Die folgenden Punkte können als Richtlinie und Grundlage für die Gestaltung von Fernsehspots dienen (vgl. Koschnick, 1996, S. 309):

- Je pointenreicher, desto besser wird eine Fernsehwerbung aufgenommen und erinnert. Ein TV-Spot sollte immer mit einer produktbezogenen Pointe abschließen.
- Bezüglich der Vielzahl an konkurrierenden Spots sollte die Werbung auf einer zentralen Idee aufbauen und nicht zu viele Argumente liefern. Der Spot darf in den Szenenfolgen nicht überladen sein, um eine schnelle Orientierung des Zuschauers zu ermöglichen.
- Die Handlung des TV-Spots sollte vor allem mittels bewegter Bilder und deren Untermalung mit Geräuschen, Musik und Sprache erfolgen. Längere Dialoge sollten vermieden werden.
- Sprache und Musik ergänzen die gezeigten Bilder und sorgen für die gewünschte emotionale Ansprache und Wirkung bei den Zuschauern.
- Die Aufmerksamkeit muss während des Spots, z.B. durch raschen Szenenwechsel, akustische Signale oder Humor, immer wieder neu geweckt werden. Der Schluss sollte, zumindest zum Teil mit Slogan, Logo und einer Schlusspointe, beim Betrachter in Erinnerung bleiben.
- Der Fernsehschirm ist im Gegensatz zur großen Kinoleinwand sehr klein. Dementsprechend gelten hier andere Gestaltungsgrundsätze, wie z.B. verstärkter Einsatz von Großaufnahmen.
- Das Fernsehformat hat eine viel geringere Auflösung, wie das Kinofilmmaterial. Demzufolge sollten nicht zu viele Details sowie keine zu großen Helligkeits- und Kontrastunterschiede Verwendung finden. Klare Formen und plastische Beleuchtungen sollten vorherrschen.

- Die Idee und die Art der Werbebotschaft sollten über die genaue Länge des TV-Spots bestimmen.

(vgl. → Fernseh- und Hörfunkwerbung - Sonderwerbeformen)

Fernseh- und Hörfunkwerbung
(Sonderwerbeformen) Die vorherrschende Form der Fernsehwerbung ist der → Fernsehspot (TV-Spot) bei der Werbung im Radio der → Hörfunkspot. Ferner sind noch einige Sonderwerbeformen, vor allem bei den Privaten Rundfunkanbietern, zu nennen, die in Hörfunk und/oder im Fernsehen vorkommen (vgl. Pepels, 1996 b, S. 305 f.):

- → *Direct Response Television (DRTV):* TV-Spots, bei denen eine Telefonnummer für die direkte Bestellung von Waren und Dienstleistungen eingeblendet wird.
- *Patronat:* Die Trägerschaft einer Sendung durch einen Werbungtreibenden.
- *Sponsorsendung:* Die Unterstützung von Programmen durch Werbetreibende.
- *Message Placement:* Ein Programmbeitrag mit PR-Charakter.
- *Tandem-Spots*: Eine Kombination aus Hauptspot und Folgespot.
- *Dialog-Spot:* Eine Werbung in Form einer Live-Durchsage im Fernsehen.
- *Anmoderierter Spot:* Eine Werbeankündigung für einen Spot durch einen Sprecher bzw. Moderator im Fernsehen.
- *Zeitansage:* Werbung in Verbindung mit der Anzeige der Uhrzeit.
- *Narrow casting:* Eine Platzierung des TV-Spots in ein entsprechendes redaktionelles Umfeld.
- *Live-Werbung:* Werbung durch einen Moderator live im Studio.
- *Telefon-Promotion:* Zuschauerspiele mit Produkten in Shows über das Telefon.
- *Promotionspiel:* Aktionen mit Zuschauern vor Ort mit einem Übertragungswagen.
- *Game-Show:* Gewinnspiele mit der Einbindung von verschiedenen Produkten oder Leistungen wie Urlaubsreisen.

Fernsehwerbung
→ Fernseh-Spot, → Fernseh- und Hörfunkwerbung - Sonderwerbeformen

FFF-Producer/in
Der FFF-Fachmann (FFF = Film, Funk, Fernsehen) ist in der Werbeagentur für die Produktion von Film-, Funk- und Fernsehspots zuständig. Er trägt die Verantwortung für die Entwicklung, die gestalterische Qualität und den Etat für die Produktion. Der FFF-Fachmann steht in engem Kontakt zu Filmproduktionsgesellschaften und Tonstudios. (vgl. → Werbe- und Medienberufe - Berufs- und Tätigkeitsfelder)

Figurensatz
→ Satzarten

File Transfer Protocol (FTP)
Ein standardisiertes Protokoll, das die Übertragung von Daten zwischen verschiedenen Computern und Systemumgebungen, z.B. im → Internet, ermöglicht.

Filigran Laser
→ Lasergrafik

Film
(Bereich Reproduktion und Drucktechnik) Ein allgemeiner Begriff für Fotomaterial auf flexibler, transparenter Kunststofffolie als Schichtträger (z.B. Offset- und Siebdruckfilme als Vorlage für den Druckprozess).

Firmenimage
→ Image

Firmenwerbung
→ Werbung

First Level-Domain
→ Domain

Flachbettscanner
→ Scanner

Flachdruck
→ Offsetdruck

Flattersatz
→ Satzarten

Flexodruck
Der Flexodruck ist ein Hochdruckverfahren (vgl. → Hochdruck) und wird heute überwiegend zum Bedrucken von weichen Verpackungen aus Papier, Kunststoff- oder Metallfolien im Rollen-Rotationsdruck eingesetzt. Entwickelt wurden auch Flexodruckmaschinen für den Zeitungsdruck. Die Druckformen sind fotopolymere Kunststoffplatten (Auswaschdruckplatten). Bei der Belichtung dieser Platten werden die vom Licht getroffenen Stellen durch Polymerisation gehärtet, die unbelichteten Bereiche werden ausgewaschen. Gedruckt wird mit Rollen-Rotationsmaschinen. Die Druckfarben sind niederviskos (dünnflüssig) und trocknen durch die Verdunstung der Lösemittelanteile.

Fließtext
Als Fließtext bezeichnet man den laufenden Text eines Printmediums in der jeweiligen Grundschrift ohne Überschriften, Hervorhebungen und ähnlichem.

Flyer
Ein kleiner Werbeprospekt bzw. Handzettel.

Folder
Eine kleine Broschüre bzw. ein kleiner Prospekt.

Font
Die Bezeichnung für eine → Schriftfamilie, wie z.B. *Garamond, Times* oder *Helvetica*, bzw. für einen digitalen Zeichensatz einer Schrift. Die digitalen Schriften bestehen aus einem Bildschirm-Font (Screen-Font) für die Darstellung am Computerbildschirm und einem Drucker-Font (Printer-Font) für die Ausgabe auf Druckern und Belichtungsgeräten.

Formen
→ Wirkung von Formen

Format
Größenangabe von Seiten, Blättern, Bogen oder Filmen. Grundsätzlich wird die parallel zur Schrift laufende Seitenlänge zuerst genannt: Hochformat 210 mm x 297 mm; Querformat 297 mm x 210 mm.

Formensatz
→ Satzarten

Formzylinder
→ Druckform

Fortdruck
Allgemeiner Begriff für den Druck der gesamten Auflage nach der vollständigen Einrichtung der Druckmaschine und der Druckfreigabe.

Fotostil
→ Corporate Design

Franchising
Das Franchising ist eine vertraglich geregelte Zusammenarbeit zweier selbständiger Unternehmen, bei der ein Franchise-Geber einem Franchise-Nehmer das Recht einräumt, bestimmte Produkte oder Dienstleistungen nach genau festgelegten Bedingungen anzubieten und zu verkaufen (z.B. *McDonalds*). Der Franchise-Nehmer nutzt dabei bestimmte Namen, Warenzeichen, Geschäftsausstattungen, die technische und gewerbliche Erfahrung sowie das Absatz- und Organisationssystem des Franchise-Gebers. Der Franchise-Nehmer zahlt dem Franchise-Geber ein einmaliges und/oder laufendes Entgelt für die zur Verfügung gestellten Rechte und Leistungen. Ferner hat er dem Franchise-Geber umfangreiche Weisungs- und Kontrollrechte einzuräumen, damit dieser ein einheitliches Auftreten des Systems am Markt sicherstellen kann. (vgl. Koschnick, 1997, S. 464 f.)

Freelancer
Freelancer sind freischaffende Gestaltungskräfte, wie z.B. Grafiker, Texter und Fotografen, die ihre Arbeitskraft bzw ihre Gestaltungsleistungen den Werbeagenturen oder Werbeabteilungen von Unternehmen für bestimmte Projekte zur Verfügung stellen.

Freeware
Eine Computer-Software, die z.B. über CD-ROMs oder das → World Wide Web verbreitet wird und kostenlos benutzt und weitergegeben werden darf. Im Gegensatz zu → Shareware und → Public Domain-Software besitzt der Hersteller bei Freeware kein Urheberrecht. Freeware-Programme dürfen daher auch programmiermäßig verändert werden.

freies Interview
→ Befragung

»freistellen«
Das Hervorheben bzw. das »Ausschneiden« eines wichtigen Bildbestandteils durch manuelle oder elektronische Löschung der übrigen Elemente. In den meisten Fällen bleibt lediglich ein weißer Hintergrund übrig.

FTP
→ File Transfer Protocol

Fulfillment
→ Fulfillment-Unternehmen

Fulfillment-Unternehmen
Eine Bezeichnung für Dienstleistungsunternehmen oder Unternehmensbereiche, die die gesamte Lagerungs-, Auftrags- und Versandabwicklung für Produkte oder Informationsmaterial, wie Kataloge über-

nehmen. Hierzu gehören u.a. die Bearbeitung von Rückläufen einer Direktwerbeaktion (→ Direktwerbung, → Direct-Mail-Werbung), Lagerhaltung, Verpacken, Versand, Fakturierung, Abrechnung und das Mahnwesen.

Full-Service-Werbeagentur
Eine Werbeagentur, die in der Lage ist, die werblichen und kommunikationstechnischen Aufgaben ihres Auftraggebers ganzheitlich zu betreuen. Sie bietet in der Regel die folgenden Leistungen an: Analyse von Marketingproblemen, Werbeberatung (z.B. Kommunikationsstrategien, Medienauswahl), Mittlertätigkeit (z.B. Media-Schaltung), Konzeption, Gestaltung, Planung, Produktion und Durchführung von Werbe-, Verkaufsförderungs- und sonstigen Kommunikationsmaßnahmen sowie die Werbeerfolgskontrolle.

G

Game-Show
→ Fernseh- und Hörfunkwerbung

Ganzsäulen
→ Plakatanschlagstellen

Ganzseitenumbruch
→ Umbruch

Ganzstellen
→ Plakatanschlagstellen

Gatefold-Anzeige
(Gatefolder) Eine Zeitschriftenanzeige, die die doppelte oder vierfache Größe einer normalen Anzeigenseite hat. Die Seiten lassen sich links oder rechts oder in beide Richtungen (Altarfalz-Anzeige) aufschlagen und erreichen somit die doppelte oder vierfache normale Anzeigengröße (z.B. bei Automobilwerbungen).

Gatefolder
→ Gatefold-Anzeige

Gateway
Gateways sind Einrichtungen bzw. Protokollumwandler, die eine Verbindung sowie den Informationsaustausch zwischen verschiedenen Datennetzen und Datendiensten ermöglichen. → Online-Dienste wie *America Online (AOL)* oder *T-Online* sind z.B. über Gateways mit dem → Internet verbunden.

Gattungsmarke
→ Markenarten, → Markenpolitik

Gattungswerbung
Die Gattungswerbung gehört zur → Gemeinschaftswerbung. Sie wird von mehreren Werbungtreibenden oder einem Verband für eine bestimmte Produktgattung gemeinsam eingesetzt. Die individuellen Firmen- und Markenbezeichnungen der Beteiligten werden bei der Gattungswerbung nicht benutzt.

Gebietsverkaufstest
→ Werbeerfolgskontrolle

Gebrauchsmuster
Das Gebrauchsmuster ist ein technisches Schutzrecht und ist dem Patent sehr verwandt. Das Gebrauchsmustergesetz nennt drei Voraussetzungen für den Gebrauchsmusterschutz:
- Es muss sich um Gerätschaften oder Gebrauchsgegenstände handeln.
- Diese müssen dem Arbeits- oder Gebrauchszweck dienen.
- Sie müssen eine neue Gestaltung, Anordnung oder Vorrichtung haben.

Im Gegensatz zum → Geschmacksmuster, das die ästhetische Seite von Mustern und Modellen schützt, bezieht sich das Gebrauchsmuster auf dreidimensionale Objekte mit technischem Nutzeffekt. Die Grundlage für ein Gebrauchsmuster ist eine überdurchschnittliche geistige Leistung bzw. eine Erfindung. Der Gebrauchsmusterschutz wird auch als »Mini-Patent« bezeichnet, da die Anforderungen in Bezug auf technische Neuerung und »Erfinderhöhe« nicht so hoch sind wie beim Patent. Die Anmeldung erfolgt beim Deutschen Patentamt. Die neue Gestaltung, Anordnung oder Vorrichtung sowie der Arbeits- und Nutzeffekt müssen mit einer Zeichnung genau beschrieben werden. Modelle können ebenso eingereicht werden. Das Gebrauchsmusterrecht ist veräußerlich und vererblich. Der Schutz dauert drei Jahre, kann daraufhin um drei und anschließend nochmals um zwei Jahre verlängert werden. (vgl. Francke, 1997, S. 107 ff.)

Gedächtniseffekt
→ Bilder, bildhafte Darstellungen

Gedächtniswirkung
→ Werbemittel-Gestaltung

Gefühlswirkung
→ Werbemittel-Gestaltung

GEMA
→ Gesellschaft für musikalische Aufführungs- und mechanische Vervielfältigungsrechte

Gemeinschaftswerbung
(Kollektivwerbung, kooperative Werbung) Mehrere Einzelunternehmen derselben Branche werben gemeinsam, wobei die einzelnen Firmen- und Markennamen der Beteiligten nicht direkt genannt werden (z.B. die Gemeinschaftskampagne »Kino ist das Größte« der deutschen Filmwirtschaft). Die Leistungsfähigkeit und ein positives Image der jeweiligen Branche herauszustellen, stehen im Vordergrund der werblichen Anstrengungen. Zum Bereich Gemeinschaftswerbung im weiteren Sinne gehören:

- die → *Gattungswerbung*,
- die → *Sammelwerbung* (→ *Gruppen-* und → *Verbundwerbung*) und
- die → *Verbandswerbung*.

Man unterscheidet bei der Gemeinschaftswerbung generell folgende Arten (vgl. Koschnick, 1996, S. 364):

- *horizontale Gemeinschaftswerbung:* Werbungtreibende derselben Handels- oder Absatzstufe schließen sich zusammen.
- *vertikale Gemeinschaftswerbung:* Werbungtreibende aus verschiedenen Handels- oder Absatzstufen (vor- oder nachgelagerte Unternehmen, z.B. Rohstoffbeschaffung und Vertrieb) werben gemeinsam.
- *komplementäre Gemeinschaftswerbung:* Werbungtreibende verschiedener Branchen mit einem sich ergänzenden Produktionsprogramm kooperieren bei ihren Kommunikationsmaßnahmen.

Generic-Image
→ Image

Generics
→ Markenarten, → Markenpolitik

Generic Placement
→ Product Placement

geographischer Anzeigensplit
→ Anzeigensplit

geographische Segmentierung
→ Marktsegmentierung

Gesamtverband Werbeagenturen (GWA)
Dem GWA gehören die großen Werbeagenturen in Deutschland an. Der Zweck des Verbandes ist es, das Image der Agenturbranche zu verbessern und die Voraussetzung für eine effektive, wirtschaftliche Kundenbetreuung zu schaffen. Die GWA-Agenturen haben sich freiwillig auf die Einhaltung bestimmter Grundsätze gegenüber der Öffentlichkeit und gegenüber ihren Auftraggebern verpflichtet. In strittigen Fragen unterwerfen sie sich einem Schiedsgericht des Verbandes.

geschlossene Fragen
→ Befragung

Geschmacksmuster
(Geschmacksmusterschutz) Das Geschmacksmuster schützt die Ästhetik bzw. das Design von Mustern und Modellen. Das Patent und das → Gebrauchsmuster hingegen sind technische Schutzrechte. Das Geschmacksmuster ist ein absolutes Recht. Der zu schützende Gegenstand ist eine ästhetische und gewerbliche Leistung, die neu und einzigartig sein muss. Beispiele für Muster sind Stoff- und Tapetenmuster, Zierschriften, Form-/Farbkombinationen. Beispiele für Modelle sind Produkte mit einem spezifischen Design und Kleider. Die Muster und Modelle müssen einen ästhetischen Gehalt im Hinblick auf Farben und Formen sowie deren Kombination aufweisen. Der Geschmacksmusterschutz verlangt eine gewerbliche Verwertung des zu schützenden Gegenstandes. Das Muster oder das Design ist dann als neu anzusehen, wenn es zum Zeitpunkt der Anmeldung den inländischen Fachkreisen nicht bekannt war. Darüber hinaus muss es eigentümlich sein, d.h. auf einer individuellen und überdurchschnittlichen Gestaltung beruhen. Die Anmeldung erfolgt beim Bundespatentamt. Die Modelle und Muster müssen bildlich hinterlegt werden. Die Schutzfrist beginnt nach dem Tag der Anmeldung für mindestens fünf Jahre und maximal zwanzig Jahre. Das Geschmacksmuster ist vererblich und übertragbar.
Ein internationaler Schutz kann über das Haager Abkommen zur Hinterlegung gewerblicher Muster und Modelle (HMA) erreicht werden. Bei der Anmeldung in einem Land, das dem Abkommen beigetreten ist, können in- und ausländische Rechte in Bezug auf das Geschmacksmuster gleichzeitig erworben werden. Die internationale Wirkung hat gleichzeitig die Wirkung einer nationalen Hinterlegung. Für die internationale Hinterlegung sind u.a. genaue Beschreibungen und eine bildliche Darstellung der Muster und Modelle notwendig. (vgl. Francke, 1997, S. 121 ff.)

Geschmacksmusterschutz
→ Geschmacksmuster

Gesellschaft für musikalische Aufführungs- und mechanische Vervielfältigungsrechte (GEMA)
Die GEMA ist eine Verwertungsgesellschaft, die die Urheberrechte der

angeschlossenen Komponisten, Textdichter und Musikverleger vertritt bzw. wahrnimmt. Falls z.B. bei einem TV-, Hörfunk-Spot oder einer Multimedia-Produktion irgendwelche Musikstücke oder Teile davon verwendet werden, ist eine bestimmte Gebühr an die GEMA abzuführen. Die Einnahmen werden an die Urheber der Musikstücke weitergeleitet. Neben der GEMA besteht die → Gesellschaft zur Verwertung von Leistungsschutzrechten (GVL), die die mechanischen Vervielfältigungsrechte der geschützten Leistungen wahrnimmt.

Gesellschaft zur Verwertung von Leistungsschutzrechten (GVL)
Neben der GEMA (→ Gesellschaft für musikalische Aufführungs- und mechanische Vervielfältigungsrechte) besteht die Gesellschaft zur Verwertung von Leistungsschutzrechten (GVL), die die mechanischen Vervielfältigungsrechte der geschützten Leistungen von Komponisten, Textdichtern und Musikverlagen wahrnimmt.

Gesetz gegen den unlauteren Wettbewerb (UWG)
Das UWG kommt bei Wettbewerbshandlungen im geschäftlichen Verkehr zum Tragen. Das Gesetz soll die Mitbewerber bzw. Konkurrenten vor geschäftsschädigender Werbung sowie die gesamte Öffentlichkeit vor unwahren und irreführenden Aussagen schützen. Das UWG versucht damit den Missbrauch des freien Wettbewerbs zu unterbinden. Die Generalklausel des UWG ist in § 1 festgelegt: »Wer im geschäftlichen Verkehre zu Zwecken des Wettbewerbs Handlungen vornimmt, die gegen die guten Sitten verstoßen, kann auf Unterlassung und Schadensersatz in Anspruch genommen werden.« In § 3 wird auf irreführende Angaben (→ irreführende Werbung) eingegangen: »Wer im geschäftlichen Verkehr zu Zwecken des Wettbewerbs über geschäftliche Verhältnisse, insbesondere über die Beschaffenheit, den Ursprung, die Herstellungsart oder die Preisbemessung einzelner Waren oder gewerblicher Leistungen oder des gesamten Angebots, über Preislisten, über die Art des Bezugs oder die Bezugsquelle von Waren, über den Besitz von Auszeichnungen, über den Anlass oder den Zweck des Verkaufs oder über die Menge der Vorräte irreführende Angaben macht, kann auf Unterlassung der Angaben in Anspruch genommen werden.« Die übrigen Paragraphen des UWG beziehen sich u.a. auf die Art und Zulässigkeit von geschäftlichen Sonderveranstaltungen, Räumungsverkäufen und werblichen Verhaltensweisen sowie Straf- und Rechtsvorschriften.

Gestaltungselemente
→ Corporate Design

Gestaltungsraster
(Layoutraster) Ein gestalterisches Grundschema bzw. eine Richtlinie für die einheitliche Gestaltung von Drucksachen: z.B. Prospekte, Kataloge und Bücher. Der Satzspiegel wird dabei in Flächen, bzw. in ein Raster eingeteilt, innerhalb dessen Texte, Grafiken und Bilder entspre-

chend einheitlich positioniert werden. Ein Gestaltungsraster ist eines der grundlegenden Elemente zur Umsetzung eines einheitlichen Firmenerscheinungsbildes (→ Corporate Design).

Gestaltungsrichtlinien
→ Artwork, → Corporate Design

Gestaltung von Werbemitteln
→ Werbemittel-Gestaltung

gestrichenes Papier
Bei gestrichenen Papieren entsteht mit Hilfe eines gleichmäßigen Auftrags von Streichmasse eine Schutzschicht, wodurch eine geschlossenere Oberfläche sowie eine verbesserte Bedruckbarkeit des Papiers ermöglicht wird. Die Streichmasse kann aus verschiedenen Streichpigmenten bestehen und unterschiedlich dick aufgebracht werden. Der stoffliche Charakter des Papiers wird dadurch nicht verändert. Auf diese Weise entstehen → Kunstdruckpapiere, die meistens beidseitig gestrichen sind und bei höherwertigen Farbdrucksachen zum Einsatz kommen. Die wichtigsten Streichpigmente sind Kaolin, Calciumcarbonat und Titandioxid. Die Klassifizierung gestrichener Papiere erfolgt in matte, glänzende, holzhaltige, leicht holzhaltige und holzfreie Sorten, die jeweils ein- oder zweiseitig gestrichen sein können. (vgl. → Naturpapier)

gestützter Recall-Test
→ Werbeerfolgskontrolle

getarnte Werbung
→ Schleichwerbung

GIF
→ Graphics Image Format

Give away
Ein kleines Werbegeschenk oder ein Werbemittel mit Werbeaufdruck wie z.B. Kugelschreiber, Feuerzeuge, T-Shirts, Tragetaschen, Schlüsselanhänger, Taschenrechner, Notizpapier.

Goldener Schnitt
Das Idealmaß Goldener Schnitt entstand in der griechischen Antike und findet bis in unsere Zeit in der künstlerischen und grafischen Gestaltung seine Anwendung. Eine Linie oder auch eine Fläche wird dabei so aufgeteilt, dass der kleinere Teil (B) sich zum größeren Teil (A) so verhält, wie der größere Teil zur gesamten Linie (C), also: A : B = B : C. Das Verhältnis des Goldenen Schnitts ist 5 : 8. Der Goldene Schnitt findet z.B. bei der Festlegung des Satzspiegels (Verhältnis der Breite der Ränder zueinander) Anwendung.

Grafikdesign
→ Artwork, → Corporate Design

Grafikdesigner/in
→ Werbegrafiker/in

Grafiker/in
→ Werbegrafiker/in

Grafiktablett
Ein Computer-Eingabegerät in Form eines mit Sensoren ausgestatteten kleinen Tabletts, das mit einem elektronischen Stift gesteuert wird. Mit Hilfe dieses Zeichenstiftes kön-

nen direkt digitale Scribbles und Grafiken angefertigt oder bearbeitet werden.

Grammatur

→ Papiergewicht

Graphics Image Format (GIF)

Ein von → CompuServe für den Online-Einsatz entwickeltes Grafikformat, das Bilder mit maximal 256 Farben darstellt und die Daten durch ein Komprimierungsverfahren (Datenkompression) reduziert. Das Format ist für den Gebrauch im → World Wide Web besonders geeignet. (vgl. → Animated GIF)

Grauwert

→ Raster

Grenzen der Werbung

→ Werberecht, → Deutscher Werberat

Gross Income

(Agentureinkommen) Der Netto-Umsatz einer Werbeagentur, der sich aus den Einzel- und Pauschalhonoraren sowie den Provisionen zusammensetzt. Die → Billings hingegen sind die Brutto-Umsätze der Agentur.

Gross Rating Points (GRPs)

Der GRP dient zur Bestimmung des relativen Werbedrucks, der bei einer ganz bestimmten Auswahl von Werbeträgern (z.B. verschiedene Zeitschriften) zu vermuten ist. Der GRP-Wert ist die erwartete Gesamt-Kontaktintensität und zeigt die Wirkungsstärke eines Mediaplans auf. Der GRP berechnet sich aus dem durchschnittlichen Kontaktwert (aller eingesetzten Werbeträger), multipliziert mit der Nettoreichweite in Prozent, und wird auch Bruttoreichweite in Prozent genannt. Die Gross Rating Points bieten sich als Vergleichsgröße für unterschiedliche Mediastreupläne bzw. Medienalternativen (z.B. Werbung in Printmedien oder bei den Fernsehsendern) an.

Großflächen

→ Plakatanschlagstellen

GRPs

→ Gross Rating Points

Grundgesamtheit

Als Grundgesamtheit bezeichnet man in der Marketing- und Mediaforschung die Gesamtmenge der Erhebungsdaten, die bei einer bestimmten Fragestellung bzw. Untersuchung theoretisch überhaupt möglich sind. Hierzu zählen z.B. alle diejenigen Personen und Betriebe, die grundsätzlich untersucht werden sollen. Die Erhebungsdaten werden meist mittels einer Stichprobe aus der Grundgesamtheit ermittelt. Die Grundgesamtheit muss dabei in drei Punkten genau festgelegt und abgegrenzt werden:

- *sachlich:* durch welche nachprüfbaren Merkmale die Zugehörigkeit der Befragten zur definierten Grundgesamtheit gegeben war;
- *zeitlich:* in welchem Zeitraum bzw. zu welchem Stichtag die Grundgesamtheit die Ausgangsbedingungen erfüllte, und
- *regional:* wie das Erhebungsgebiet abgegrenzt wurde.

Gruppenbefragung
→ Befragung

Gruppendiskussion
→ Befragung

Gruppenwerbung
Die Gruppenwerbung gehört zur → Gemeinschaftswerbung im weiteren Sinne. Mehrere Unternehmen derselben Handels- oder Absatzstufe und gleicher Branche werben mit ihren Produkten unter Nennung ihrer Firmen- und Markenbezeichnungen.

Gütezeichen
Gütezeichen dienen der Kennzeichnung von Waren und Dienstleistungen im Sinne einer Qualitätspolitik bzw. Qualitätssicherung und sind von → Marken- und → Warenzeichen abzugrenzen. Sie werden von Wirtschaftsverbänden festgelegt und den Mitgliedern der Gütegemeinschaft zur werblichen Nutzung und Kennzeichnung ihrer Produkte und Dienstleistungen zur Verfügung gestellt, um sich von der Konkurrenz qualitativ eindeutig abzuheben. Die Verwender des Gütezeichens verpflichten sich, festgelegte qualitative Anforderungen und Richtlinien einzuhalten oder eine bestimmte Leistungs- bzw. Gebrauchsfähigkeit eines Produktes oder einer Dienstleistung zu gewährleisten.

GVL
→ Gesellschaft zur Verwertung von Leistungsschutzrechten

GWA
→ Gesamtverband Werbeagenturen

H

Halbtonbild
(Halbtöne) Unter den Halbtönen versteht man bei der Reproduktion bzw. beim Druck die grau erscheinenden Zwischenwerte zwischen den vollen Tönen Schwarz und Weiß. Ein Halbtonbild weist somit verschiedene Tonwertstufungen auf. Dabei kann es sich bei einem Halbtonbild um ein Schwarz-weiß-Bild mit verschiedenen Graustufen oder um ein farbiges Foto handeln.

Halbtöne
→ Halbtonbild

Halbtonvorlage
→ Druckvorlage

Halo-Effekt
→ Kommunikationswirkung der Werbung

Handelsmarke
→ Markenarten, → Markenpolitik

Handelswerbung
→ Werbung

Händlerpanel
→ Panel

Händler-Promotion
→ Verkaufsförderung

Handmuster
→ Dummy

Hardware
Der materielle technische Teil eines EDV-Systems. Hierzu gehören Computer, Bildschirm, Tastatur, Computer-Maus, Drucker, Festplatten, Laufwerke, Scanner, Kabelverbindungen usw.

Hausfarbe
→ Corporate Design

HDTV
→ High Definition Television

Headline
(Schlagzeile, Überschrift) Die zunehmende Reizüberflutung in der heutigen Kommunikationsgesellschaft und das damit flüchtige Betrachten von Botschaften lassen der Headline eine wichtige Funktion zukommen. Die Zielpersonen sollen durch die Überschrift angeregt werden, auch den Hauptteil einer Werbebotschaft zu lesen. Die Headline hat auch in Bezug auf die Anmutung und Verständlichkeit einer Werbebotschaft eine besondere Bedeutung.

Heißfolienprägung
→ Heißprägung

Heißprägung
Ein → Prägedruck im Hochdruckverfahren, bei dem statt Druckfarbe farbige Folie eingesetzt wird. Die geprägten Bildstellen stehen erhaben

oder vertieft auf dem Bedruckstoff. Mit einem beheizten Prägestempel bzw. einer Prägeplatte wird eine dünne Folie (z.B. Gold, Silber) auf das Papier oder den Karton aufgebracht. Die farbige Folie löst sich beim Prägevorgang durch Druck und Hitze von ihrem Trägermaterial und verbindet sich mit dem Bedruckstoff. Mit der Heißfolienprägung werden häufig Buchtitel, Einbände und Verpackungen veredelt.

Herstellermarke
→ Markenarten

Herstellerpanel
→ Panel

Herstellerwerbung
→ Werbung

High Definition Television (HDTV)
Ein Sammelbegriff für das Fernsehbild der Zukunft, das sich durch eine hohe Anzahl von Zeilen und damit durch eine erheblich bessere Bildqualität auszeichnet Die höhere Auflösung und Schärfe wird erst mit größeren Bildschirmen ausreichend zur Geltung kommen.

High-End-System
Ein professionelles Hard- und Software-System, das mit dem höchsten Stand der Technik ausgestattet ist. Ein Beispiel sind elektronische Bildverarbeitungssysteme (EBV-Systeme) mit Profi-Software.

High-Interest-Produkt
(High-Involvement-Produkt) Der Verbraucher differenziert bei der Entscheidung für Konsumgüter in der Regel zwischen Produkten mit großem Interesse (→ High-Interest-Produkt/High-Involvement-Produkt), z.B. Auto, Farbfernseher, Stereoanlage und Produkten mit eher geringem Interesse (Low-Interest-Produkt/Low-Involvement-Produkt), wie Zahnpasta, Seife, Taschentücher. High-Involvement-Käufe sind durch die aktive, gezielte Suche und Verwendung von vielen Informationen, sorgfältiger Abwägung und vielen Vergleichen gekennzeichnet. Die Werbung in diesem Bereich muss glaubhaft sein, überzeugen und alle wichtigen Argumente und Informationen enthalten, um eine Kaufentscheidung auslösen zu können. (vgl. Koschnick, 1997, S. 955 f.)

High-Involvement-Produkt
→ High-Interest-Produkt

HKS
→ HKS-Farben

HKS-Farben (HKS-Farbsystem)
Ein Farbsystem zur Standardisierung und Identifikation von Farben. Es findet als Mischfarbensystem für grafische Entwürfe oder als Sonderdruckfarbensystem im Offset- oder Hochdruck vor allem seine Anwendung. Es existieren eine Reihe von Basisfarben, die durch ein unterschiedliches Mischungsverhältnis an die verschiedenen Bedruckstoffe (z.B. Kunstdruckpapier oder Naturpapier) angepasst sind, um eine farbgetreue Wiedergabe der HKS-Farben zu gewährleisten. So ist z.B. die Farbe HKS 81-N für Naturpapier aus 60 % Magenta und 100 % Gelb (Schwarz und Cyan betragen jeweils

High-Interest-Produkt (High-Involvement-Produkt)

	High-Involvement-Kauf	Low-Involvement-Kauf
Art der Informationsverarbeitung	sorgfältige Abwägung, Vergleich vieler Alternativen, Verwendung vieler Informationen	oberflächliche Informationsverarbeitung, Verwendung weniger Informationen
Art der Informationsaufnahme	gezielte Suche nach Informationen	eher zufällige Aufnahme von Informationen
Auswahl eines Produktes	Entscheidung für das beste Produkt	Entscheidung für ein akzeptables Produkt
Beziehung zu Persönlichkeit und Lebensstil des Konsumenten	stark	schwach
Einfluß von Bezugsgruppen (Freunde, Kollegen)	groß	gering

Merkmale von High- und Low-Involvement-Käufen (Quelle: Berndt / Hermanns, Hrsg., 1993, S. 173)

0 % Anteil) zusammengesetzt, für Kunstdruckpapier (HKS 81-K) hingegen aus 10 % Cyan, 80 % Magenta und 100 % Gelb (Schwarz 0 %). Für diese verschiedenen Farbskalen existieren umfangreiche gedruckte Farbmusterfächer:

- HKS Musterfächer N (Naturpapiere) für den Offset- und Buchdruck
- HKS Musterfächer K (Kunstdruckpapiere bzw. gestrichene Papiere) für den Offset- und Buchdruck
- HKS Rasterfächer K (10 % bis 100 %) für den Offset- und Buchdruck
- HKS Musterfächer E (Endlosdruckpapiere)
- HKS Siebdruckfächer mit 48 verschiedenen HKS Farben für den Siebdruck
- HKS Musterfächer Z (Zeitungsdruckpapiere)

Der Grafiker bestimmt bei Entwürfen eine bestimmte HKS-Farbe, die der Drucker dann als Druckfarbe entsprechend bestellen oder nach einem Farbmischrezept mischen kann. Das HKS-Farbsystem gewährleistet einen farblich verbindlichen Standard auf verschiedenen Bedruckstoffen in den unterschiedlichsten Druckverfahren. (vgl. Teschner, 1995, S. 173)

HKS-Farbsystem
→ HKS-Farben

Hochdruck

Der Hochdruck ist das älteste industrielle Druckverfahren. Der klassische Hochdruck (Buchdruck) findet seinen Einsatz noch dort, wo kleinere Auflagen (z.B. Visitenkarten, Familiendrucksachen) oder Spezialarbeiten (z.B. Stanzen, Prägen, Perforieren) gefordert sind. Auch im Zeitungsbereich und Formulardruck wird das Hochdruckverfahren von einigen Druckereien eingesetzt. Der Hochdruck hat durch die Verfahrensvariante → Flexodruck, die überwiegend im Verpackungsbereich verwendet wird, einen deutlichen Aufschwung erfahren. Im Hochdruck werden die erhabenen Stellen einer Druckform mit Druckfarbe eingefärbt. Beim Druckprozess wird die Farbe von der erhabenen Druckformoberfläche direkt auf den Bedruckstoff übertragen. Maschinentechnisch gesehen gibt es im Hochdruck drei verschiedene Druckarten: Im Tiegel druckt eine Fläche gegen eine andere Fläche; in der Zylindermaschine ein Zylinder auf eine Fläche; im Rotationsdruck zwei Zylinder aufeinander, die gegeneinander abrollen. (vgl. → Tiefdruck, → Offsetdruck)

holzfreies Papier

Zellstoffpapiere, bei deren Herstellung Zellstoff-Fasern oder Hadern verwendet (Mindestanteil 95 %) werden, die kein Lignin enthalten. Dies wiederum hat einen geringen Vergilbungsgrad zur Folge. Die Bezeichnung holzfrei ist etwas irreführend, da bis zu 5 % → Holzstoffe eingesetzt werden. (vgl. → holzhaltiges Papier)

holzhaltiges Papier

Bei der Herstellung wird ligninhaltiger Holzstoff (mehr als 5 %) verwendet. Starke Vergilbung ist die Folge, der jedoch durch Streichen des Papiers mit Streichpigmenten (→ gestrichenes Papier) entgegengewirkt werden kann. Zeitungsdruckpapiere sind meist stark holzhaltig und vergilben relativ schnell. (vgl. → holzfreies Papier)

Holzstoff

Ein aus Holz mit verschiedenen Methoden gewonnener Faserstoff, der als Rohstoff für die Papier-, Karton- und Pappeherstellung dient. Das Holz wird z.B. an Schleifsteinen zerrieben oder durch Mahlmaschinen zerfasert.

Homepage

Die Hauptseite bzw. die Startseite eines Unternehmens, einer Organisation oder Privatperson, die beim Aufrufen einer Internet-Adresse angezeigt wird und eine Art Visitenkarte des Internet-Teilnehmers darstellt. Von der Homepage aus können alle verfügbaren Seiten im jeweiligen Informationsangebot erreicht werden.

Homeshopping

→ Online-Shopping

Hörfunk-Spot

(Hörfunkwerbung) Ein rein akustisches Werbemittel, das mit Sprechertexten, Musik und Geräuschen versehen wird. Da bei der Hörfunkwerbung lediglich akustische Gestaltungsmöglichkeiten bestehen, bedarf es sehr intensiv wirkender Signale,

die ganz besonders herausgestellt werden müssen. Hier gilt der Grundsatz, dass zu viele Informationen die zentrale Werbeaussage überlagern. Die Botschaft muss sachlich richtig sein und die gewünschte Anmutungsqualität klanglich transportieren, um ein entsprechendes »Hörbild« bei der Zielgruppe zu schaffen. Da man Radio normalerweise flüchtig und nebenbei hört, sind Hinweisreize, wie z.B. Erkennungsmelodien und bekannte Markenslogans sowie häufige Wiederholungen des Spots, sehr wichtig. Die wesentlichen Gestaltungselemente für die Hörfunkwerbung sind, neben der Stimme des Sprechers, sämtliche Geräusche und Toneffekte sowie natürlich Musik und Erkennungsmelodien in den verschiedensten Formen. (vgl. Unger, 1989, S. 324 ff.)
Folgende Gestaltungsrichtlinien für Hörfunk-Spots lassen sich daraus ableiten (vgl. Koschnick, 1996, S. 432 ff.):

- Der Spot muss leicht verständlich sein, d.h. Einsatz von einfachen Worten und kurzen Sätzen.
- Die Sprecherstimmen müssen dem Inhalt der Werbebotschaft in Tonfall und Lautstärke angepasst sein.
- Eine musikalische Untermalung kann die emotionale Wirkung erhöhen.
- Auf eventuelle Differenzen zwischen Sprech- und Schreibweise muss besonders geachtet werden, damit der Hörer die entsprechende Werbung auch in einem Printmedium sofort wiedererkennt.
- Eine mehrmalige Wiederholung von Stichworten oder Kernsätzen im Spot ermöglicht einen schnellen »Lerneffekt« beim Zuhörer.
- Ein Hörfunk-Spot muss vielfach wiederholt werden, um eine Wirkung zu erreichen. Die Texte sollten dabei etwas variiert werden, um auf Dauer nicht langweilig zu wirken.

(vgl. → Fernseh- und Hörfunkwerbung - Sonderwerbeformen)

Hörfunkwerbung
→ Hörfunk-Spot, → Fernseh- und Hörfunkwerbung - Sonderwerbeformen

horizontale Diversifikation
→ Produktpolitik

horizontale Gemeinschaftswerbung
→ Gemeinschaftswerbung

Host
Bezeichnung für einen einzelnen Rechner innerhalb eines Netzwerkes. Jeder Computer, der z.B. mit dem → Internet verbunden ist, wird als Host bezeichnet und verfügt über eine IP-Adresse (vgl. → Internet Protokoll).

HTML
→ Hypertext Markup Language

HTML-Banner
→ Banner-Werbung

HTTP
→ Hypertext Transfer Protocol

Human Relations
(Internal Relations) Teilbereich der Öffentlichkeitsarbeit, der sich mit

den internen Öffentlichkeiten in Unternehmen und Institutionen beschäftigt. Zu den internen Zielgruppen gehören die derzeitigen und zukünftigen Mitarbeiter, Pensionäre, Arbeitnehmerorganisationen, die Familienangehörigen der Mitarbeiter, Berater des Unternehmens und die Nachbarn der Firma. Die Human Relations kümmern sich um die Verbesserung der Kommunikationsprozesse innerhalb des Unternehmens und um die Pflege des Betriebsklimas ebenso, wie um die Fort- und Weiterbildung ihrer Mitarbeiter. Die Ziele sind vor allem:

- Aufbau einer positiven Einstellung gegenüber Firma, Tätigkeit, Kollegen bei jedem einzelnen Mitarbeiter,
- Bindung von guten Mitarbeitern an das Unternehmen,
- Förderung der Entfaltungsmöglichkeiten und des Engagements der Mitarbeiter (z.B. Mitspracherecht, Vorschlagswesen, Fortbildung).

Zu den Medien und Mitteln der Human Relations gehören z.B. → Intranet, → Business-TV, Mitarbeiterzeitschriften, betriebliches Vorschlagswesen, Sport- und Freizeitgruppen, Betriebsversammlungen, Geburtstagsgeschenke, Mitarbeiter-Ehrungen.

»Hurenkind«

Bei der Satztechnik sind die beiden Fachbegriffe → »Schusterjunge« und »Hurenkind« zu beachten, um eine qualitativ hochwertige Seitengestaltung zu erreichen. Von einem »Hurenkind« spricht man, wenn die letzte Zeile eines Absatzes am Anfang einer neuen Seite oder einer neuen Spalte vorkommt. Dies beeinträchtigt das Erscheinungsbild des Satzes und sollte vermieden werden.

hybride CD-ROM

Die Bezeichnung für eine CD-ROM, die für die Nutzung unter mehreren Computer-Betriebssystemen geeignet ist. Clip-Arts, Schriften oder Software werden oft in einer hybriden CD-ROM-Version angeboten. Die auf der CD befindlichen Daten sind dabei z.B. in einer *Windows*- und in einer *Macintosh*-Version verfügbar. Eine CD-ROM wird auch als hybrid bezeichnet, wenn die gespeicherten Informationen durch eine Online-Verbindung im Internet erweitert bzw. ergänzt werden können (z.B. Nachschlagewerke).

Hyperlink

Hervorgehobene textliche Verweisstelle in Hypertext-Umgebungen (vgl. → Hypertext), z.B. auf Internetseiten im → World Wide Web. Mit Hilfe von Hyperlinks kann mittels »Mausklick« innerhalb einer Seite oder zwischen verschiedenen Dokumenten oder Webseiten hin und her gesprungen werden.

Hypermedia

Die Erweiterung der Hypertext-Technologie (vgl. → Hypertext) um multimediale Elemente (Bild, Grafik, Animation, Ton) im → World Wide Web.

Hypertext

Eine spezielle Technologie bzw. eine Form von Textdokumenten, bei der

Informationen nicht mehr zwingend linear von vorn nach hinten gelesen werden müssen. Durch sogenannte Hyperlinks, d.h. meist farblich hervorgehobene Textstellen kann mittels »Mausklick« innerhalb einer Seite oder zwischen verschiedenen Dokumenten hin und her gesprungen werden. Die Internetseiten im → World Wide Web basieren auf der Hypertext-Technologie.

Hypertext-Link
→ Hyperlink

Hypertext Markup Language (HTML)
Eine digitale und plattformunabhängige Seitenbeschreibungssprache für Computer-Dokumente, die für den Einsatz im → Internet bzw. → World Wide Web und in Online-Diensten (z.B. *T-Online, AOL*) verwendet wird. Die Befehle werden Tags genannt. Diese werden von der verwendeten Software bzw. dem Browser (z.B. *Netscape Communicator* oder *Microsoft Internet Explorer*) entschlüsselt.

Hypertext Transfer Protocol (HTTP)
Ein Protokoll für die Übertragung von Hypertext-Dokumenten. Das Hypertext Transfer Protocol wird im → World Wide Web (WWW) als gängiges Übertragungsprotokoll eingesetzt.

I

Icon
Ein kleines Bildsymbol in der Computertechnik bzw. im Softwarebereich, das eine Funktion, eine Datei oder ein Programm repräsentiert. Durch Anklicken wird die Funktion, die Datei oder das Programm aufgerufen bzw. ausgeführt.

Illustrationsdruckpapier
Ein ungestrichenes und meistens holzhaltiges Papier, das sich für den Druck mit Bildvorlagen eignet. Es findet vor allem im Zeitschriftendruck Verwendung.

Image
(Produktimage, Markenimage, Firmenimage) Ein Image ist ein bestimmtes, subjektives Vorstellungsbild, das sich Menschen oder Gruppen bewusst und/oder unbewusst von einer Person, einer Ware, einer Marke oder einer Firma machen. Das Image entsteht nicht nur durch Wissen, Erfahrungen und Informationen, sondern auch durch Emotionen (z.B. Wünsche, Hoffnungen) und soziale Umfeldeinflüsse (z.B. Lebensstil, Gruppenzugehörigkeit). Der Mensch erlebt ein Produkt, eine Marke oder ein Unternehmen nicht »objektiv«, sondern gemäß seinem Image. Das Image ist somit auch ein Teil des Produkterlebnisses. Somit lassen sich die folgenden Imagearten unterscheiden (Zentes, 1996, S. 155):

- *Generic-* oder *Product-Image* (das Image einer ganzen Warengattung oder einer Produktgruppe),
- *Brand-Image* (das Image einer Marke),
- *Company-* oder *Corporate-Image* (das Image eines ganzen Unternehmens).

Image Placement
→ Product Placement

Imagery-Effekt
→ Kommunikationswirkung der Werbung

Imagery-Forschung
→ innere Markenbilder

Imagery-Prozesse
→ innere Markenbilder

Impact
(Stärke des Werbeeindrucks) Der Begriff Impact ist ein vieldeutiges Fachwort. Allgemein versteht man darunter die Wirkung und den Erfolg von Kommunikationsmaßnahmen bei den Zielpersonen. Im Bereich der Mediaplanung spricht man vor allem bei der Werbewirkung von TV-Spots von Impact.

Impressum
Die presserechtlich vorgeschriebene Pflicht bei einem gedruckten Medium den Herausgeber, das Unter-

nehmen mit vollständigen Adressangaben, die verantwortlichen Redakteure und die Druckerei anzugeben. Neben diesen Pflichtangaben befinden sich im Impressum u.a. meist auch die Ansprechpartner für die Anzeigenabwicklung im Verlag, Angaben über die gültige Anzeigenpreisliste und die Bezugsmöglichkeiten und -preise des Printmediums.

Imprimatur
Aus dem lateinischen: »Es werde gedruckt«, d.h. Gut-zum-Druck. Die Druckerlaubnis bzw. Druckfreigabe des Auftraggebers mit Datum und Unterschrift. Falls nach der Druckfreigabe weitere Änderungen oder Korrekturen durch den Auftraggeber erfolgen, trägt in der Regel dieser die Kosten für den Mehraufwand.

Incentive-Prämie
→ Incentives

Incentives
Unter den Incentives versteht man Prämien und Anreize für die Mitarbeiter eines Unternehmens, die insbesondere im Außendienst und im Verkauf tätig sind. Hierzu gehören z.B. Außendienstwettbewerbe, bei denen ein Verkäufer neben seinem Festgehalt und seiner Provision zusätzliche Anreize erhält. Dies können z.B. große Reisen, ein Auto oder sonstige Sachleistungen sein, wobei diese Prämienform besonders motivierend sein kann. Incentive-Prämien lassen sich unterscheiden in:

- Geldprämien,
- Sachprämien,
- Statusprämien (Urkunden, Pokale, öffentliche Ehrungen),
- Reisen.

individuelle Marke
→ Markenarten

Individualkommunikation
Die Individualkommunikation verläuft, im Gegensatz zur → Massenkommunikation, direkt und persönlich zwischen Personen (z.B. das Beratungs- und Verkaufsgespräch für ein Produkt).

Industriewerbung
→ Business-to-Business-Werbung

Infomercial
Eine als unterhaltende Fernsehshow gestaltete überlange Werbesendung, die in der Regel ein erklärungsbedürftiges Produkt (z.B. ein Heimtrainer) mit seinen Vorzügen ausführlich darstellt.

Information Chunk
→ Copy Analyse

Information overload
→ Informationsüberlastung

Informationsgemeinschaft zur Feststellung der Verbreitung von Werbeträgern e. V. (IVW)
Die IVW ermittelt, veröffentlicht und kontrolliert die Verbreitungsdaten von Werbeträgern und wurde 1949 als Tochterorganisation des ZAW e. V. (→ Zentralverband der deutschen Werbewirtschaft) gegründet. Seit 1955 arbeitet die IVW als rechtlich selbständiger eingetragener Verein. Nach § 4 der IVW-Satzung

erstreckt sich die Tätigkeit (IVW, 1998, Seite 7):

- bei Verlagen auf die Feststellung der für Zeitungen, Zeitschriften, Adressbücher und weitere periodische Presseerzeugnisse nachgewiesenen Auflagen,
- bei Verlagen von Tageszeitungen auf die Feststellung der regionalen Verbreitung der verkauften Auflagen,
- bei Unternehmen für Plakatanschlag, Verkehrsmittel- und Großflächenwerbung auf die Feststellung der nachgewiesenen Anschlagstellen sowie der Werbemöglichkeiten in und an Verkehrsmitteln,
- bei Filmtheatern auf die Feststellung der nachgewiesenen Besucherzahlen und auf die Kontrolle der Einschaltung von Werbefilmen in Filmtheatern.
- bei Hörfunk und Fernsehen auf die ordnungsgemäße Ausstrahlung von Werbespots,
- bei Anbietern von Online-Werbeträgern auf die Feststellung der nachgewiesenen Zugriffe auf das Online-Angebot.

Durch die Einbeziehung von Online-Medien hat die IVW ihre Funktion und Stellung als neutrale Institution zur Sicherung eines fairen Leistungswettbewerbs der Medien um Werbekunden weiter ausgebaut. Werbungtreibende und Werbeagenturen erhalten von der IVW Basisdaten über die Verbreitung von Werbeträgern nahezu aller Mediengattungen. Die Grundlagen der einzelnen Tätigkeitsbereiche sind grundsätzlich durch spezifische Richtlinien in Art, Umfang und Verfahren geregelt. Nach wie vor steht im Mittelpunkt der IVW-Tätigkeit die Erhebung und Kontrolle der Auflagen von deutschen Presseerzeugnissen. Sie bilden neben den ebenfalls von der IVW erhobenen Besucherzahlen deutscher Filmtheater, den kontrollierten Plakatanschlagstellen, der Kontrolle der Online-Medien und der Funkmedienkontrolle eine der wesentlichen Entscheidungsgrundlagen für den Werbeträgereinsatz. Die Mitgliedschaft in der IVW ist freiwillig und erfolgt aufgrund eines formellen Aufnahmeverfahrens. Nach dem § 5 der IVW- Satzung können Mitglieder der IVW sein:

- Medien,
- werbungtreibende Unternehmen,
- Werbeagenturen,
- Verbände,
- Organisationen

sowie sonstige natürliche und juristische Personen, die ein Interesse an der IVW-Tätigkeit vorweisen. Die in die IVW aufgenommenen Unternehmen verpflichten sich durch ihren Beitritt, sowohl die Satzungen als auch die für den jeweils speziellen Bereich geltenden Richtlinien in vollem Umfang und in allen Details zu berücksichtigen. Damit werden letztlich die Vergleichbarkeit der Ergebnisse und insofern auch die Wettbewerbsfunktion der IVW gewährleistet. Die größte Gruppe der Mitglieder stellen die Verleger von Tages- und Wochenzeitungen, von Publikums-, Fach- und Kundenzeitschriften dar.

Die IVW ermöglicht durch die Ermittlung von objektiven und vergleichbaren Daten einen echten Leistungswettbewerb zwischen den verschiedenen Werbeträgern. Die IVW-Daten sind somit eine wichtige Grundlage für Entscheidungen im Bereich der Media- und Werbeplanung. (vgl. IVW, 1998, S. 8 ff.)

Informationsterminals
→ Infoterminals

Informationsüberlastung
(information overload) Die »overload«-Hypothesen gehen davon aus, dass der Mensch nur über eine begrenzte Verarbeitungskapazität von Informationen verfügt. Sobald diese Kapazität überfordert wird, konzentriert er sich nur noch auf die für ihn relevanten Informationen und ignoriert alles andere. In der Werbeforschung bezeichnet man unterschiedliche Sachverhalte als Informationsüberlastung, u.a. (Koschnick, 1996, S. 462):

- ein Zuviel an angebotener Information, das zur Beeinträchtigung der gesamten Informationsverarbeitung führt,
- ein subjektiv empfundenes Gefühl, durch ein übermäßiges Informationsangebot unter Druck zu stehen (Informationsstress) und
- einen Informationsüberschuss, der dadurch entsteht, dass nur ein Teil der verfügbaren Information tatsächlich beachtet und aufgenommen wird.

Bei der visuellen Gestaltung von Werbemitteln darf die Informationsverarbeitungskapazität des Betrachters in keiner Weise überfordert werden. Ein »information overload« führt zwangsläufig zu einer Beeinträchtigung oder gar Abwehr der Informationsaufnahme. Ein gezielter Einsatz von Symbolen, Grafiken und Abbildungen kann eine Vielzahl von Einzelinformationen ersetzen. Um eine Überforderung zu vermeiden, sollte man die Gestaltung auf sechs Wahrnehmungselemente beschränken, da die durchschnittliche Betrachtungsdauer z.B. einer Anzeige oder eines Plakates nur sehr kurz ist.

Informationsübertragung
→ Kommunikation

Informationsverarbeitung
→ Bilder, bildhafte Darstellungen, → Informationsüberlastung, → Kommunikation

Informationsverarbeitungskapazität
→ Informationsüberlastung, → Werbemittel-Gestaltung

Infoscreen
Ein computergesteuertes Medium mit Großbildtechnik in Kinoqualität für die Stadtinformation und die Werbung. Diese Medien befinden sich an zentralen U-Bahnhöfen.

Infotainment
Ein Kunstwort, das sich aus den Begriffen Information und Entertainment (Unterhaltung) zusammensetzt. Zum Bereich Infotainment gehören z.B. Nachschlagewerke auf CD-ROM, die mit Audio- und Videosequenzen unterhaltsam aufbereitet worden sind.

Infoterminals
(Informationsterminals) Infoterminals sind interaktive Multimedia-Kiosksysteme, an denen bestimmte

Initial

Unter Werbung versteht man alle Formen der gezielten und geplanten Beeinflussung von Menschen. Werbung kann im politischen, kulturellen oder wirtschaftlichen Bereich stattfinden. Der Bereich Wirtschaftswerbung kann sich auf ein Unternehmen oder eine Institution als Ganzes beziehen oder auf Produkte oder Dienstleistungen. Die Wirtschaftswerbung im engeren Sinne wird mit der Absatzwerbung gleichgesetzt.

Informationen von Interessenten abgerufen werden können. Einsatzmöglichkeiten sind z.B.:

- Infoterminals von Städten und Gemeinden (z.B. mit Gastronomie- und Hotelverzeichnis),
- Infoterminals bzw. Verkaufsterminals am POS, bei denen sich z.B. interaktiv bestimmte Informationen zu den verschiedenen Produkten anzeigen lassen,
- Präsentations-, Buchungs- und Anleitungssysteme im Bereich von Dienstleistungen (z.B. Banken, Versicherungen, Fluggesellschaften),
- Präsentationssysteme für Messen und Ausstellungen mit der Darstellung von Produkten, Ausstellern sowie einem Wegweisungssystem.

Die am häufigsten eingesetzten Medien sind Diskette, Festplatte, CD-ROM und CD-i. Viele Informationssysteme bieten Briefkastenfunktionen, Dialogprotokolle und Touchscreen-Fähigkeiten.

Initial

Der Anfangsbuchstabe eines Textes, der z.B. durch eine andere Schriftart, Form, Größe, Farbe und/oder eine besondere Verzierung besonders hervorgehoben ist.

innere Markenbilder

(mental images) Unzählige Informationen, die der Mensch wahrnimmt, werden nicht nur mit Worten, sondern auch visuell in Form von Bildern im Gedächtnis gespeichert. Diese bildhaften Vorstellungen bezeichnet man als innere Bilder (mental images). Wahrnehmungsbilder sind die direkten, subjektiven Umsetzungen von etwas Gegenständlichem, innere Bilder sind hingegen Gedächtnisbilder von einem Objekt, mit dem man im Moment keinen Kontakt hat. Die Abläufe der Entstehung, Verarbeitung und Speicherung von inneren Bildern bezeichnet man als Imagery-Prozesse. Die Analyse von Imagery-Prozessen ist Gegenstand der Imagery-Forschung. Für die emotionale Ansprache einer Zielgruppe sind innere Bilder besser geeignet als Texte. Dies gilt besonders für Low-Involvement-Produkte (→ Low-Interest-Produkt), bei denen es nicht auf die (austauschbaren) Produktmerkmale,

sondern auf angenehme Eindrücke und positive Gefühle ankommt. Bilder lösen, im Gegensatz zu Texten, schneller und leichter die gewünschten Emotionen aus. (vgl. Koschnick, 1996, S. 468 ff.)

Innovation Placement
→ Product Placement

Innovatoren
(Konsumpioniere, Fashion Leader, Trendsetter) Die Innovatoren sind die ersten Personen, die neue Trends, Verhaltensweisen, eine neue Mode aufgreifen und übernehmen, bzw. ein neues Produkt kaufen oder eine neue Dienstleistung ausprobieren. Es handelt sich um Trendsetter, die modern, selbstbewusst, aktiv und zukunftsorientiert einzuordnen sind. Sie besitzen einen höheren Sozialstatus, eine höhere Schulbildung und berufliche Qualifikation und einen höheren Lebensstandard als der Bevölkerungsdurchschnitt. Die Innovatoren sind sehr an neuen Informationen interessiert und nutzen daher intensiv und aktiv die verschiedenen Massenmedien. Da sie besonders an Neuheiten interessiert sind, verfolgen sie auch verstärkt die Inhalte von Werbebotschaften, die ihre gesamten Kaufentscheidungen prägen. Für die Werbungtreibenden gelten sie daher als eine besonders wichtige Zielgruppe, um neue Produkte und Dienstleistungen einzuführen.

Inselanzeige
Eine Inselanzeige ist an allen Seiten von redaktionellem Text umgeben und steht als Anzeige allein auf der jeweiligen Seite.

Inserat
→ Anzeige

institutionelle Werbung
→ Werbung

Integrated Services Digital Network (ISDN)
ISDN ist die Bezeichnung für das digitale Telekommunikationsnetz. Ein integriertes System für digitale Netzwerkdienste, das die Bereiche Fernsprechen, Bildschirmtext, Teletext sowie die Daten- und Telefaxübertragung zusammenfasst. Über dieses Netz können Daten schnell und ohne Qualitätsverlust übertragen werden. Werbeagenturen, Verlage, Reprobetriebe und Druckereien nutzen ISDN z.B. zum Datenaustausch von digitalen Daten, wie Bildern, Grafiken, Schriften und kompletten Druckvorlagen, um Zeit und Kosten zu sparen. Voraussetzung ist ein ISDN-Anschluss, eine ISDN-Karte für den Computer sowie geeignete Software. Alte analoge Endgeräte wie Telefone und Faxgeräte können mittels Adapter ISDN-tauglich gemacht werden.

integriertes Computerprogramm
Eine Kategorie von Computerprogrammen, die aus verschiedenen Modulen, wie z.B. Textverarbeitung, Tabellenkalkulation, Datenbanksystemen, Grafik- und Präsentationsmöglichkeiten bestehen (z.B. *Claris Works*). Diese Programme bieten in der Regel nur die grundlegenden Funktionen der genannten Bereiche an und sind für den professionellen Einsatz meist unzureichend ausgelegt.

integriertes Marketingkonzept
→ Marketingkonzept

integriertes Programm
→ integriertes Computerprogramm

interaktives Fernsehen
Der Begriff bezeichnet die Möglichkeit, zeitunabhängig Daten, Bilder, Töne, Texte und Grafiken auf dem Fernseher zu empfangen und mit Hilfe technischer Mittel, z.B. der Fernbedienung darauf zu reagieren. Das Gerät verfügt dabei über einen Rückkanal (Kabelfernsehen oder Telefonleitung) zum Signalsender. Der Nutzer kann sich auf diesem Wege an Sendungen aktiv beteiligen oder bestimmte Dienste wie z.B. Teleshopping, Telebanking oder → Video on demand abrufen.

Interaktivität
Allgemein der Dialog bzw. ein gegenseitig beeinflussender Vorgang zwischen Mensch und Maschine. Hierzu gehört z.B. die Kommunikation zwischen einem Nutzer und einem Computerprogramm. Der Anwender kann aktiv das Geschehen auf dem Bildschirm beeinflussen bzw. Abläufe verändern.

Intermediavergleich
Die Entscheidung über die Auswahl und den Einsatz eines Werbeträgers erfolgt in zwei Stufen. Man unterscheidet hier generell zwischen *Inter*mediavergleich und *Intra*mediavergleich. Zuerst werden im Rahmen des Intermediavergleichs die in Frage kommenden Medien bzw. Medienkombinationen im Zuge einer Werbekampagne festgelegt. Innerhalb der jeweils ausgewählten Medienkategorie (z.B. Zeitschrift) erfolgt dann die eigentliche Mediaselektion (*Intra*mediavergleich) bzw. die Auswahlentscheidung z.B. eines ganz bestimmten Zeitschriftentitels. Die grundlegenden Kriterien und Voraussetzungen für die Entscheidung sind:

- Kenntnisse über die spezifischen Mediengewohnheiten bzw. die Werbeträgernutzung der anvisierten Zielgruppe und damit die Möglichkeit einer Bestimmung der Zielgruppenabdeckung beim ausgewählten Medium (Minimierung der → Streuverluste, d.h. möglichst wenig Kontakte mit Personen, die nicht zur Zielgruppe gehören),
- der ausgewählte Werbeträger muss der gestalterischen Form und der inhaltlichen Aussage der Werbebotschaft gerecht werden (z.B. Erklärungsbedürftigkeit eines Produkts),
- die freie Verfügbarkeit des Werbeträgers muss gewährleistet sein (ausreichender Werberaum, genügend buchbare Werbezeit etc.),
- die Reichweite des Werbeträgers (z.B. regional, bundesweit),
- das Preis-/Leistungsverhältnis des Mediums muss ökonomisch sein (Vergleichsgröße z.B. → Tausend-Kontakt-Preis).

Entsprechende Vergleichswerte bezüglich der verschiedenen Werbeträger liefern z.B. die großen Media-analysen (→ Media-Analyse/MA, → Allensbacher Werbeträger-Analyse/AWA) oder die → Informationsgesellschaft zu Feststellung der Verbreitung von Werbeträgern (IVW).

Internal Relations
→ Human Relations

Internet
Abkürzung für International Network. Das Internet besteht aus einem unabhängigen, dezentralen und weltweiten Verbund von Computer- und Datennetzen, der den Informations- bzw. Datenaustausch und den Zugriff auf die einzelnen Rechner ermöglicht. Das → World Wide Web ist der erfolgreichste Kommunikationsdienst im Internet.

Internet-Adresse
→ Domain-Adresse

Internet-Designer/in
Dieses Berufsfeld gehört zu den Screen-Designern und ist auf die Gestaltung und Programmierung von Internetseiten spezialisiert. (vgl. → Werbe- und Medienberufe - Berufs- und Tätigkeitsfelder)

Internet Presence Provider (IPP)
Internet Presence Provider sind Dienstleistungsfirmen, die für ihre Kunden einen Internet-Auftritt gestalten und produzieren (z.B. Informationsseiten für das → World Wide Web).

Internet Protokoll (IP)
Das zentrale → Protokoll für die Datenübertragung im Internet. Die zu versendenden Daten werden dabei mit Empfänger- und Absenderadressen versehen. Die Adressierung erfolgt über IP-Nummern bzw. IP-Adressen, die wie Telefonnummern einmalig und eindeutig sind. Diese Nummern werden in → Domain-Namen umgewandelt bzw. dargestellt und lassen damit Rückschlüsse auf den Absender zu.

Internet Service Provider (ISP)
Ein Internet Service Provider betreibt ein Teilnetz innerhalb des Internet und ermöglicht den Zugang zu diesem Datennetz. Es kann sich bei ihm um einen reinen Dienstleister oder einen → Online-Dienst, wie *T-Online* oder *America Online* handeln.

Internet-Werbeformen
Die Entwicklung und Ausgestaltung von Werbung im → Internet steht erst an ihrem Anfang. Die rasanten Entwicklungen im Bereich der Übertragungs- bzw. Kommunikationstechnologien lassen in den nächsten Jahren eine Vielzahl neuer Darstellungsmöglichkeiten und damit verbundene neue Werbeformen erwarten. Einige verbreitete Formen der Werbung im Internet sind nachfolgend dargestellt (vgl. dmmv, 1999):

- → *Banner:* Kleine Werbeflächen auf Internetseiten, die durch Anklicken eine Verbindung mit der Homepage bzw. mit dem Internetangebot des Werbungtreibenden herstellt. Der Begriff Button wird für die kleineren Banner-Formate benutzt. Es gibt mittlerweile verschiedene Arten von Bannern, die verschiedene Möglichkeiten der grafischen Darstellung und der Interaktivität bieten. (vgl. → Banner-Werbung)
- *Interstitials:* Eine Art »Unterbrecherwerbung«, die dem Nutzer beim Besuch einer Website unabhängig von seinem Verhalten ein-

geblendet wird. Diese Werbung kann den gesamten Bildschirm ausfüllen. Die Werbebotschaft befindet sich im aktiven Browserfenster des Nutzers und konkurriert nicht mit anderen Inhalten. Der Betrachter ist gezwungen, der Werbung seine Aufmerksamkeit zu widmen. Da sich ein Interstitial nicht dem verfügbaren Bildraum einer bestehenden Seite anpassen muss, gibt es kein einheitliches Grössenformat. In diese Banner-Art lassen sich Grafiken, Animationen und sonstige Multimedia-Effekte besser einbauen.

- *PopUp-Advertisements:* Eine abgeschwächte Form der »Unterbrecherwerbung« (Interstitials), die dem Nutzer beim Besuch einer Website automatisch ein weiteres Fenster mit Werbung einblendet. Der Nutzer wird dabei bei seiner Navigation nicht direkt gestört und empfindet diese Werbung weniger aufdringlich.
- *Associate Program:* Eine partnerschaftliche Zusammenarbeit zweier Werbungtreibender im Internet, die über eine Art Weiterempfehlung und eine damit verbundene Provisionsvergütung realisiert wird. Ein Website-Betreiber (z.B. ein Buchversand) platziert auf seinem Angebot z.B. einen Button seiner Partnerfirma (z.B. ein Musik-Versand) mit der Empfehlung, Musiktitel dort einzukaufen. Über die weitergeleiteten Interessenten an die Website des Musik-Versenders und/oder dadurch entstandenen Umsätzen erhält der Buchversand eine entsprechende Provision.

Internet-Werbung
→ Internet-Werbeformen

interne Überschneidung
(Kumulation) In der → Media- und Leserschaftsforschung die Überschneidung der Nutzerschaften bei einem Werbeträger. Interne Überschneidungen ergeben sich aus dem Umstand, dass ein Mediennutzer einen Werbeträger regelmäßig nutzt, d.h. durch eine z.B. mehrfach geschaltete Anzeige auch mehrfachen Werbemittelkontakt hat. Die Bruttoreichweite wird dadurch erhöht, d.h. die Zielpersonen haben mehrfach Kontakt mit einem Werbemittel. (vgl. → externe Überschneidung)

Interstitials
→ Internet-Werbeformen

Interview
→ Befragung

Interviewer-Bias
→ Befragung

Intramediavergleich
→ Intermediavergleich

Intranet
Ein firmeninternes und in sich geschlossenes Computernetz, das im Prinzip wie das → Internet bzw. das → World Wide Web funktioniert. Per Computer lassen sich von jedem Arbeitsplatz aus die vom Unternehmen im Intranet zur Verfügung gestellten Informationen wie Bilder, Grafiken, Rundschreiben, Telefon- und Adressverzeichnisse, Mitarbeiterzeitschriften, Geschäftsberichte usw. abrufen. Die Kommunikation

zwischen den einzelnen Mitarbeitern wird über das Intranet per E-Mail ebenso ermöglicht. Das Intranet ist damit ein ideales Medium zur schnellen internen Unternehmenskommunikation bzw. der internen Öffentlichkeitsarbeit. (vgl. → Extranet)

Involvement
→ Low-Interest-Produkt, → High-Interest-Produkt

IP
→ Internet Protokoll

IP-Adresse
→ Internet Protokoll

IP-Nummer
→ Internet Protokoll

IPP
→ Internet Presence Provider

irreführende Angaben
→ irreführende Werbung

irreführende Werbung
(irreführende Angaben) Das → Gesetz gegen den unlauteren Wettbewerb (UWG) geht in § 3 auf irreführende Angaben bzw. irreführende Werbung ein: »Wer im geschäftlichen Verkehr zu Zwecken des Wettbewerbs über geschäftliche Verhältnisse, insbesondere über die Beschaffenheit, den Ursprung, die Herstellungsart oder die Preisbemessung einzelner Waren oder gewerblicher Leistungen oder des gesamten Angebots, über Preislisten, über die Art des Bezugs oder die Bezugsquelle von Waren, über den Besitz von Auszeichnungen, über den Anlass oder den Zweck des Verkaufs oder über die Menge der Vorräte irreführende Angaben macht, kann auf Unterlassung der Angaben in Anspruch genommen werden.« Bei Zuwiderhandlungen drohen neben dem Unterlassungsanspruch auch Schadensersatzforderungen. Zu den irreführenden Angaben können auch bildliche Botschaften und Darstellungen zählen. Eine irreführende Werbung liegt auch dann vor, wenn die Aussagen zwar sachlich korrekt sind, in ihrer Wirkung aber falsche Schlüsse zulassen. Ein Rücktrittsrecht des Käufers und eine Rückgängigmachung eines Vertrages im Falle von unwahren und/oder irreführenden werblichen Angaben und Behauptungen ist in § 13a UWG festgeschrieben.

Irradiation
→ Kommunikationswirkung der Werbung

ISDN
→ Integrated Services Digital Network

ISP
→ Internet Service Provider

IVW
→ Informationsgemeinschaft zur Feststellung der Verbreitung von Werbeträgern e. V.

J

Jahrespräsentation
→ Präsentation

Java
Eine plattformunabhängige Programmiersprache, mit der auch Internetseiten gestaltet und animiert werden können. Java basiert auf einem Programmiercode, der auf verschiedene Betriebssysteme (z.B. *Windows, MAC OS, UNIX*) übertragen werden kann. Eine Software für verschiedene Rechnerplattformen muss somit nur einmal programmiert werden.

Jingle
Ein kurzes und einprägsames Musikstück oder ein gesungener Slogan bei Werbespots in Hörfunk und Fernsehen. Ein Jingle dient der emotionalen Untermalung einer Werbebotschaft. Besonders bei den Radiospots sind markante Geräuschpassagen aufmerksamkeitsstark und werden insgesamt besser erinnert.

Joint Photographic Expert Group (JPEG)
Ein weit verbreitetes Bildformat mit Datenkompression für digitale Grafik- und Bilddateien im → Desktop Publishing-Bereich und auch im → World Wide Web.

JPEG
→ Joint Photographic Expert Group

K

Kalibrierung
Die Einstellung von Geräten (Monitore, Drucker, Scanner etc.) auf Standardwerte, um zuverlässige Ergebnisse zu erzielen (z.B. Farbmonitore, die auf eine bestimmte Farbwiedergabe, die dem späteren Druck mit bestimmten Skalenfarben entspricht, eingestellt sind).

Kampagne
→ Werbekampagne

Kapitälchen
Großbuchstaben in der Größe und Höhe eines Kleinbuchstabens, um bestimmte Textstellen dezent und harmonisch hervorzuheben (BEISPIEL FÜR KAPITÄLCHEN).

Kaschierung
In der → Druckweiterverarbeitung das Aufbringen einer Folie auf ein Druckerzeugnis, um die Oberfläche vor Abrieb, Schmutz und Feuchtigkeit zu schützen (z.B. Buchumschläge, Verpackungen).

Kaufmann/-frau für audiovisuelle Medien
Nachwuchskräfte aus den Bereichen Fernsehen, Hörfunk, Film- und Videoproduktionen, Musik, Multimedia und Filmtheater erwerben bei diesem Ausbildungsberuf typische kaufmännische und medienspezifische Kenntnisse. Dazu gehören sämtliche Aufgaben der Planung, Herstellung und Vermarktung audiovisueller Medien - von der Rechtebeschaffung über Disposition, Marketing und Vertrieb bis hin zur Planung und Realisation eigener Produktionen. (vgl. → Werbe- und Medienberufe - Ausbildungsberufe)

Kennziffermethode
Methode zur Messung der Werbewirkung von Anzeigen, bei der Frage- und Rückantwortvordrucke eine bestimmte Kennziffer enthalten, die das Medium und die betreffende Ausgabe kennzeichnen. So kann der Werbetreibende genau feststellen, welche Anzeige, in welchem Medium, wie viele Anfragen, Antworten oder Bestellungen erbracht hat. (vgl. → Kennzifferzeitschrift)

Kennzifferzeitschrift
Eine in der Regel → Fach- oder → Special Interest-Zeitschrift, in der die meisten Anzeigen (auch redaktionelle Beiträge) eine Kennziffer tragen. Die Leser können nähere Informationen zu den Anzeigen oder Beiträgen anfordern, indem sie auf einer der Zeitschrift beigefügten Leserdienstkarte die entsprechenden Kennziffern eintragen und an den Leserdienst der Zeitschrift zurücksenden. Die Zeitschrift leitet die Anfragen dann direkt zu den einzelnen Werbetreibenden weiter, die auf

diesem Wege einen direkten Kontakt zu Interessenten ihrer Produkte oder Dienstleistungen erhalten. Der Werbeerfolg einer bestimmten Anzeigenwerbung kann somit anhand der Reaktionen genau abgelesen werden. (vgl. → Kennziffermethode)

Key Visual
→ Copy-Analyse

klassische Medien
→ klassische Werbung

klassische Werbung
(klassische Medien) Zu den klassischen Medien zählen die traditionellen Werbeträger, vor allem Zeitungen und Zeitschriften, Adress- und Telefonbücher, sonstige Nachschlagewerke, das Fernsehen, der Hörfunk, das Kino und die Außenwerbung. Die klassische Werbung bedient sich der eben genannten Medien.

Klebebindung
In der → Druckweiterverarbeitung das fadenlose Heften z.B. von Katalogen, Broschüren und Büchern. Die zu einem Block zusammenfassten Blätter werden gepresst und im Bund beschnitten. Der Rücken des Buchblocks lässt sich auf der herausragenden Seite um einige Millimeter nach beiden Seiten auffächern und wird mit einem Klebstoffauftrag versehen. Die einzelnen Seiten werden durch die Auffächerung in den Klebstoffauftrag direkt eingebettet, was für eine feste und haltbare Verbindung notwendig ist. Bei anderen Bindeverfahren wird der Buchrücken aufgefräst bzw. eingekerbt, um eine verbesserte Haftung des Klebstoffes zu ermöglichen. Bei Druckprodukten mit Umschlag wird dieser auf den noch nicht verfestigten Klebstoff aufgepresst. Als Klebstoffe werden Dispersions- oder Schmelzkleber, die auch kombiniert werden können, verwendet. In der industriellen Massenproduktion von Büchern und Katalogen werden automatisierte Fertigungsstraßen für die Klebebindung eingesetzt.

Kleinflächen
→ Plakatanschlagstellen

Kleintafeln
→ Plakatanschlagstellen

kognitive Dissonanz
Eine Theorie, die davon ausgeht, dass ein Individuum stets bestrebt ist, in einem stabilen Gleichgewicht von Wissen, Erwartungen, Erfahrungen, Wahrnehmungen, Denken und Handeln zu leben. Eine Dissonanz bzw. ein Spannungszustand entsteht, wenn bestimmte Teile im Bewusstsein der Person nicht in Einklang zu bringen sind. Das Individuum versucht, diese Dissonanz zu reduzieren, indem es z.B. seine Meinungen und Einstellungen entsprechend verändert bzw. anpasst. Besonders nach dem Kauf von → High-Interest-Produkten (z.B. Stereoanlage, Fernseher, Auto) treten Dissonanzen bzw. Unsicherheiten auf, ob die Entscheidung für das Produkt richtig war. Der Käufer ist bestrebt, die Richtigkeit seiner Kaufentscheidung u.a. mit der Suche nach zusätzlichen Informationen (z.B. Testberichte, Artikel in Fachzeitschriften) zu

untermauern und damit seine Dissonanzen abzubauen. Auch werbliche Maßnahmen des Herstellers in Form von Anzeigen, Plakatwerbung oder Werbespots, in denen kaufbestätigende Informationen übermittelt werden, tragen einen wichtigen Teil zur Reduzierung der Dissonanzen bei. Durch diese sogenannte Nachkaufwerbung besteht die Möglichkeit, den Kunden zu binden und eine Produkt- bzw. Markentreue in der Zukunft zu erreichen.

Kollektivwerbung
Gemeinsame Werbemaßnahme von zwei oder mehreren Werbungtreibenden. Der Begriff wird auch als Bezeichnung für verschiedene Ausprägungen der → Gemeinschaftswerbung im weiteren Sinne benutzt.

Kommunikant
→ Kommunikation

Kommunikation
Unter Kommunikation versteht man grundsätzlich den Austausch von Informationen bzw. alle Formen der Informationsübertragung. Ein Sender (Kommunikator), richtet an einen Empfänger (Kommunikant) eine Aussage (Botschaft). Voraussetzung für eine erfolgreiche Kommunikation ist ein gemeinsamer Zeichenvorrat zwischen Sender und Empfänger der Botschaft, d.h. beide müssen die benutzten Zeichen und Zeichensysteme (z.B. die Sprache, der Wortschatz) verstehen. Kommunikation kann somit auch als ein Prozess der Übermittlung von Zeichen und Symbolen angesehen werden. Zur Kommunikation zählt auch die Körpersprache, die mittels Mimik und Gestik den Informationsfluss verstärkt. Jeglicher Kommunikationsprozess enthält nach der → Lasswell-Formel die folgenden Bestandteile:

- *Wer?* (Kommunikator)
- *Sagt was?* (Kommunikationsinhalt)
- *Zu wem?* (Kommunikant, Empfänger, Rezipient)
- *Auf welchem Weg?* (Kommunikationskanal)
- *Mit welcher Wirkung?* (Kommunikationswirkung).

Die Kommunikationskette lässt sich nun an folgendem Beispiel beschreiben: Ein Kommunikator (z.B. Werbungtreibender) verschlüsselt (kodiert) eine Botschaft (z.B. Anzeigenwerbung für ein Produkt) in Form von Zeichen über einen bestimmten Kanal (z.B. Fachzeitschrift). Der Empfänger (Leser) der Nachricht muss diese Zeichen entschlüsseln (dekodieren), verstehen und reagiert gegebenenfalls mit der Rücksendung einer Anforderungskarte für weitere Produktinformationen (Feedback, Rückkoppelung) und/oder dem Kauf des Produkts (Kommunikationswirkung).
Kommunikation lässt sich nach unterschiedlichen Kriterien einteilen:

- → *Individualkommunikation* (persönliche Kommunikation, Face-to-Face-Kommunikation).
- → *Massenkommunikation.*
- *einstufige Kommunikation:* Der Sender hat direkten Kontakt mit dem Empfänger, persönlich oder auch über die Massenmedien.
- *mehrstufige Kommunikation:* Hier geht man von der These aus, dass

Zwei-Stufen-Modell der Kommunikation

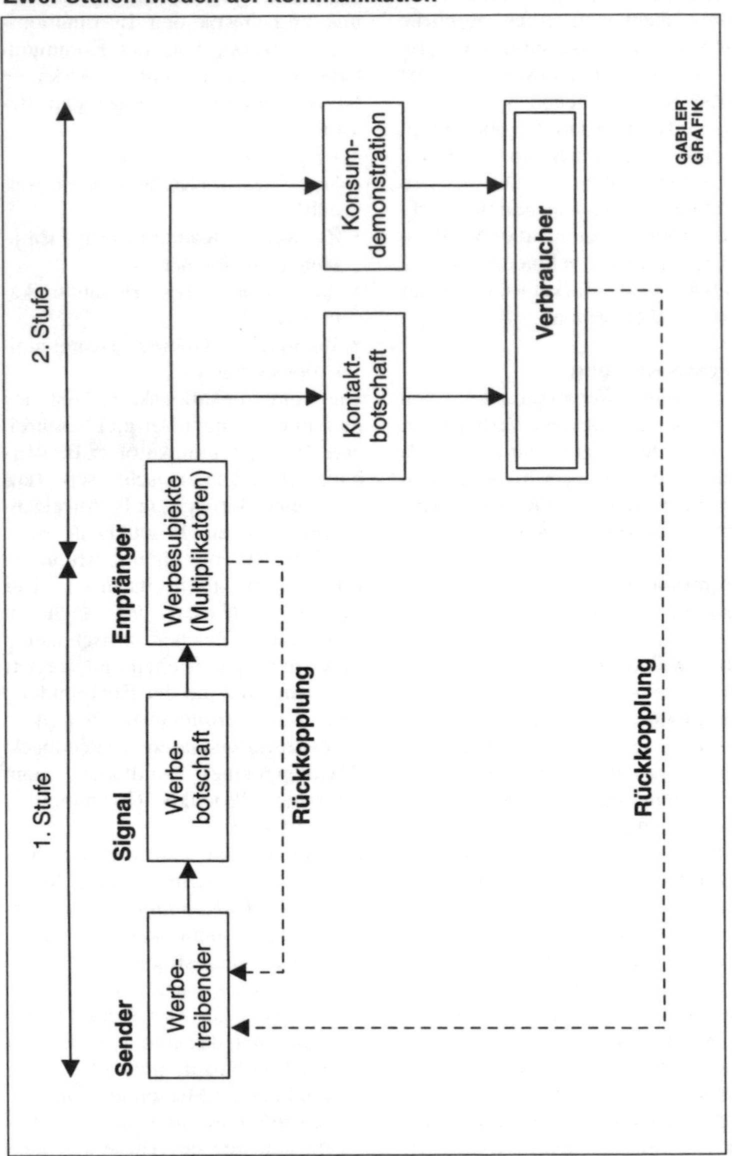

Zwei-Stufen-Modell der Kommunikation (Quelle: Meffert, 1998, S. 667)

bei der Massenkommunikation zuerst die aufgeschlossenen und aktiven Meinungsführer erreicht werden und diese wiederum durch direkte Kommunikation die Informationen an andere Personen weitergeben. Diese Kommunikationsform wird auch Zwei-Stufen-Fluss der Kommunikation oder Zwei-Zyklen-Fluss der Kommunikation genannt.

- *einseitige Kommunikation:* Der Kommunikator erhält bei einseitiger Kommunikation keine Rückkoppelung.
- *zweiseitige Kommunikation:* Bei zweiseitiger Kommunikation findet ein direkter gegenseitiger Informationsaustausch, z.B. ein Gespräch, statt.

Kommunikationsinhalt
→ Kommunikation

Kommunikationskanal
→ Kommunikation

Kommunikationskette
→ Kommunikation

Kommunikations-Mix
→ Kommunikationspolitik

Kommunikationspolitik
(Marketingkommunikation, Kommunikations-Mix) Teilbereich des → Marketing-Mix, der die Instrumente → Werbung, → Direktwerbung, → Verkaufsförderung, → persönlicher Verkauf (Personal Selling), → Öffentlichkeitsarbeit, → Sponsoring, → Messen, → Product Placement sowie neue individuelle Ausprägungen des Marketing, wie z.B. Szenen-, Erlebnis- und → Event-Marketing umfasst. Die Kommunikationspolitik hat die Aufgabe, alle auf den Markt und/oder auf die verschiedenen Öffentlichkeiten gerichteten Informationen zu gestalten und zu übermitteln. Die jeweiligen Zielgruppen müssen mittels Kommunikationspolitik über das Angebot und/oder die Ziele eines Unternehmens oder einer Institution informiert werden. Das Ziel ist eine Beeinflussung von Meinungen, Einstellungen, Erwartungen sowie von Verhaltens- und Denkweisen der angesprochenen Personen gemäß den Marketing- und Kommunikationszielen des Absenders. Sämtliche Einzelmaßnahmen der Kommunikationspolitik müssen auf das gesamte Marketing-Mix abgestimmt sein. Bei der Gestaltung sind die Vorgaben und Richtlinien gemäß des → Corporate Design einzuhalten.

Kommunikationsprozess
→ Kommunikation

Kommunikationswirkung
→ Kommunikation, → Kommunikationswirkung der Werbung

Kommunikationswirkung der Werbung
Eine Kommunikationsstrategie kann sich nur dann durchsetzen, wenn das Kommunikations-Mix zielgruppengerecht gestaltet wird. Bei den Kommunikationsmaßnahmen können gewünschte aber auch überhaupt nicht beabsichtigte Effekte eintreffen. Folgende Wirkungen können dabei u.a. eintreten (Koschnick, 1996, S. 591 ff.):

Kommunikationspolitik (Marketingkommunikation)

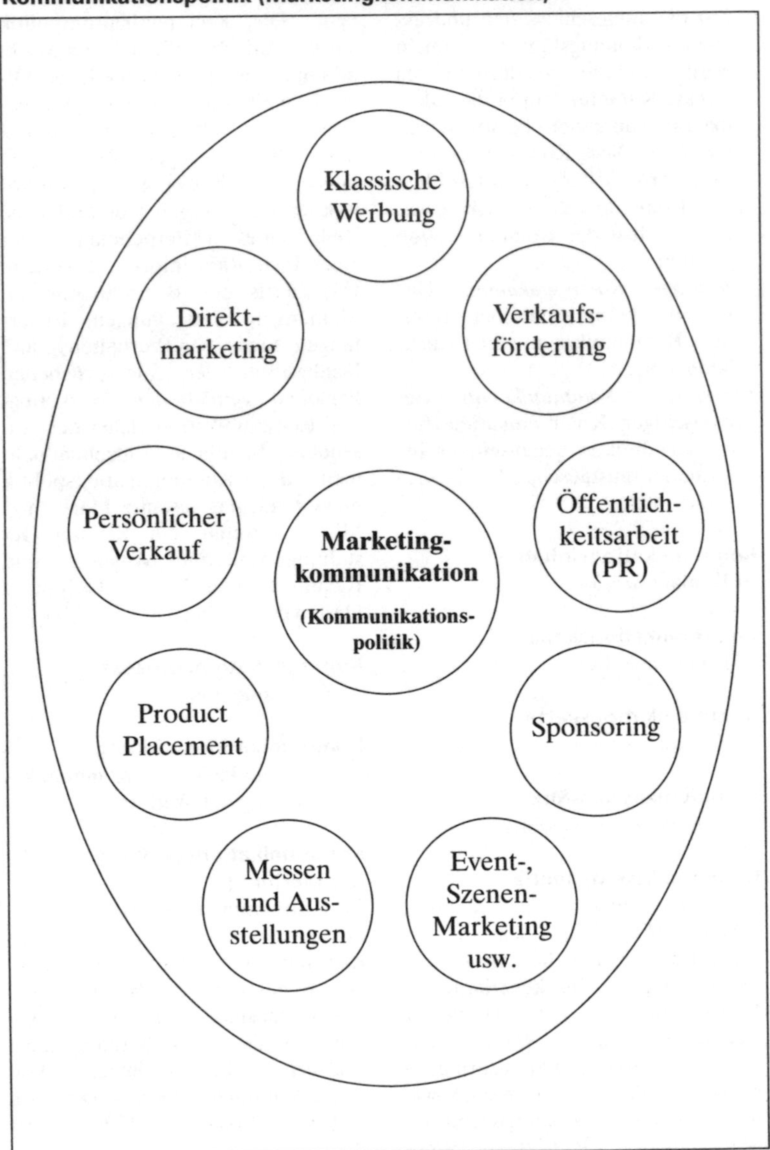

Regelkreis der Kommunikationspolitik (Marketingkommunikation)

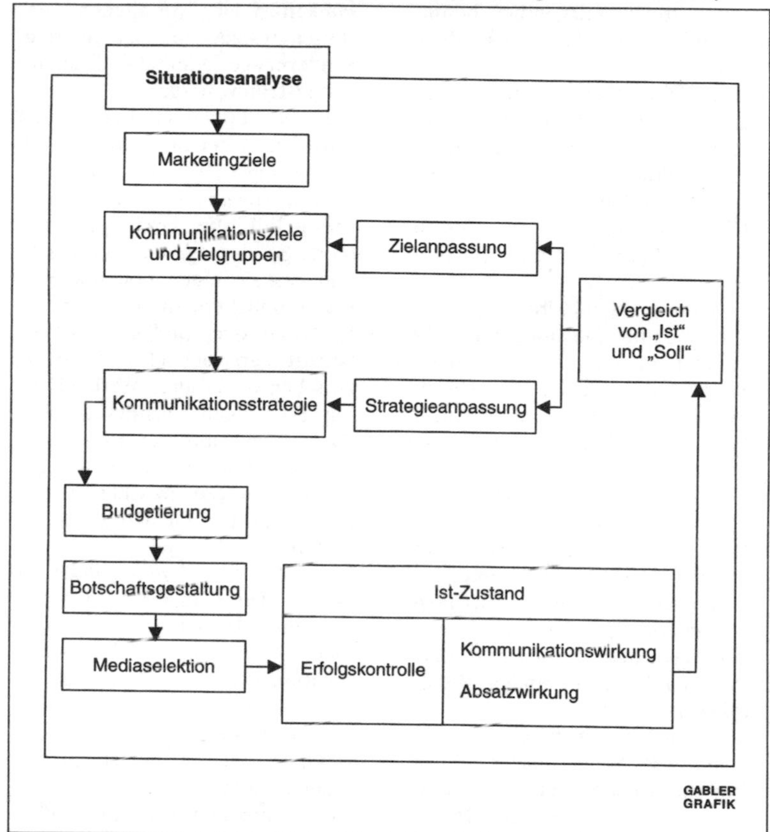

Entscheidungen im Regelkreis der Marketingkommunikation (Quelle: Meffert, 1998, S. 668)

- Die Adressaten merken sich den Inhalt der Botschaft, ändern jedoch ihr Verhalten nicht erkennbar (Gedächtniswirkung).
- Die Werbebotschaft verändert, aktualisiert oder festigt bestehende Einstellungen, Meinungen, Präferenzen und Wünsche (Einstellungswirkung).
- Die Werbebotschaft beeinflusst das Verhalten des Empfängers (Verhaltenswirkung).
- Die Botschaft verfehlt jegliche Wirkung.

Bei der Wahrnehmung von Botschaften treten gelegentlich besondere Effekte auf (Koschnick, 1996, S. 591 ff.):

- *Halo-Effekt:* Der Gesamteindruck eines Angebots wird auf die einzelnen Teilelemente übertragen. Einem Produkt, das ein erstklassiges Image hat, spricht man diese Überlegenheit auch für dessen einzelne Leistungen oder Qualitäten zu.
- *Irradiation*: Hier wird von einer Einzelqualität auf andere Einzelqualitäten geschlossen, d.h. einem Produkt, das in einer Leistungsdimension hervorsticht, spricht man leicht eine Überlegenheit ebenso hinsichtlich anderer Kriterien zu.
- *Sleeper-Effekt*: Der Botschaftsinhalt wird länger erinnert als die Botschaftsquelle. Das bedeutet für die Werbung, dass relevante, gelernte Eigenschaften damit möglicherweise dem falschen Absender zugeordnet werden (z.B. dem eventuell konkurrierenden Marktführer).
- *Source-Effekt:* Er beschreibt den Einfluss des Senderimages auf den Botschaftsinhalt, d.h. die Botschaft hat immer auch eine Beziehung zum Sender, so ist sie um so glaubwürdiger, je glaubwürdiger der Sender eingeschätzt wird.
- *Audience-Effekt:* Der Einfluss der Empfängereinstellung auf die Botschaftswirkung; d.h. eine Botschaft, die mit der subjektiven Meinung der Zielperson übereinstimmt wird von ihr bereitwillig aufgenommen.
- *Message-Effekt:* Dieser Effekt bezieht sich auf die Wirkung der Botschaft allein. Die Aufmerksamkeit ist dabei vor allem aus der Botschaft selbst und nicht aus dem Senderimage oder der Empfängereinstellung hergeleitet.
- *Carry-over-Effekt:* Er betrifft den zeitlichen Übertrag von Wirkungen aus einer Periode in die nächste. Dies spiegelt sich z.B. in einer Preispolitik, die durch langanhaltende Sonderangebote geprägt ist und deshalb einen höheren Normalpreis nicht mehr akzeptiert.
- *Spill-over-* oder *Spill-in-Effekt:* Er betrifft den sachlichen Übertrag zwischen verwandten Werbeobjekten. So hängen Nachrichten über ein Produkt mit der Einstellung zum jeweiligen Unternehmen zusammen, sofern zwischen beiden kommunikative Gemeinsamkeiten bestehen.
- *Lap-over-* bzw. *Lap-in-Effekt:* Er betrifft den räumlichen Übertrag aus benachbarten Verbreitungsgebieten. So irritieren Werbebotschaften, die fremden Ländern zugedacht sind, bei zufälliger Wahrnehmung möglicherweise dann, wenn es starke Unterschiede zur Heimatlandbotschaft gibt. Ein Kommunikationsproblem, dem man durch globale Werbung (global advertising) beizukommen versucht.
- *Wear-out-* bzw. *Wear-in-Effekte:* Diese beiden Effekte beschreiben die Abnutzungserscheinungen von Werbebotschaften infolge hoher Penetration bzw. Wiederholung, die zur Ablehnung einer Werbung führen können.
- *Reaktanz-Effekt:* Er beschreibt den Widerstand im Publikum gegen

Teilprozesse der Kommunikationswirkung

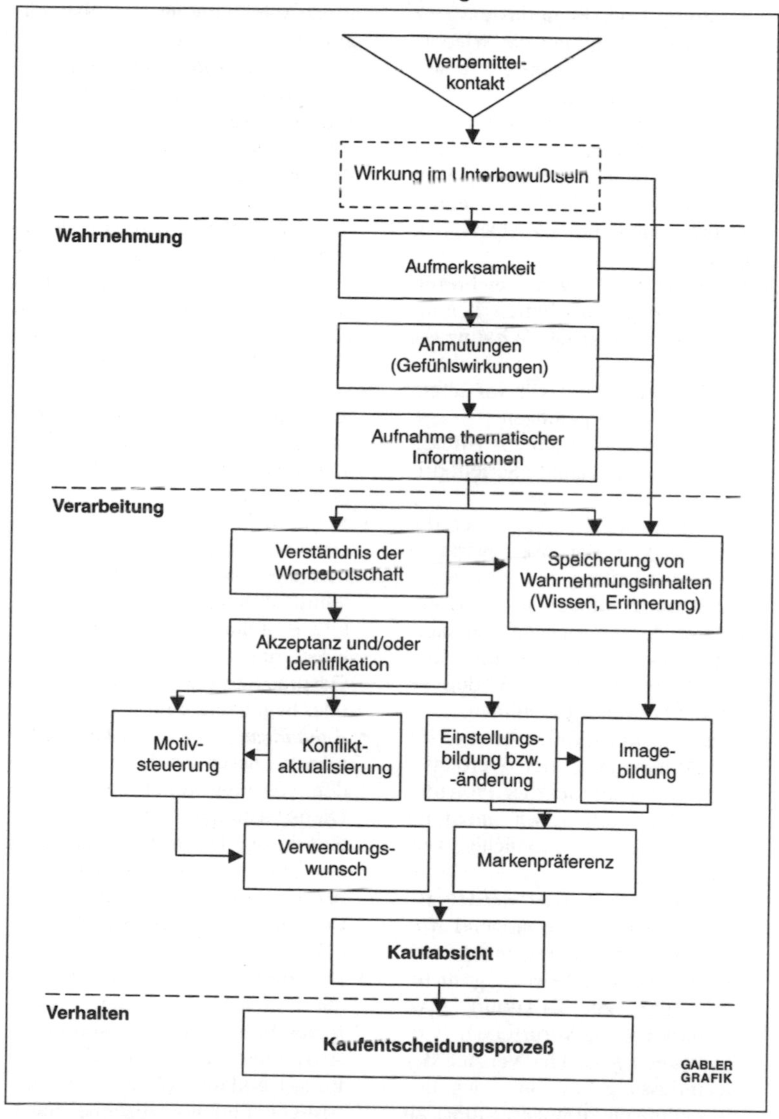

Teilprozesse der Kommunikationswirkung (Quelle: Meffert, 1998, S. 672)

ein Übermaß an werblicher Bevormundung bzw. Beeinflussung. → Reaktanz ist eine auf die Wiederherstellung der eigenen Freiheit gerichtete Erregung.

- *Primacy-Effekt:* Hier hat bei kontroversen Botschaften die zuerst genannte die größte Wirkung, weil sie von der anfänglich höheren Aufmerksamkeit der Zielpersonen profitiert.
- *Recency-Effekt:* Von mehreren kontroversen Botschaften kommt der letzten die größte Wirkung zu, weil sie am besten im Gedächtnis haften bleibt. Dies gilt vor allem für längere Darbietungen.
  Beide zuvor genannten Effekte werden als sogenannte Serienpositionseffekte bezeichnet.
- *Rub-off-Effekt:* Er bezeichnet die Abhängigkeit der Werbewirkung vom Medienumfeld. Kompetente Werbeträger stützen so die Kompetenz der werblichen Aussage. Ähnliches gilt für die Intensität der Anspracheform, z.B. den → Impact bei Kinowerbefilmen.
- *Kommunikator-Effekt:* Er betrifft die Abhängigkeit der Werbewirkung vom Eindruck der individuellen Präsentation, vor allem im Rahmen des → persönlichen Verkaufs.
- *Bolstering-Effekt*: Hier werden Informationen, die bestätigend wirken und solche, deren Inhalte abgelehnt werden, bewusst gesucht. Dies führt zur Erhaltung bzw. Verstärkung von Vorurteilen.
- *Bumerang-Effekt*: Der Versuch der Beeinflussung, bestimmte negative Einstellungen zu ändern, führt ab einer gewissen Schwelle eher zur Bestärkung der Zielpersonen in ihrer Ablehnung als zur Überzeugung vom Gegenteil.
- *Trickle-down-Effekt:* Dieser Effekt beschreibt den Umstand, dass die soziale Ausbreitung von Informationen von den höheren auf die niederen sozialen Schichten erfolgt.
- *Imagery-Effekt:* Er baut auf der Erkenntnis auf, dass Bilder besser aufgenommen, abgespeichert und reproduziert werden als Texte. Die getrennte Verarbeitung in beiden Gehirnhälften spricht für die Bevorzugung von Bild- gegenüber Textumsetzungen, denn diese besitzen mehr emotionale Kraft sowie Verhaltens- und Manipulationswirkung.
- *Schwerin-Effekt:* Er resultiert aus einer hohen Auseinandersetzungswirkung sowohl für stark abgelehnte als auch für stark befürwortete Botschaften. Nach dieser Polarisierung wäre es nur wichtig, im Gespräch zu bleiben, im positiven oder negativen Sinne.
- *Ankündigungseffekt* (Announcement): Dieser Effekt entsteht bei der Werbung für Produkte und Dienstleistungen vor einer Markteinführung. Die Kunden reagieren mit Verweigerung des Kaufs von bereits bestehenden Angeboten, wenn neue Angebote werblich angekündigt werden.
- *Vorratseffekt:* Der Vorratseffekt ist ein plötzlich einsetzender Nachfrageschub nach einer werblichen Ankündigung, d.h. der aufgestaute Bedarf entlädt sich in einer kurzfristigen und überzogenen Nachfrage.

Kommunikationsziele

Kommunikationsziele sind festgelegte und geplante zukünftige Zustände, die mit Hilfe von Kommunikationsinstrumenten (z.B. der Werbung) erreicht werden sollen. Die Kommunikationsziele orientieren sich an den übergeordneten Unternehmens- bzw. Marketingzielen und sind eine Voraussetzung für ein wirtschaftliches und erfolgreiches unternehmerisches Handeln. Eine Zielvorgabe bildet einen Maßstab und eine Vergleichsmöglichkeit, um den Erfolg einer Kommunikationsmaßnahme überhaupt später beurteilen zu können.

Eine genaue Marktanalyse und/oder eine Ermittlung des Ist-Zustandes von bestimmten Meinungen und Einstellungen in der Öffentlichkeit ist der Ausgangspunkt für die Festlegung von Kommunikations- bzw. Werbezielen. Sie müssen sicherstellen, dass die übergeordneten Marketingziele erreicht werden. Die kommunikativen Ziele lassen sich in insgesamt sechs mögliche Wirkungsbereiche, bezogen auf den Empfänger der Botschaft, gliedern (vgl. Irle, 1975, S. 30 ff. und Unger, 1989, S. 114):

- Wahrnehmung von Botschaften,
- erkenntnismäßige (kognitive) Verarbeitung und Bewertung,
- die Bildung von Entscheidungen, Wünschen und gegebenenfalls Änderung von Meinungen und Einstellungen.

Diese Wirkungsbereiche stehen in einer Wechselbeziehung mit den folgenden Faktoren:

- den Gedächtnisinhalten,
- den bereits vorhandenen Einstellungen, Motiven und Werten, d.h. der kognitiven Struktur der Personen.

Dieser Prozess der Informationsverarbeitung löst möglicherweise eine Handlung bzw. eine Kaufaktivität oder eine Meinungsänderung aus und führt zu einer

- rückblickenden und nachträglichen Bewertung des eigenen Handelns z.B. nach einem Kauf oder der Verwendung eines Produktes.

Primäres Ziel ist es, die Aufmerksamkeit der Zielgruppe für die jeweilige Botschaft zu gewinnen. Je größer die Aufmerksamkeit bzw. Wahrnehmung ist, desto größer ist der Lerneffekt und damit die Kommunikationswirkung. Wie bei den → Marketingzielen ist auch hier zwischen ökonomischen und psychologischen Zielen generell zu unterscheiden (vgl. Bruhn, 1997, S. 29 und 205):

Ökonomische Kommunikationsziele sind z.B.:

- Gewinn (Umsatz abzüglich der gesamten Kosten),
- Rendite (Gewinn in Relation zum eingesetzten Kapital),
- Absatz (Anzahl verkaufter Mengeneinheiten),
- Umsatz (zu Verkaufspreisen bewertete und abgesetzte Mengeneinheiten),
- Marktanteil (Unternehmensumsatz oder -absatz in Relation zum Gesamtmarkt oder -absatz),

Psychologische Kommunikationsziele sind z.B. (vgl. Unger, 1989, S. 116):

- Abbau psychologischer Kaufhemmnisse,
- Steigerung der sozialen Akzeptanz bestimmter Produkte,

Zielebenen der Kommunikationspolitik

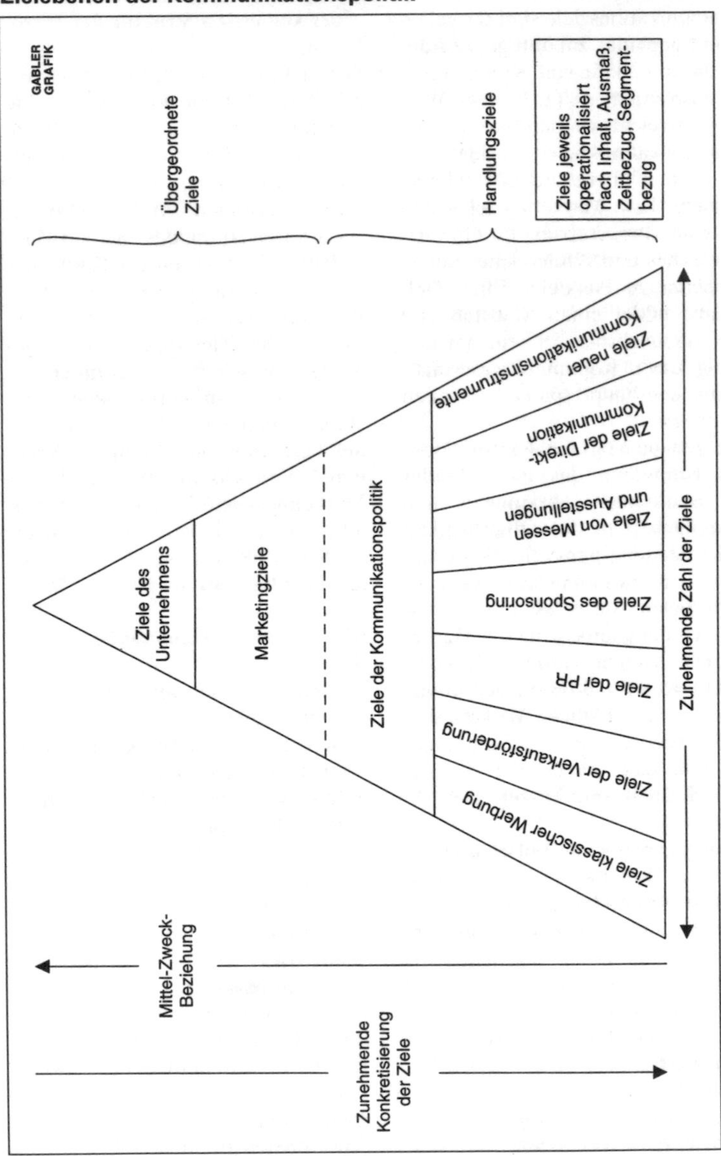

Hierarchie der Zielebenen der Kommunikationspolitik (Quelle: Meffert, 1998, S. 659)

- Weckung von Interesse am Produkt,
- Stabilisierung des Markenbewusstseins,
- Veränderung oder Stabilisierung der Bedeutungen, die einzelnen Qualitätseigenschaften eines Produktes oder einer Dienstleistung zugeschrieben werden,
- Profilierung der eigenen Produkte gegenüber Wettbewerbern,
- allgemeiner Gewinn von Sympathie innerhalb der Zielgruppe,
- Imagetransfer (ein vorhandenes positives Image bei der Zielgruppe soll von einer Produktgruppe auf eine andere übertragen werden),
- Schaffung einer Nutzenerwartung,
- Bildung von Präferenzen für das Produkt in der Zielgruppe,
- die Zielgruppe überzeugen.

(vgl. → Marketingziele)

Kommunikator
→ Kommunikation

Kommunikator-Effekt
→ Kommunikationswirkung der Werbung

komplementäre Gemeinschaftswerbung
→ Gemeinschaftswerbung

Konkurrenzpräsentation
→ Präsentation

Konsumpionier
→ Innovatoren

Kontakte
(Werbeträgerkontakte, Werbemittelkontakte) Ein Kontakt ist jede kurze Berührung einer Person mit einem Werbeträger oder Werbemittel. Bei den Untersuchungen der → Mediaforschung geht es überwiegend um die Erforschung der Werbewirkung von Werbemitteln. In der Regel wird hier unterstellt, dass eine Person bei einem Werbeträgerkontakt (z.B. beim Lesen einer Zeitschrift oder Zeitung) auch einen Werbemittelkontakt (z.B. Anzeige) hatte. Die Messung der Kontakte erfolgt bei Printmedien durch Leserschaftsanalysen mittels Befragungen, ob jemand eine bestimmte Zeitschriftenausgabe gesehen oder durchgeblättert hat; beim Hörfunk durch Befragung, wann jemand Radio gehört hat; beim Fernsehen mit der Hilfe von elektromechanischen Messgeräten in ausgewählten Panel-Haushalten und bei der Außen- und Verkehrsmittelwerbung mit Hilfe von Verkehrszählungen und Befragungen.
Die Menge der Kontakte, d.h. die Kontakthäufigkeit gilt als Maßstab für die Wirkungsstärke eines → Mediaplans. Wird eine Person von einem Werbeträger bzw. Werbemittel mehrfach erreicht, ergibt sich aus den Erst- und Wiederholungskontakten die Anzahl der Gesamtkontakte. (vgl. Koschnick, 1995, S. 944 ff.)

Kontakter/in
(Kundenberater, Account Manager) Der Kontakter sorgt in einer Werbeagentur für die Betreuung der Kunden, die werbliche Beratung und die Umsetzung der Kundenwünsche. Er ist für den Kunden der Ansprechpartner innerhalb der Werbeagentur und kümmert sich um die termin-

und sachgerechte Umsetzung bzw. Koordination des Auftrages. (vgl. → Werbe- und Medienberufe - Berufs- und Tätigkeitsfelder)

Kontaktwahrscheinlichkeit
→ Copy-Test

Kontrahierungspolitik
→ Preispolitik

Kontrolldruck
→ Andruck

Konturensatz
→ Satzarten

konzentrierte Marketingstrategie
→ Marketingstrategie

kooperative Werbung
→ Gemeinschaftswerbung

Kopfremission
→ Remission

körperliche Remission
→ Remission

körperlose Remission
→ Remission

Korrekturvorschriften
Die ausführlichen Korrekturvorschriften und -zeichen finden sich beispielsweise im *Duden* »Die Deutsche Rechtschreibung«. Zu den Hauptregeln gehören:

- Die Eintragungen bzw. Korrekturen sind so deutlich vorzunehmen, dass kein Irrtum entstehen kann.
- Jedes eingezeichnete Korrekturzeichen ist am Papierrand zu wiederholen.
- Das Einzeichnen von Korrekturen innerhalb des Textes ohne den dazugehörigen Randvermerk ist unbedingt zu vermeiden.
- Die erforderliche Änderung bzw. Korrektur ist rechts neben das wiederholte Korrekturzeichen zu schreiben, sofern das Zeichen nicht für sich selbst spricht.
- Die an den Rand geschriebenen Korrekturen müssen in ihrer Reihenfolge mit den innerhalb der Zeile angebrachten Korrekturzeichen übereinstimmen und in gleichem Abstand neben den betreffenden Zeilen untereinanderstehen.
- Bei mehreren Korrekturen innerhalb einer Zeile sind unterschiedliche Korrekturzeichen anzuwenden.
- Die Korrekturzeichen müssen den Korrekturzeichen schnell und eindeutig zugeordnet werden können.
- Ergeben sich in einem Absatz umfangreichere Korrekturen, wird das Neuschreiben des Absatzes empfohlen.
- Es wird empfohlen, die Korrekturen deutlich in Farbe anzuzeichnen.
- Jeder korrekturgelesene Satzabzug ist zu signieren.

Korrekturzeichen
Die vom Normenausschuss der Deutschen Industrie im Normblatt DIN 16511 festgelegten Zeichen zur Korrektur von Manuskripten. Die Korrekturzeichen finden sich im *Duden* »Die Deutsche Rechtschreibung« und in vielen Fachbüchern über die grafische Industrie. (vgl. → Korrekturvorschriften)

Kreativdirektor
(Creative Director, CD) Er ist der Leiter für alle kreativen (künstlerischen) Bereiche in einer Werbeagentur (Grafik-, Text-, Layout-, Fotografie). Der Kreativdirektor sorgt für die Umsetzung von Konzeptionen in realisierbare Werbemaßnahmen. Er koordiniert und kontrolliert ebenso die Gestaltung von ganzen Werbekampagnen.

Kreuzfalz
→ Falzarten

Kumulation
→ interne Überschneidung

Kundenberater
→ Kontakter/in

Kundenkarte
→ Networking

Kundenzeitschrift
Kundenzeitschriften sind periodisch erscheinende Druckerzeugnisse eines Unternehmens, das diese als Instrument der → Kommunikationspolitik bzw. zur Information der bestehenden oder neu zu gewinnenden Kunden einsetzt. Kundenzeitschriften werden vom Unternehmen direkt und/oder über den Handel an die Kunden verteilt und dienen als Werbe- und Informationsträger für Produkte und Dienstleistungen.

Kunstdruckpapier
Ein hochwertiges und verhältnismäßig schweres, beidseitig gestrichenes Papier mit einer glatten Oberfläche. Der Druck von fein gerasterten und farbigen Bildern (Kunstdrucke) erfordert ein Papier, das über eine glatte und geschlossene Oberfläche verfügt, damit die Druckfarben gleichmäßig angenommen werden können. Bei der Herstellung von Kunstdruckpapier wird die unregelmäßige Faserstruktur des Rohpapiers mit Hilfe eines gleichmäßigen Auftrags von Streichmasse überdeckt. Dadurch entsteht eine geschlossene Oberfläche des Papiers, die eine verbesserte Bedruckbarkeit ermöglicht. (vgl. → gestrichenes Papier)

künstlicher USP
→ Unique Advertising Proposition (UAP)

L

Laborbeobachtung
→ Beobachtung

lackieren
→ Drucklackierung

Laminierung
→ Kaschierung

Lap-in-Effekt
→ Kommunikationswirkung der Werbung

Lap-over-Effekt
→ Kommunikationswirkung der Werbung

Laserbeschriftung
→ Laserkennzeichnung

Laser-Cut
→ Lasergrafik

Lasergrafik
(Laser-Cut, Filigran Laser) Eine neues Laserverfahren, mit dem man feinste Ausstanzungen aus Papier und Karton, die bislang nicht möglich waren, ausführen kann. Von einem gelieferten Film wird eine dünne Kupferplatte zu einer Schablone geätzt. Die zu stanzenden Bogen werden mit der Schablone unter einem ständig fließenden Laserstrahl hindurchgeführt. An den Stellen, bei denen der Laserstrahl durchdringen kann, wird das darunterliegende Papier oder der Karton verdampft. Feinste Motive, Verzierungen, Muster und Logos lassen sich dabei herstellen. Einsatzbereiche sind z.B. Einladungskarten, Briefbogen, Visitenkarten, Verpackungen oder Speisekarten.

Lasergravur
→ Laserkennzeichnung

Laserkennzeichnung
(Lasergravur, Laserbeschriftung) Die Markierung und Beschriftung von Produkten und Gütern mit einem Laserverfahren. Das am häufigsten eingesetzte Prinzip erzeugt einen energiereichen Lichtstrahl, der über zwei rechnergesteuerte Drehspiegel an jeden einzelnen Punkt des Beschriftungsfeldes geführt wird. Mittels einer Linse wird der Strahl vor dem Auftreffen gebündelt (Brennglasprinzip), damit sich ein Fokuspunkt mit maximaler Energiedichte ergibt. Dieser Laserstrahl-Brennpunkt ist das eigentliche Werkzeug der Lasermarkierung. Durch verschiedene Einstellungen lässt sich das Markierungsergebnis beeinflussen. Eine flexible Farbgebung ist beim Stand der heutigen Technik noch nicht möglich. Besonders im Bereich der Beschriftung von Werbemitteln bzw. Werbegeschenken wird die Laserkennzeichnung erfolgreich eingesetzt. Die wichtigsten

Merkmale bzw. Vorteile einer Lasermarkierung sind:

- *Vorlagen:* Für die Laserkennzeichnung mit bestimmten Schriften, Logos, Bildzeichen usw. können Aufsichtsvorlagen, Filme oder digitale Daten verwendet werden.
- *Materialien:* Die Lasermarkierung kann praktisch auf allen Materialien und Formen ausgeführt werden: Gegenstände aus Glas, Metall, Kunststoff, Holz, wie z.B. Taschenrechner, Schlüsselanhänger, Kugelschreiber, Bleistifte, Uhren, Visitenkarten-Etuis, Modellautos, Gläser, Spezialetiketten.
- *Verarbeitung*: Die Laserkennzeichnung erfolgt berührungslos und lässt sich mit hoher Präzision und Qualität auch auf schwierigen Oberflächen problemlos durchführen.
- *Haltbarkeit:* Die Lasermarkierung ist mit der Gravur und der Ätzung vergleichbar, da sie unempfindlich gegenüber Abrieb, Umwelteinflüssen und Lösungsmitteln ist. Eine hohe Widerstandskraft und eine dauerhafte Haltbarkeit sind die besonderen Vorteile dieses Verfahrens.

Laserstanzung
→ Lasergrafik

Lasswell-Formel
Der Kommunikationsweg vom Sender einer Botschaft zum Empfänger lässt sich anhand der sogenannten Lasswell-Formel (Harold D. Lasswell 1948) »Who says what in which channel to whom with what effect«? anschaulich darstellen und analysieren:

- *Wer?* (Kommunikator)
- *Sagt was?* (Werbebotschaft)
- *Zu wem?* (Zielgruppe, Rezipient)
- *Auf welchem Weg?* (Werbeträger, Werbemittel)
- *Mit welcher Wirkung?* (Kommunikationswirkung, z.B. Meinungsänderung, Produktkauf).

laterale Diversifikation
→ Produktpolitik

Laufrichtung
(Bereich Bedruckstoffe) Die Fließrichtung, durch die das Papier beim Herstellungsprozess durch die Papiermaschine läuft, bezeichnet man als Lauf- oder auch Maschinenrichtung. Die Faserstoffe ordnen sich dabei größtenteils parallel zur Laufrichtung an. Die andere Richtung des Papiers, die rechtwinklig zur Laufrichtung verläuft, nennt man Dehnrichtung. Die Faserstoffe nehmen bei Druck- und Weiterverarbeitungsprozessen Feuchtigkeit auf und dehnen sich in Faserbreite (Dehnrichtung) und nicht in Faserlänge (Laufrichtung) aus. Die Bedruckstoffe haben in Laufrichtung in der Regel eine größere Festigkeit, bzw. Steifigkeit sowie eine bessere Dimensionsstabilität (geringere Ausdehnung bei Feuchtigkeit im Druck). Beim Druck von Büchern und Broschüren ist z.B. darauf zu achten, dass die Laufrichtung des Papiers parallel zum Bund liegt. Die Papierbogen lassen sich auf diese Weise besser falzen und die einzelnen Seiten beim fertigen Produkt leichter umblättern.
Bei Rollenpapieren verläuft die Laufrichtung immer parallel zur Ab-

Laufweite von Text

Normale Laufweite
Unter Werbung versteht man alle Formen der gezielten und geplanten Beeinflussung von Menschen. Werbung kann im politischen, kulturellen oder wirtschaftlichen Bereich stattfinden. Der Bereich Wirtschaftswerbung kann sich auf ein Unternehmen oder eine Institution als Ganzes beziehen oder auf Produkte oder Dienstleistungen.

Gesperrter Text
Unter Werbung versteht man alle Formen der gezielten und geplanten Beeinflussung von Menschen. Werbung kann im politischen, kulturellen oder wirtschaftlichen Bereich stattfinden. Der Bereich Wirtschaftswerbung kann sich auf ein Unternehmen oder eine Institution als Ganzes beziehen oder auf Produkte oder Dienstleistungen.

Unterschnittener Text
Unter Werbung versteht man alle Formen der gezielten und geplanten Beeinflussung von Menschen. Werbung kann im politischen, kulturellen oder wirtschaftlichen Bereich stattfinden. Der Bereich Wirtschaftswerbung kann sich auf ein Unternehmen oder eine Institution als Ganzes beziehen oder auf Produkte oder Dienstleistungen.

rollrichtung. Bei Bogenpapieren, die aus einer Papierbahn herausgeschnitten werden können, unterscheidet man Schmalbahn und Breitbahn:

- *Schmalbahn:* Die Papierfasern verlaufen parallel zur längeren Seite des Papierbogens.
- *Breitbahn:* Die Fasern liegen parallel zur kürzeren Seite des Papiers.

Bei der Papierbogenbestellung ist die Dehnrichtung meistens unterstrichen oder die Maschinenrichtung ist mit einem »M« markiert oder das Papierformat ist mit den Abkürzungen SB (Schmalbahn) bzw. BB (Breitbahn) gekennzeichnet.

Laufweite

(Bereich Satztechnik) Unter der Laufweite versteht man den natürlichen Verlauf einer Schrift, bzw. den Abstand der Buchstaben zueinander, die von einem Schriftendesigner bestimmt wurde. Dieser Abstand ist durch die Dickte (Buchstabenbild) sowie Vor- und Nachbreite bestimmt. Je größer der Schriftgrad, desto lichter wird das Textbild und muss gegebenenfalls durch eine Verringerung des Abstandes korrigiert werden. Das künstliche Erweitern des Buchstabenabstandes wird als Sperren, das Verringern des Abstandes als Unterschneiden bezeichnet.

Layout
Ein Layout ist ein skizzenhaftes bis detailliertes Auslegen einer Idee für ein in der Regel zu druckendes Produkt. Ein Layout zeigt vorab die Gestaltung eines Werbemittels mit Schriften, Texten, Bildern, Formen, Farben, Anordnungen etc. Grundsätzlich unterscheidet man, je nach Perfektionsgrad, Scribble (grobe Skizze in Strichmanier), Rohlayout und Darstellungsformen als Reinlayout (Reinzeichnung), die eine nahezu perfekte Illusion des Druckes vermitteln (vgl. Pawletko, 1992, S. 10 ff. und Koschnick, 1996, S. 640):

- *Scribble (Rough):* Hier werden die ersten Ideenansätze grob und fragmentartig skizziert. Das Format des Scribbles sollte so angelegt sein, dass es mit dem Originalformat proportional übereinstimmt. Die verschiedenen alternativ angefertigten Entwürfe müssen einer kritischen Auswahl unterzogen werden, wobei man auf technische Realisierbarkeit, Harmonie und Gesamtgestaltung achten muss.
- *Rohlayout:* Die Wirksamkeit des Scribbles wird in einem Zwischenentwurf - dem Rohlayout - überprüft. Dieses Layout entspricht bereits den Maßen des Endformates, wobei Schriften, Bilder und Fotos skizziert werden. In dieser Layoutphase kann man bereits beurteilen, ob ein harmonisches Gleichgewicht zwischen Text und Bildern besteht, wie die eingesetzten Farben wirken und ob die Gestaltung den gewünschten Vorstellungen entspricht. In dieser Zwischenstufe werden entsprechende Änderungen und Korrekturen berücksichtigt und asugeführt.
- *Reinlayout (Reinzeichnung):* Auf der Grundlage der Änderungen in der Rohlayout-Phase wird das Reinlayout erstellt. Die Typographie und die Bild- und Farbkomposition werden optimiert, d. h. die Werbebotschaft wird auf das Wesentliche reduziert. Das Reinlayout soll eine exakte Vorstellung von der geplanten Druckvorlage geben.

Das Layout fixiert die Vorstellungen des Entwerfers, es dient zur Übermittlung dieser Idee an den Auftraggeber und der fachlich eindeutigen Verständigung zwischen allen am Produktions- und Kommunikationsprozess Beteiligten. Es hat exakte Vorstellungen im Hinblick auf den gedruckten Endzustand zu vermitteln. Für das Layout ist der Grafikdesigner bzw. Layouter zuständig.

Layouter/in
Ein Mitarbeiter in einer Werbeagentur oder einer Werbeabteilung, der für die Gestaltung und Herstellung von → Layouts zuständig ist.

Layoutraster
→ Corporate Design, → Gestaltungsraster

Lebensstil
→ Lifestyle

Leitmedium
→ Basismedium

Leporello
Ein kleines Faltblatt, das sich zickzackförmig auseinanderziehen lässt.

Die Zickzack-Falzung erfolgt parallel in mehreren »Brüchen« (vgl. → Falzarten)

Leporellofalz
→ Leporello

Lesemappen
→ Lesezirkelwerbung

Leser-Blatt-Bindung
In der Leserschaftsforschung versteht man darunter die emotionale Bindung und die Stärke der Verbundenheit zu einem periodisch erscheinenden Printmedium (z.B. Zeitschrift oder Zeitung) . Man geht hier davon aus, dass Werbemittel, die in Werbeträgern mit einer starken Blattbindung erscheinen, eine weitaus größere Werbewirkung haben als solche, die in Werbeträgern mit schwacher Blattbindung erscheinen. Die Leser-Blatt-Bindung wird mit Hilfe von Wertschätzungs- oder Verzichtbarkeitsskalen gemessen. Hier wird z.B. gefragt, inwieweit man das Verschwinden einer Zeitschrift vom Markt bedauern würde.

Leser pro Ausgabe (LpA)
Als Leser pro Ausgabe bezeichnet man die Leserschaft einer einzigen Ausgabe einer Zeitschrift oder einer Zeitung in ihrem Erscheinungsintervall. Im Gegensatz zur Zahl der → Leser pro Nummer (LpN), die durch Befragung ermittelt wird, ist der LpA eine Berechnung von Lese- bzw. Nutzungswahrscheinlichkeiten. Der LpA-Wert ergibt sich aus der Multiplikation der → Leser pro Exemplar (LpE) mit der verkauften Auflage eines Printtitels.

Leser pro Exemplar (LpE)
Der Leser pro Exemplar-Wert wird in der Leserschaftsforschung, ebenso wie die Zahl der → Leser pro Ausgabe (LpA), rechnerisch erhoben. Der LpE-Wert gibt die Anzahl der Nutzer an, die durchschnittlich ein Exemplar einer Zeitschrift oder einer Zeitung lesen. Der LpE-Wert errechnet sich wie folgt: die Gesamtzahl der Leser im Erscheinungsintervall eines Printmediums dividiert durch die verbreitete Auflage im Erscheinungsintervall oder anders ausgedrückt: Leser pro Ausgabe (LpA) dividiert durch die Auflage. Die Formel: LpE = Leser pro Ausgabe (LpA)/Verbreitete Auflage. Die Gesamtzahl der Leser für die Berechnung wird durch eine → Stichprobe ermittelt.

Leser pro Nummer (LpN)
In der Leserschaftsforschung bezeichnet man die Gesamtzahl der durch eine Leseranalyse ermittelten Leserschaft einer Zeitschrift oder Zeitung in einem Erscheinungsintervall als den LpN-Wert. Im Gegensatz zum → Leser pro Ausgabe (LpA) und → Leser pro Exemplar (LpE), die rechnerisch ermittelt werden, wird der LpN-Wert mittels Befragung erhoben. Der Leser pro Nummer-Wert berücksichtigt weder die → internen Überschneidungen (Kumulation) noch die → externen Überschneidungen (Quantuplikation) und kann somit nur grobe Anhaltspunkte für die Mediaplanung liefern.

Leser pro Seite (LpS)
→ Leser pro werbungführende Seite

Leser pro werbungführende Seite (LpwS)

Die gewonnenen Daten aus der Leserschaftsforschung (z.B. → Leser pro Nummer, → Leser pro Exemplar) bezogen sich lediglich auf einen Werbeträgerkontakt (z.B. bei einer Zeitschrift) und nicht auf einen Werbemittelkontakt (z.B. einer bestimmten Zeitschriftenanzeige). Werbungtreibende und Werbeagenturen forderten daher Untersuchungen, die die Werbemittel-Kontaktchance berücksichtigen. Bei der → Media-Analyse 1990 wurde daher die Maßeinheit Leser pro Seite (LpS) eingeführt, die sich auf den Kontakt mit einer durchschnittlichen Heftseite bezog. Mit der Media-Analyse 1996 wurde die Untersuchungsmethode weiter verfeinert und der LpS durch den Leser pro werbungführende Seite (LpwS) ersetzt. Als werbungführende Seite gelten alle Heftseiten, die einen Anzeigenanteil von mindestens 25% aufweisen. Der LpwS-Wert ist eine individuelle Nutzungswahrscheinlichkeit für die durchschnittliche anzeigenführende Seite eines Printmediums. Er gibt damit an, wie viele Leser durchschnittlich mit einer werbungführenden Seite Kontakt haben (Anzeigen-Kontaktchance).

Lesezirkel

→ Lesezirkelwerbung

Lesezirkelmappen

→ Lesezirkelwerbung

Lesezirkelwerbung

In Deutschland gibt es über 200 Lesezirkel-Unternehmen, die über ein besonderes Vertriebssystem sogenannte Lesemappen mehrfach vermieten. Eine Lesemappe besteht aus 7 bis 11 Publikumszeitschriften (z.B. Frauenzeitschriften, Nachrichtenmagazine). Jede dieser Zeitschriften wird mit einem zusätzlichen Schutzumschlag versehen, der als Werbefläche bzw. Anzeigenfläche genutzt werden kann. Die Mappen werden wochenweise, z.B. an Arztpraxen, Rechtsanwälte, Friseure und zu einem Großteil an private Haushalte vermietet. Die Zustellung und Abholung der Lesemappen wird vom jeweiligen Lesezirkel-Unternehmen vorgenommen. Die jede Woche neu erscheinenden Mappen werden Erstmappen genannt. Werden sie weiter vermietet spricht man von Zweit-, Drittmappen usw. Die Zeitschriftenexemplare, die im Lesezirkel verbreitet werden, können auf diese Weise eine weitaus größere Leserschaft pro Heft erreichen, als es im Einzelverkauf möglich gewesen wäre. Die Leserzirkelwerbung lässt sich lokal, regional und überregional gezielt einsetzen bzw. steuern. Neben der Werbung auf dem Lesezirkelumschlag sind folgende spezielle Werbeformen möglich:

- *Beihefter:* Prospekte werden zusätzlich zwischen Lesezirkelumschlag und der Zeitschrift geheftet.
- *Beilagen*: Informationsblätter oder Prospekte werden lose beigefügt.
- *Kataloge und Prospekte als Sonderheft:* Kataloge oder umfangreiches Prospektmaterial eines Unternehmens werden mit einem Lesezirkelumschlag versehen und als Sonderheft in Umlauf gebracht.

Lettershop
Eine Bezeichnung für Dienstleistungsunternehmen oder Unternehmensbereiche, die Beschaffungs-, Produktions- und Versandarbeiten vor allem für Direktwerbeaktionen (→ Direktwerbung, → Direct-Mail-Werbung) und den Versand von Informationsmaterial und Katalogen übernehmen. Ein Lettershop kann, je nach Angebotsbreite, u.a. folgende Leistungen anbieten: Beratung, Materialbeschaffung, Druck von Werbebriefen, Prospektmaterial und Versandumschlägen, Beschaffung und Erfassung von Adressen, Personalisierung bzw. Adressierung, Schneiden, Falzen, Kuvertieren bzw. Verpacken, Lagerhaltung, Frankieren, Auslieferung mit der Post. Ein → Fullfilment-Unternehmen oder ein entsprechender Unternehmensbereich sorgt u.a. für die Bearbeitung der Rückläufe einer Werbeaktion, für den Versand von Waren und Informationsmaterial sowie für die Rechnungsstellung.

Licensing
(Lizenzierung, Lizenzpolitik) Unter dem Begriff Licensing versteht man die Übertragung von gewerblichen Schutzrechten gegen ein entsprechendes Entgelt. Bei der Lizenzvergabe werden in der Regel vom Lizenzgeber ausschließlich Nutzungsrechte an den Lizenznehmer übertragen. Der Lizenzgeber bleibt Eigentümer des Lizenzobjektes. Die Lizenzierung ermöglicht den beiden Partnern eine Erschließung von neuen Märkten, die sonst kaum zu realisieren wäre. Eine Lizenzierung kann u.a. im Bereich der Produktion, des Vertriebes, der Warenzeichen und Ausstattungen (→ Franchising) erfolgen. Zum Licensing mit Warenzeichen gehören z.B. die Übertragung des Nutzungsrechts von geschützten Marken, Namen, Symbolen, Figuren und Logos für verschiedenartige Produkte. Folgende Bereiche lassen sich unterscheiden (vgl. Pflaum/Bäuerle, Hrsg., 1995, S. 251):

- *Brand Licensing:* Markentransfer (z.B. *BOSS*-Kleidung, -Parfum).
- *Celebrity Licensing:* Prominente (z.B. Henry Maske, James Dean, Arnold Schwarzenegger).
- *Character Licensing:* Figuren aus Film und Fernsehen (z.B. Star Wars, Disney-Figuren).
- *Event Licensing:* Veranstaltungen wie historische Stadtfeste, Ausstellungen.
- *Sport Licensing:* Sportveranstaltungen (z.B. Tennis und Motorsportgroßveranstaltungen).

Lichtfarben
→ additive Grundfarben

Lifestyle
(Lebensstil) Ein Lebensstil ist eine Sammlung von Verhaltensweisen, die sich auf das Konsum-, Medien-, Freizeit- und Sozialverhalten von Personen und Gruppen bezieht. Lifestyle ist Ausdruck einer persönlichen Selbstdarstellung z.B. mit demonstrativen Symbolen (Sportwagen, Kleidung, außergewöhnliche Freizeitaktivitäten etc.) und des Wunsches, einer bestimmten Gruppe zugehörig zu sein. Gleichzeitig ist der individuelle Lebensstil auch eine klare und gewünschte Abgrenzung

gegenüber anderen Bevölkerungsgruppen. Mit Hilfe des Kriteriums Lebensstil lassen sich Absatzmärkte in bestimmte Konsumgruppen unterteilen bzw. mögliche Zielgruppen genauer bestimmen. Kenntnisse über die Mediennutzungsgewohnheiten der Konsumenten sind ausschlaggebend für einen erfolgreichen und zielgruppengerechten Einsatz von Werbeträgern und Werbemitteln.

Das Lebensstil-Konzept lässt sich allgemein in folgendem Rahmen beschreiben (vgl. Koschnick, 1995, S. 569):

- Das *expressive Verhalten:* z.B. Freizeitaktivitäten, Konsumverhalten,
- das *interaktive Verhalten:* Formen der Geselligkeit, Freundschaftspflege, Heiratsverhalten, Nutzung von Medien,
- das *evaluative Verhalten:* Wertorientierungen, Meinungen, Einstellungen, Religiosität, parteipolitische Richtung,
- das *kognitive Verhalten:* Selbstidentifikation, Gruppenzugehörigkeit, Wahrnehmung der sozialen Welt etc.

Die Lifestyle-Forschung ermittelt Persönlichkeitstypen und beschreibt sie anhand von Lebensstil, Konsum- und Medienverhalten, soziodemographischen Daten sowie anhand ihrer Einstellungen, Meinungen und Wünsche. Mehrere europäische Marktforschungsinstitute bieten Lebensstil-Untersuchungen an. Verschiedene bundesdeutsche Verlage haben ebenso bestimmte Lifestyle-Typologien vorgelegt. Da die Lifestyle-Forschung in Deutschland besonders bei der Werbeagentur *Michael Conrad & Leo Burnett* eine lange Tradition hat, soll ihre Typologie als Beispiel vorgestellt werden. In regelmäßigen Abständen führt sie eine Lebensstil-Studie durch, die die bundesdeutsche Bevölkerung ab 14 Jahren repräsentiert. Die Lebensstile sind in drei grobe Kategorien (traditioneller, moderner und gehobener Lebensstil) unterteilt. Folgende Angaben in Prozent entsprechen dem Anteil an der Gesamtbevölkerung (Michael Conrad & Leo Burnett, 1991):

Traditionelle Lebensstile:

- *Erika* »Die aufgeschlossene Häusliche« (10 %): Erika blickt auf ein pflichterfülltes Leben als traditionelle Hausfrau und Mutter zurück. Sie legt Wert auf ein gepflegtes, bürgerliches Heim und hält mit Umsicht und Stärke ihre Familie zusammen. Ihre Haltung ist bestimmt von konservativen Werten, wie Gehorsam, Fleiß und Sparsamkeit. Sie möchte nicht aus dem Rahmen fallen, aber ist doch offen für neue Erfahrungen und aktuelle Themen der Zeit.
- *Erwin* »Der Bodenständige« (13 %): Erwin hat in Jahrzehnten harter Berufsarbeit als Facharbeiter, Meister oder Landwirt für sich und die Seinen bescheidenen Wohlstand erreicht. Er ist der Ernährer und damit Oberhaupt seiner Familie. Für sich selbst ist er eher anspruchslos, steht mit beiden Beinen mitten im Leben und hat über alles seine unverrückbare Meinung.
- *Wilhelmine* »Die bescheidene Pflichtbewußte« (14 %): Ausge-

prägter Frauentyp, deutlich über 60 Jahre, kleine Haushalte mit bescheidenem Einkommen. Wilhelmines Grundeinstellungen sind geprägt von den tugendhaften Werten der »guten alten Zeit« und von den Verzichtserfahrungen der Nachkriegszeit. Pflichterfüllung, Höflichkeit, Bescheidenheit und die Selbstbeschränkung stehen im Vordergrund. Sie lebt zurückgezogen in kleinem privaten Lebensraum. Gesellschaftliche und technische Neuerungen erreichen sie nicht mehr.

Moderne Lebensstile:

- *Michael und Michaela* »Die Aufstiegsorientierten« (8 %): Michael und Michaela sind die selbstbewussten Vertreter der modernen Konsum- und Leistungsgesellschaft. Sie eröffnet ihnen die Chance, sich aus ihren ursprünglichen »kleinen Verhältnissen« emporzuarbeiten und damit materielle Unabhängigkeit und sozialen Status zu erreichen. Deshalb sind Erfolg und Selbstverwirklichung im Beruf wichtiger, als Familie und Freizeit. Doch ihr Ehrgeiz ist keineswegs verbissen: sie möchten ihr Leben auch genießen.
- *Tim und Tina* »Die Fun-orientierten Jugendlichen« (7 %): Als Nach-68er-Generation sind Tim und Tina in gesichertem Wohlstand und in einem liberalen Klima aufgewachsen, sehen sich aber auch mit Endzeitvisionen konfrontiert. Nachdenklichkeit ist dennoch nicht ihre Sache, sie leben ganz im Hier und Jetzt. Das Leben, inklusive Job, soll Spaß machen. Verstaubte Moralvorstellungen lehnen sie ab. Selbstbewusstsein, eine eigene Meinung oder Lebensperspektive sind noch wenig ausgeprägt. Arbeit und Ausbildung sind weniger wichtig als erlebnisintensive Freizeit und Unterhaltung.

- *Martin und Martina* »Die trendbewussten Mitmacher« (5 %): Martin und Martina sehen ihren wesentlichen Lebensinhalt in Freizeitaktivitäten und Luxuskonsum. Im Beruf zeigen sie nicht viel Engagement, auch wenn sie von schnellem Erfolg, Geld und Karriere träumen. Sie stammen häufig aus kleinen und unscheinbaren Verhältnissen. Mit prestigeträchtigen Autos, Hobbys, Reisen oder modischem Outfit und auffälligen Accessoires versuchen sie, auf sich aufmerksam zu machen und dadurch Ansehen zu gewinnen. Sie brauchen diese Art Selbstbestätigung und den Lustgewinn, um innere Leere und Versagensängste zu überdecken.
- *Monika* »Die Angepasste« (8 %): Monika begeistert sich für alles, was mit Mode und Kosmetik zu tun hat. Auch für Lovestorys, den neuesten Hit oder Ratschläge in Ehe- und Erziehungsfragen zeigt sie großes Interesse. Sie möchte gerne dazugehören, d.h. die neuesten Trends kennen, viele Dinge besitzen und stets jugendlich-kokett gekleidet sein. Dabei achtet sie mehr auf Aktualität und Preis, als auf Qualität. Ein Einkaufsbummel, Träume von der Luxusyacht, der Prachtvilla oder dem

Märchenprinzen und andere »kleine Fluchten« sind die willkommene Abwechslung in ihrem oft unscheinbaren Alltag, der sich meist um die klassischen weiblichen Aufgaben, wie Hausfrauen- und Mutterpflichten dreht.

- *Eddi* »Der Coole« (7 %): Eddi möchte sich von niemandem etwas sagen lassen, so wie es sich für einen richtigen Mann gehört. Er liebt Action und Abenteuer, sei es auch nur überwiegend im Kino oder vor dem Fernseher. In seiner Freizeit lebt er auch gern in den Tag hinein und tut einfach gar nichts. Seine Interessen gelten dem Auto, Motorrad, Computer und vielen technischen Spielereien sowie Bodybuilding und Sportveranstaltungen. Er hat zwar nicht sehr viel Geld zur Verfügung, aber was er hat, gibt er locker aus.
- *Ingo und Inge* »Die Geltungsbedürftigen« (8 %): Unisex-Typ, jüngere bis mittlere Altersgruppen, geringe bis mittlere Bildung, eher niedriges Berufsniveau, in allen Berufsgruppen vertreten. Die beiden sind mit ihrem Leben nicht besonders zufrieden. Ihre private und berufliche Lebensbilanz ist negativ. Dem Gefühl, um das Leben betrogen zu sein, stehen Träume vom »besonderen Leben« mit Geld, Luxus und Prestige gegenüber. Sie klammern sich an Moden und Trends. Sie versuchen über Statussymbole Geltung zu erlangen.

Gehobene Lebensstile:

- *Frank und Franziska* »Die Arrivierten« (7 %): Frank und Franziska repräsentieren die erfolgreichen, angesehenen und von sich selbst überzeugten Bildungsbürger. Vor dem Hintergrund ausgeprägter Leistungsbereitschaft sind sie mit ihrem hohen Kenntnis- und Erfahrungsstand die Stützen von Wirtschaft, Politik, Technik und Forschung. Ihre konservative-vernunftbetonte Weltsicht hat sich durch neue An- und Einsichten erweitert. Umwelt- und gesundheitsbewusstes Verhalten sowie ein dezent-modisches Auftreten sind ebenso wichtig, wie Toleranz in der Partnerschaft, geistige Beweglichkeit und materieller Erfolg.
- *Claus und Claudia* »Die neue Familie« (7 %): Ein partnerschaftliches und lebendiges Familienleben ist für Claus und Claudia der sinnstiftende Lebensinhalt. Das gesellschaftspolitische Engagement ihrer alternativen Vergangenheit bestimmt ihre Ideale von einer neuen Qualität des Privatlebens, die sie selbstbewusst und unverkrampft zu verwirklichen suchen. Dies betrifft die eigene Selbstentfaltung ebenso, wie die Beziehung zum Lebensgefährten, zu den Kindern und zu Freunden oder die gelebte Rücksichtnahme auf Natur und Umwelt.
- *Stefan und Stefanie* »Die jungen Individualisten« (6 %): Unisex-Typ mit dominierendem Männeranteil, jüngere Altersgruppen bis 30 Jahre, hoher Bildungsstand, Herkunft aus sozial gehobenen Schichten. Sie repräsentieren einen neuen Intellektuellen-Typ. Öko-Bewusstsein und kritische Beobachtung des gesellschaftlichen Geschehens

auf der einen sowie ein extrovertierter Lebensstil, lustvolle Freizeit und frech-extravagantes Outfit auf der anderen Seite, erleben sie nicht als Widerspruch. »Haben, Sein und Geniessen» ist ihr selbstverständlicher Anspruch. Sie verfügen über klare Lebenspläne und verfolgen diese zielstrebig.

Lifestyle-Forschung
→ Lifestyle

Lifestyle-Typologie
→ Lifestyle

light-weight coated paper
→ LWC-Papiere

l/inch
→ Raster, → Rasterpunkt

Lines per Inch
→ Raster, → Rasterpunkt

Linien pro Zentimeter
→ Raster, → Rasterpunkt

Link
→ Hyperlink

Listbroker
→ Listbroking

Listbroking
(Listbroker, Adressenverlag, Adressverlag) Die Vermittlung von Adressmaterial an ein werbungtreibendes Unternehmen im Rahmen des → Database-Marketing durch einen Dienstleister (Listbroker). Der Listbroker berät das Unternehmen bezüglich der Zielgruppen- bzw. Adressenauswahl (z.B. für eine → Direktwerbung) und stellt die Adressen zur ein- oder mehrmaligen Nutzung gegen ein entsprechendes Entgelt zur Verfügung.

Live-Werbung
→ Fernseh- und Hörfunkwerbung

Lizenzierung
→ Licensing

Lizenzmarke
→ Markenarten

Lizenzpolitik
→ Licensing

Logo
Ein Signet bzw. eine grafische Darstellung einer Marke (eines Markennamens), einer Firmenbezeichnung oder einer sonstigen Institution. Das Logo sollte eigentümlich und möglichst unverwechselbar in Farbe, Form und Wirkung sein, um sich bei Kommunikationsmaßnahmen eindeutig von anderen Werbungtreibenden abzugrenzen und um bei den Zielgruppen eine schnelle Wiedererkennung des Zeichens zu erreichen.

Low-Interest-Produkt
(Low-Involvement-Produkt) Der Verbraucher differenziert bei der Entscheidung für Konsumgüter in der Regel zwischen Produkten mit großem Interesse (→ High-Interest-Produkt/High-Involvement-Produkt), z.B. Auto, Farbfernseher, Stereoanlage, und Produkten mit eher geringem Interesse (Low-Interest-Produkt/Low-Involvement-Produkt), wie Zahnpasta, Seife, Taschentücher. Low-interest-Produkte sind meistens

dem Bereich der → Convenience Goods zuzurechnen. Low-Involvement-Käufe sind für den Verbraucher eher unwichtig, so dass sie der Kaufentscheidung keine besondere Bedeutung beimessen und sich auch nicht entsprechend informieren. Eine Werbung, die auf diese passiven Konsumenten gerichtet sein soll, muss aufmerksamkeitsstark sein und wiederholt und massiv ihre Botschaft übermitteln. (vgl. Koschnick, 1997, S. 955 f.)

Low-Involvement-Produkt
→ Low-Interest-Produkt

LpA
→ Leser pro Ausgabe

LpE
→ Leser pro Exemplar

lpi
→ Raster, → Rasterpunkt

LpN
→ Leser pro Nummer

LpS
→ Leser pro werbungführende Seite

LpwS
→ Leser pro werbungführende Seite

LWC-Papiere
(light weight coated paper) Ein Sammelbegriff für leichte, beidseitig gestrichene und holzhaltige Papiere mit einem Gewicht von unter 72 g/qm. LWC-Papiere sind für Zeitschriften, Versandhauskataloge und Werbebroschüren geeignet, bei denen ein möglichst geringes Gewicht zwecks Portokosten gefordert ist.

M

MA
→ Media-Analyse

Magenta
→ Prozessfarben

Magnetbildaufzeichnung (MAZ)
Eine Bezeichnung aus der Fernseh- und Videoproduktion für die Technik der magnetischen Bildaufzeichnung sowie für das bespielte Magnetband.

Mailbox
Eine Mailbox ist eine Art »elektronischer Briefkasten«. Hier können digitale Daten und Nachrichten abgelegt und jederzeit abgerufen werden. Ein Anbieter, z.B. ein Bücherversand, mietet einen speziellen Speicherplatz beim Server (ein zentraler Computer) einer Internet-Dienstleistungsfirma. Ein Kunde ruft nun per Computer und Internet Informationen von der Mailbox ab oder versendet eine Nachricht oder eine Bestellung dorthin. Die eingehende »elektronische Post« kann vom Betreiber der Mailbox sofort abgerufen werden. (vgl. → Electronic Mail)

Mailing
→ Direct-Mailing

Main Benefit
→ Copy-Analyse

Makrotypographie
→ Typographie

Makulatur
Fehldrucke bei der Druckproduktion, die während des Einrichtens einer Druckmaschine, während des probeweisen Druckvorgangs oder auch mangelhafte Drucke, die beim → Fortdruck anfallen.

Malstaffel
→ Anzeigenrabatt

Manipulationseffekt
→ Bilder, bildhafte Darstellungen

Manuskript
Ein Manuskript ist eine für die Satzherstellung benötigte Textvorlage. Um eine reibungslose und kostengünstige Satzerstellung zu ermöglichen, sind bestimmte Vorgaben und Anweisungen für den Autor bzw. Lieferant des Manuskriptes notwendig (vgl. Teschner, 1995, S. 231 f.):

- weißes Schreibpapier im Format DIN A4, evtl. Manuskriptvordrucke mit satzspezifischer Einteilung,
- 1,5fache Zeilenschaltung,
- gut lesbare Maschinenschrift,
- Blätter nur einseitig beschreiben,
- breiter Rand an beiden Seiten zum Abheften sowie für Hinweise oder Korrekturen lassen,

- Seiten fortlaufend nummerieren,
- Korrekturen gemäß DIN 16511 in deutlicher Schreibweise,
- möglichst wenige Korrekturen im Manuskript vornehmen, evtl. Seite nochmals eindeutig schreiben,
- einheitliche Schreibweise für Abkürzungen, Namen usw. festlegen und verwenden,
- deutliche Vermerke und Hinweise auf Bilder, Zeichnungen, Tabellen und Erläuterungen,
- Anzahl der Zeichen pro Manuskriptzeile möglichst entsprechend der Anzahl der Zeichen im gedruckten Zustand, d.h. satzidentisches Manuskript.

Marginalien

Marginalien sind Randbemerkungen und haben im Prinzip eine ähnliche Funktion wie Fußnoten. Sie sind am linken bzw. rechten Außenrand eines Textes platziert und stehen außerhalb des eigentlichen Satzspiegels. Bei den Marginalien kann es sich um einzelne Worte oder kleine Texte handeln, die z.B. in speziellen Fachbüchern ein schnelles Auffinden wichtiger Textstellen ermöglichen.

Marke

→ Markenpolitik, → Markenarten, → Markenzeichen

Markenarten

Die Einführung von Marken und damit die Markierung von Produkten gibt einem Unternehmen die Möglichkeit, sich bei den Verbrauchern zu profilieren und sich gegenüber den Wettbewerbern abzuheben. Folgende Arten einer Markierung können dabei zum Einsatz kommen:

- *Dachmarke (Herstellermarke):* Eine Unternehmensmarke (z.B. *Sony, Bosch, Henkel)*, die oft in Verbindung mit Einzelmarken verwendet wird.
- *Einzelmarke (individuelle Marke):* Eine Produktmarke (z.B. *Sunil, Pritt*).
- *Zweitmarke:* Neben der Hauptmarke eine vereinfachte Variante des Produkts zu einem niedrigeren Preis, bei dem der Hersteller die Herkunft aus demselben Hause meist nicht preis gibt.
- *Markenfamilie:* Ein Produktfamilienname (z.B. *Bosch*-Handwerkergeräte).
- *Handelsmarke:* Eigene Marken von Handelsketten, wie SB-Warenhäusern, Kaufhäusern und Supermarktketten. Die Handelsunternehmen sind bestrebt, sich mit ihren eigenen Produkten bzw. ihren Handelsmarken im Markt zu behaupten. Die Handelsmarken von Freiwilligen Ketten oder von Einkaufsgemeinschaften bezeichnet man auch als Verbundmarken. Gattungsmarken bzw. Generics (No Names, markenlose Produkte, weiße Produkte) sind ebenso eine Form von Handelsmarken. Hierbei handelt es sich um Niedrigpreisartikel, die in einer einfachen, meistens weißen Verpackung vertrieben werden und bei denen nur die gesetzlich vorgeschriebenen Angaben und die Produktbezeichnung aufgedruckt sind.
- *Lizenzmarke:* Der Erwerb von Nutzungsrechten an einer bereits vorhandenen Marke eines anderen Unternehmens für die Markierung der eigenen Produkte.

Markenartikel
Markenartikel zeichnen sich dadurch aus, dass sie standardisiert sind, d.h., dass alle bedeutenden Merkmale des Produktes über einen längeren Zeitraum nicht verändert werden. Dies gilt insbesondere für die meist hohe Produktqualität. Markenartikel verfügen über ein positives, qualitativ hohes Image, welches durch intensive werbliche Aktivitäten bewirkt und erhalten wird. Jeder Markenartikel ist in einem festgelegten Distributionssystem erhältlich, auch der Preis ist relativ konstant.

Marken-Erinnerungswert
→ Copy-Test

Markenfamilie
→ Markenarten

Markenimage
→ Image

Markenpolitik
Die Markenpolitik ist Teil der Produktpolitik bzw. des Produktmix. Zur Markenpolitik gehören alle unternehmerischen Entscheidungen und Maßnahmen, die mit der Markierung (Branding) von Produkten in Verbindung stehen. Unter Markierung versteht man die eigentümliche Kennzeichnung eines Produktes, um sich von den Konkurrenten deutlich abzugrenzen. Hierzu gehören die Kennzeichnung des Produktes mit einem in der Regel geschützten Warenzeichen, eine Normierung von Menge, Verpackung und Gewicht, ein garantierter Qualitätsstandard, der Vertrieb innerhalb eines größeren Marktgebietes und der Einsatz von Werbemaßnahmen. Zur visuellen Markierung von Produkten, gehören folgende Elemente:
- der *Markenname (brand name)* zur verbalen Identifizierung,
- das *Markenzeichen (brand mark)* und
- das *Markendesign* zur raschen Wiedererkennung.

Man unterscheidet verschiedene Arten der Markierung: z.B. Dach-, Einzel-, Zweit- und Handelsmarke (vgl. → Markenarten).

Markenzeichen
Der grafische Teil einer Marke, der z.B. als Symbol oder als stilisierte Buchstabenkombination in Form und Farbe eigentümlich und unverwechselbar gestaltet ist.

Marketing
Unter Marketing versteht man eine Unternehmensphilosophie, die das Führen eines Betriebes vom Absatzmarkt her zum Gegenstand hat, d.h. ein Unternehmen soll nach den Wünschen der Nachfrager geführt werden. Dabei sollen für das Unternehmen Gewinn und für die Nachfrager ein optimaler Nutzen erzielt werden. Marketing umfasst den Planungs- und Durchführungsprozess der Konzeption, der Preisgestaltung, der Promotion und der Distribution von Ideen, Produkten und Dienstleistungen. Der Begriff Marketing umfasst dabei jedoch nicht nur die Deckung einer vorhandenen Nachfrage, sondern auch das Erschließen von neuen Märkten, d.h. die »Produktion« von zusätzlicher Nachfrage. Der Marketing-Begriff steht in

Marketingprozess

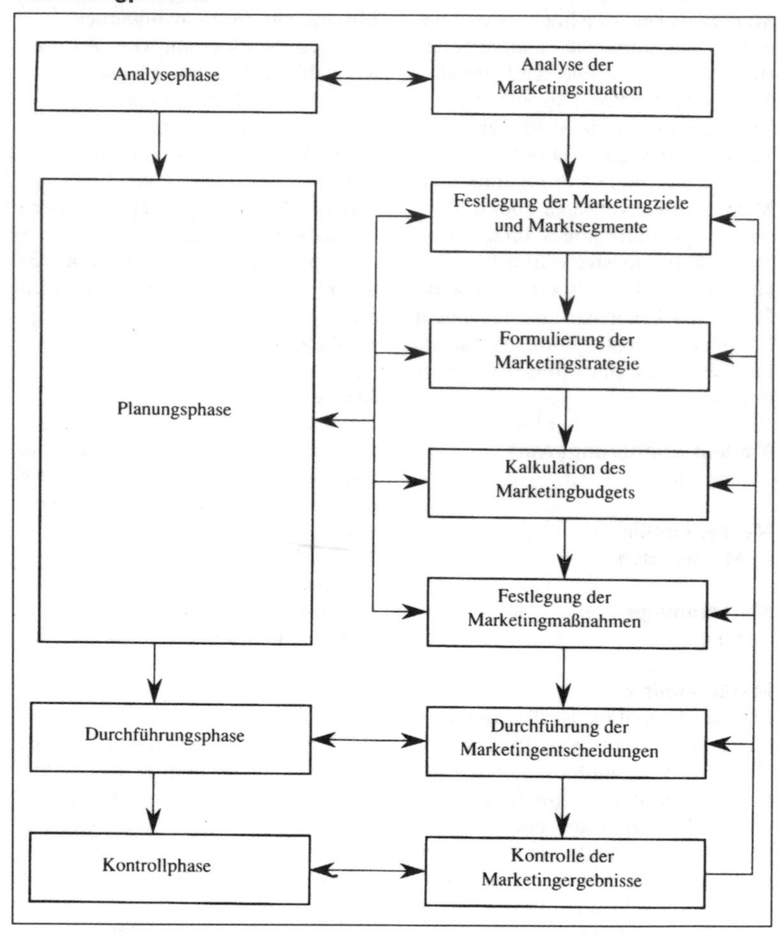

Marketing als Managementprozess (Quelle: Bruhn, 1997, S. 40)

der Regel für das Absatzmarketing (Business Marketing) eines Unternehmens. Hier unterscheidet man z.B. zwischen (vgl. Zentes, 1996, S. 249 f.):

- *Konsumgütermarketing,*
- *Investitionsgütermarketing,*
- *Dienstleistungsmarketing,*
- *Handelsmarketing,*
- *Bankenmarketing.*

Neben der Differenzierung nach Branchen unterscheidet man zwischen:

- *nationalem,*
- *Euro- und*
- *internationalem Marketing.*

Auch in anderen betrieblichen Bereichen kommt das Marketing zum Einsatz. Hier spricht man z.B. vom

- *Beschaffungsmarketing und*
- *Personalmarketing.*

Daneben wird das Marketingkonzept auch von nicht-kommerziellen Unternehmen und Organisationen, wie z.B. Wohlfahrtsverbänden, Umweltschutzorganisationen und Parteien angewandt. Hier spricht man von Non-Business-Marketing (z.B. → Social-/Sozio- und Öko-Marketing).

Marketingforschung

Der Begriff Marketingforschung wird in der Marketingliteratur überwiegend als ein übergeordneter Begriff verstanden. Man bezeichnet damit die Ermittlung und Analyse von jeglichen Informationen, die für Entscheidungen im Bereich des Marketing wichtig sind. Die Informationssammlung und Analyse kann sich dabei im Rahmen der → Sekundärforschung auf bereits verfügbare Daten beziehen (z.B. Auswertung von Statistiken) oder im Bereich der → Primärforschung eine Neuerhebung von Daten (z.B. Befragung von Konsumenten) erforderlich machen. Die Marketingforschung ist ein Kommunikationssystem, durch welches Marktinformationen zum anbietenden Wirtschaftsunternehmen zurückübermittelt werden. Die → Markt- und → Absatzforschung sind Teil der Marketingforschung. Die Begriffe Marketingforschung, Absatzforschung und Marktforschung werden in der Fachliteratur oft synonym verwendet, obwohl eine Abgrenzung gegeben ist.

Nach *Meffert* ist es die Aufgabe der Marketingforschung, folgende Daten zu liefern (Weis, 1995, S. 92):

- Informationen zur Beurteilung der Marketingsituation,
- Informationen für die Zielplanung und Zielerreichung,
- Informationen für die Planung und Kontrolle des Einsatzes der marketingpolitischen Instrumente,
- Informationen zur Analyse und Prognose der Kosten.

Siehe Abbildung auf folgender Seite.

Marketinginstrumente

Als Marketinginstrumente bezeichnet man alle Maßnahmen, die einem Anbieter von Gütern oder Dienstleistungen zur Erreichung seiner Marketingziele zur Verfügung stehen. Hierzu gehören nicht nur die Instrumente der Absatzbeeinflussung, wie die → Kommunikationspolitik, sondern auch Instrumente der Informationsbeschaffung, wie die → Marketingforschung. Die Marketinginstrumente der Aktionsseite des Marketing lassen sich wie folgt differenzieren:

- → *Produktpolitik*, »product« (Produkt-Mix),
- → *Preispolitik* oder auch Kontrahierungspolitik genannt, »price«, (Kontrahierungs-Mix),
- → *Distributionspolitik*, »place« (Distributions-Mix) und
- → *Kommunikationspolitik*, »promotion« (Kommunikations-Mix).

Prozess der Marketingforschung

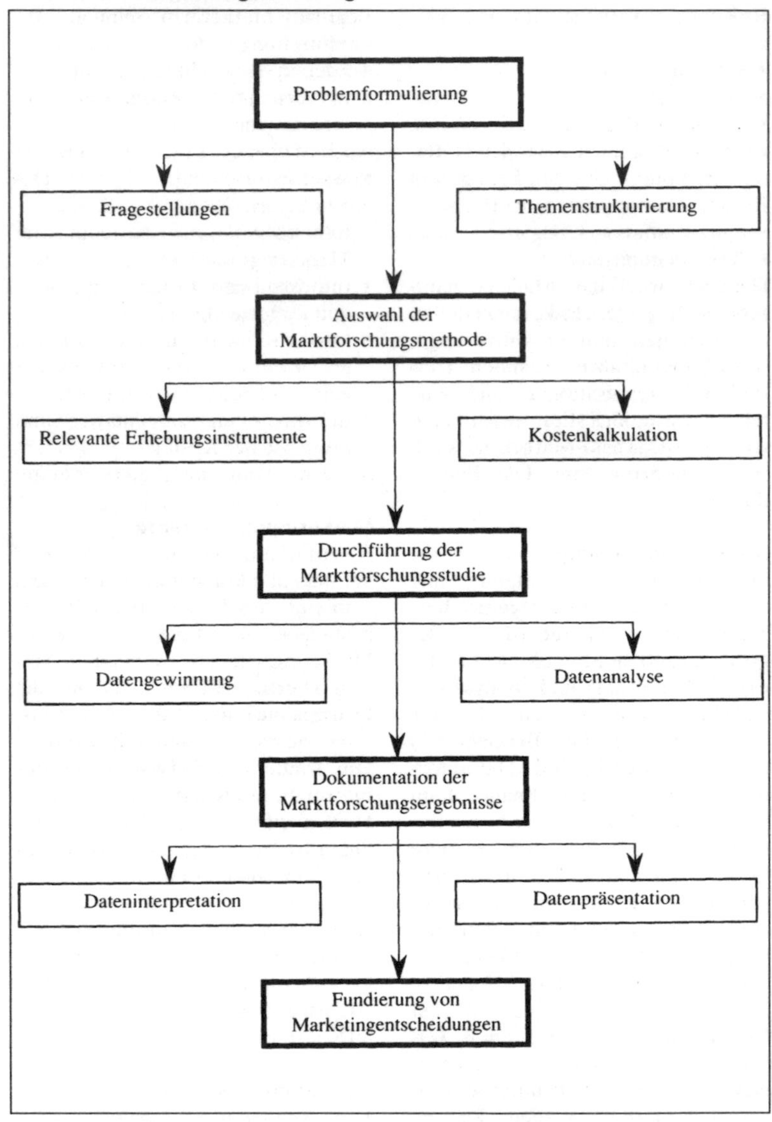

Prozess der Marketingforschung (Quelle: Bruhn, 1997, S. 94)

Marketingkommunikation
→ Kommunikationspolitik

Marketingkonzepte
Ziele des Marketing sind, die Wünsche und Bedürfnisse der Verbraucher zu befriedigen sowie die Unternehmensziele zu erreichen. Dabei müssen Informationen über den relevanten Markt ermittelt werden (Marktinformationsbeschaffung) sowie die marketingpolitischen Instrumente entsprechend abgestimmt zum Einsatz kommen. Um die Unternehmensaktivitäten systematisch und gezielt zu steuern, bedarf es eines Marketingkonzeptes. *Kotler* (Kotler, 1988) unterscheidet die folgenden Konzepte (vgl. Weis, 1995, S. 24 ff.):

- *Produktionskonzept:* Beim Produktionskonzept achtet man auf die größtmögliche Qualität und Güte der Produkte und bringt sie möglichst preiswert auf den Markt. Das Motto lautet hier: »Gute Produkte verkaufen sich von selbst.« Der Schwerpunkt liegt dabei auf einer optimalen Produktion.
- *Produktkonzept:* Beim Produktkonzept legt man großen Wert auf die beste Qualität, das beste Design und damit insgesamt die beste Gegenleistung zu erbringen. Die Produkte müssen somit ständig modernisiert, aktualisiert und verbessert werden.
- *Verkaufskonzept:* Das Verkaufskonzept oder auch traditionelles Marketingkonzept genannt, legt das meiste Gewicht auf den Verkauf, die Werbung und die Verkaufsförderung. Die Produktpalette eines Unternehmens ist der Ausgangspunkt, um mit den eben genannten Mitteln Kunden bzw. Käufer zu finden.
- *Integriertes Marketingkonzept:* Hier werden alle Funktionen des Unternehmens systematisch auf den Absatzmarkt ausgerichtet. Ein koordiniertes und abgestimmtes Konzept ermöglicht erst ein erfolgreiches und ökonomisches Marketing. Synergieeffekte, d.h. die Gesamtwirkungen der Maßnahmen sind größer als die Summe der Teilwirkungen, können nur durch ein gezieltes Marketingkonzept, das das gesamte Unternehmen beeinflusst, erreicht werden.
- *Nicht-integriertes Marketingkonzept:* Beim nicht-integrierten Marketingkonzept sind die einzelnen Aktivitäten nicht gegenseitig abgestimmt und koordiniert. Eine effiziente Einwirkung auf den Absatzmarkt ist somit nicht möglich.
- *Social-/Sozio-Marketing:* Die Frage nach der gesellschaftlichen Verantwortung dehnte den Marketinggedanken aus und führte zum → Social- oder Sozio-Marketing.

Das traditionelle Marketingkonzept entstand aus dem Umstand heraus, Käufer für bereits vorhandene Produkte finden zu müssen. Das moderne Marketingkonzept hingegen ermittelt die Wünsche und Bedürfnisse der Abnehmer vor der betrieblichen Produktion. Das Marketing beeinflusst damit alle unternehmerischen Entscheidungen von Anfang an.

Marketing-Mix
Das absatzbezogene → Marketing wird unter Einsatz des Marketing-

Marketing-Mix

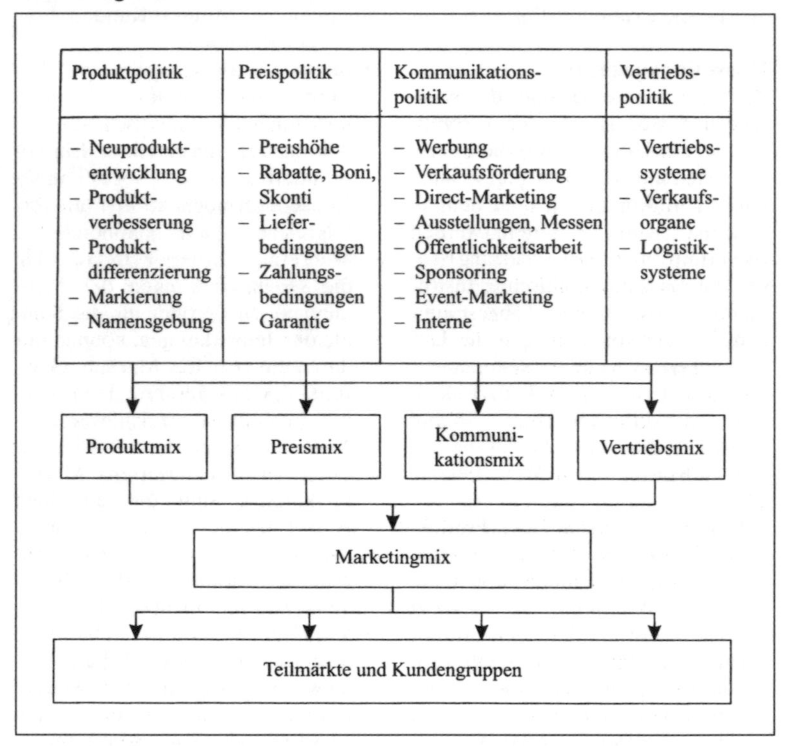

Marketinginstrumente und Marketing-Mix (Quelle: Bruhn, 1997, S. 31)

Mix betrieben. Unter dem Begriff Marketing-Mix versteht man die von einem Unternehmen oder einer Organisation festgelegte Auswahl, Gewichtung und Ausgestaltung der vier absatzpolitischen Instrumente: der → Produktpolitik (Produkt-Mix), der → Preispolitik bzw. Kontrahierungspolitik (Kontrahierungs-Mix), der → Distributionspolitik (Distributions-Mix) und der → Kommunikationspolitik (Kommunikations-Mix).

Marketingstrategie

Um seine Marketingziele zu erreichen, muss sich ein Unternehmen einen Maßnahmenkatalog und Verhaltensgrundsätze aufstellen bzw. eine Marketingstrategie entwickeln. Marketingstrategien sind längerfristig festgelegte Aktivitäten, die ein erfolgreiches Agieren am Markt ermöglichen sollen.

Ein Unternehmen kann sich z.B. zwischen den folgenden Strategien in Bezug auf das Gesamtmarketing entscheiden (Weis, 1995, S. 55 ff.):

- *Differenzierungsstrategie*, mit der man sich gezielt von den Wettbewerbern abgrenzen möchte.
- *Anpassungsstrategie*, mit deren Hilfe man sich an die Konkurrenz angleichen möchte.

Abgesehen von der grundlegenden strategischen Ausrichtung der Differenzierung oder Anpassung ist die Marktabdeckung bzw. Marktbearbeitung zu definieren. Hier unterscheidet man (Weis, 1995, S. 56 f.):

- *Undifferenzierte Marketingstrategie*, mit der man aus wirtschaftlichen Gründen den gesamten Markt abdecken will.
- *Differenzierte Marketingstrategie*, hier wird der Gesamtmarkt in verschiedene Segmente aufgeteilt, die jeweils mit individuellen Marketingstrategien angesprochen werden.
- *Konzentrierte Marketingstrategie*, mittels dieser Strategie beschränkt man sich auf einige wenige Segmente eines Marktes.

Entsprechend der festgelegten Marketingziele sind weitere unternehmerische Entscheidungen erforderlich, die z.B. in einer Wachstums-, Stabilisierungs- oder Schrumpfungsstrategie (z.B. schrittweise Aufgabe eines bestimmten Marktes oder Reduzierung eines bestehenden Produktprogrammes) münden.

Marketingziele

Die Marketingziele sind von den übergeordneten Unternehmenszielen (z.B. Umsatzwachstum, Ausbau des Vertriebssystems) abzuleiten. Bei den Marketingzielen unterscheidet man grundsätzlich zwischen quantitativen bzw. ökonomischen und qualitativen bzw. psychologischen Zielen (vgl. Bruhn, 1997, S. 29):

Ökonomische Marketingziele, z.B.:

- Gewinn (Umsatz abzüglich der gesamten Kosten),
- Rendite (Gewinn in Relation zum eingesetzten Kapital),
- Absatz (Anzahl verkaufter Mengeneinheiten),
- Umsatz (zu Verkaufspreisen bewertete und abgesetzte Mengeneinheiten),
- Marktanteil (Unternehmensumsatz oder -absatz in Relation zum Gesamtmarkt oder -absatz),
- Distributionsgrad (Grad der Präsenz von Produkten in bestimmten Einkaufsstätten).

Psychologische Marketingziele, z.B.:

- Bekanntheitsgrad (Wissen über Unternehmen, Marken und Produkte),
- Image, Einstellung (Meinungen über Unternehmen, Marken und Produkte),
- Informationsstand (Wissen über bestimmte Produktmerkmale),
- Kundenbindung (Wiederkauf von Marken bzw. Produkten),
- Kundenzufriedenheit (Beurteilung der Leistung und der Qualität der Produkte eines Unternehmens).

(vgl. → Kommunikationsziele)

Markierung

→ Markenpolitik

Marktforscher/in

Der Marktforscher ermittelt und analysiert Informationen bzw. Daten zur Lösung von Marketing-Problemen. Hierzu gehört z.B. die Ermittlung von Meinungen und Wünschen innerhalb der Zielgruppe oder die Suche nach Informationen bezüglich einer Verbesserung eines Produkts. Marktforscher arbeiten in größeren Unternehmen, in größeren Werbeagenturen oder in Marktforschungsinstituten. (vgl. → Werbe- und Medienberufe - Berufs- und Tätigkeitsfelder)

Marktforschung
Teil der → Marketingforschung, der die zielbewusste und systematische Untersuchung eines konkreten Marktes, d.h. die Ermittlung von Informationen über den Absatz- sowie über den Beschaffungsmarkt abdeckt. Die Informationssammlung der Gegebenheiten am Markt, dient als Grundlage für die beschaffungs- und absatzpolitischen Unternehmensentscheidungen.
Die Begriffe Marketingforschung, Absatzforschung und Marktforschung werden in der Fachliteratur oft synonym verwendet, obwohl eine Abgrenzung gegeben ist. (vgl. → Absatzforschung)

Marktforschungsinstitut
Marktforschungsinstitute sind in der Regel in der Lage, sämtliche Arten von Untersuchungen im Rahmen der → Marketingforschung durchzuführen. Hierzu zählen z.B. (vgl. Tacke, 1998, S. 4):

- Grundsatzstudien auf Märkten oder Teilmärkten von Konsum- und Industriegütern.
- Untersuchung von Meinungen, Einstellungen, Wünschen, Bedürfnissen, Erwartungen und Befürchtungen von Personen gegenüber Produkten, Marken, Dienstleistungen und Herstellern.
- Ermittlung von Verwenderraten, Käuferanteilen und deren Veränderungen sowie Bestimmung der Markentreue.
- Ermittlung des Bekanntheitsgrades und des Images von Marken, Produkten und Unternehmen.
- Produkt-, Preis-, Verpackungs-, Markt- und Werbetests.
- Werbemittel- und Kommunikationstests.
- Untersuchung von Leserschaftsstrukturen.
- Untersuchung von allen Bereichen und Stufen des Vertriebsprozesses vom Hersteller über den Handel bis zum Endverbraucher.
- Werbewirkungskontrollen.

Marktsegmentierung
Wenn ein Gesamtmarkt in einzelne, abgrenzbare und homogene Bereiche unterteilt wird, um einen gezielten Marketing-Mix in diesen Teilmärkten einzusetzen, spricht man von Marktsegmentierung. Die jeweiligen Zielgruppen der Teilmärkte können besser und gezielter angesprochen werden, da sie durch die Segmentierung in ihren Wünschen und Bedürfnissen gleichartiger bzw. homogener sind, wie im gesamten Markt. Bei der Marktsegmentierung wird in der Regel unterschieden in (vgl. Weis, 1995, S. 59 f.):

- *Geographische Segmentierung:* Der Gesamtmarkt wird z.B. nach Bundesländern unterteilt.
- *Sozio-demographische Segmentierung:* Bei dieser Segmentierung wird der Markt nach Geschlecht,

Alter, Einkommen, Beruf, Ausbildung usw. abgegrenzt.
- *Psychographische Segmentierung:* Die Käufer werden mit der Hilfe von psychologischen Kriterien unterschieden, z.B. nach Persönlichkeitsmerkmalen und Lebensgewohnheiten (Lifestyle-Konzept). (vgl. → Lifestyle)

Markttest
Der Markttest ist ein umfangreiches Feldexperiment. Neue oder veränderte Produkte werden probeweise auf einem räumlich abgegrenzten Markt (Ladentests, lokale oder regionale Testmärkte) verkauft. Begleitet werden diese Tests auch von gezielten Werbe- und Verkaufsförderungsmaßnahmen in diesem abgegrenzten Markt. Man erhofft sich dadurch Erkenntnisse über die Marktchancen und die zweckmäßige Ausgestaltung des Marketing-Mix bzw. die Wirkung von einzelnen Marketingmaßnahmen bei einer geplanten endgültigen Einführung auf dem Gesamtmarkt. Ein Kontrollmarkt, der zu Vergleichszwecken herangezogen werden kann, ist hier sinnvoll. Das gesamte Marktverhalten z.B. hinsichtlich der Durchsetzung von Preisen, der Produktakzeptanz und der bereits erwähnten Wirkung von Kommunikationsmaßnahmen soll mit Hilfe des Markttests in einem regionalen Bereich ermittelt werden. Damit die Ergebnisse übertragbar werden, muss der Testmarkt ein verkleinertes und repräsentatives Abbild des Gesamtmarktes darstellen. Die Bevölkerungs-, Handels-, Wettbewerbs- und Infrastrukturen müssen dabei berücksichtigt werden.

Massenkommunikation
Eine Massenkommunikation ist jene Form von Kommunikation, bei der Botschaften
- indirekt mit Hilfe technischer Verbreitungsmittel (Massenmedien, wie z.B. Fernsehen, Radio, Außenwerbung),
- an ein disperses (räumlich zerstreutes) anonymes und breites Publikum,
- einseitig, d.h. ohne direkte Rückkoppelung (Fragen, Einwände, Antworten) herangetragen werden.

(vgl. → Kommunikation)

Massenkommunikationsmittel
→ Massenmedien

Massenmedien
Massenmedien sind alle Kommunikationsmittel, die zur Verbreitung von Informationen an ein disperses (räumlich zerstreutes) anonymes und breites Publikum dienen. Zu ihnen gehören die Printmedien (wie Zeitungen und Zeitschriften), das Fernsehen, der Hörfunk, die neuen Medien und die Außenwerbung. (vgl. → Werbeträger)

MAZ
→ Magnetbildaufzeichnung

mechanischer Anzeigensplit
→ Anzeigensplit

Media
→ Werbeträger

Media-Agentur
(Streu-Agentur) Eine selbständige und auf den Bereich Mediaplanung

spezialisierte Werbeagentur, die ihre Kunden in diesem Bereich umfassend betreut. Eine Media-Agentur erstellt → Mediapläne bzw. Mediastreupläne und sorgt für die termingerechte und zeitlich aufeinander abgestimmte Schaltung von Werbemaßnahmen in den unterschiedlichsten Medien (z.B. Anzeigenschaltung in Zeitschriften, Schaltung von TV-Spots und Hörfunk-Spots bei den Sendern, bei der Außenwerbung die Belegung von Plakatflächen).

Media-Analyse (MA)

Die Media-Analyse ist eine jährliche Untersuchung über das Mediennutzungsverhalten in der deutschen Bevölkerung und wird von der → Arbeitsgemeinschaft Media-Analyse e.V. (AG.MA) jährlich durchgeführt. Die Daten werden regelmäßig veröffentlicht und stellen eine allgemein akzeptierte Grundlage für die Media- und Marketingplanung dar. Die MA ist die größte jährlich durchgeführte Gemeinschaftsanalyse bei den folgenden Medien:

- Zeitschriften,
- Lesezirkel,
- Tageszeitungen,
- Hörfunk,
- Fernsehen,
- Kino.

Die → Grundgesamtheit der Media-Analyse entspricht der deutschen Bevölkerung in Privathaushalten der Bundesrepublik ab 14 Jahren einschließlich aller deutschsprechenden Gastarbeiter. Mit Hilfe einer Zufallsauswahl wird eine repräsentative Stichprobe von Personen ermittelt. Diese werden anhand eines vollstrukturierten Fragebogens persönlich über ihre Mediennutzungsgewohnheiten befragt. Innerhalb der Media-Analyse werden auch vielfältige sozio-demographische Merkmale (z.B. Alter, Geschlecht, Ausbildung, Tätigkeit) der deutschen Wohnbevölkerung ab 14 Jahren sowie verhaltensbeschreibende Merkmale (z.B. Haushaltsausstattung, Einkaufsverhalten, Freizeitaktivitäten) erfragt.

Media-Daten

Alle für die Mediaplanung relevanten Daten eines Werbeträgers (Mediums), die vom Herausgeber bzw. Betreiber zur Verfügung gestellt werden. Hierzu gehören Daten über die Auflage bzw. Reichweite, das Verbreitungsgebiet, Tarife, Rabattstaffeln, Erscheinungsweise, Leser-, Hörer-, Zuschauer-Reichweitedaten, Adressen, Ansprechpartner usw.

Mediaforschung

(Werbeträgerforschung) Die Mediaforschung stellt mit der Hilfe von Mediaanalysen Daten für die Mediaplanung bzw. den gezielten Werbeträgereinsatz zur Verfügung. Diese Forschung versucht alle Informationen zu ermitteln, die die Auswahl der Medien nach dem Kriterium des Werbeerfolgs, unter besonderer Berücksichtigung der Kontaktkosten, gestattet. Im Zentrum der Untersuchungen stehen die sozio-demographische Zusammensetzung der Nutzerschaft einzelner Werbeträger (Leserforschung, Zuschauerforschung), die Reichweite einzelner Medien, Zusammenhänge zwischen Konsumenten- und Medienverhalten, Kontaktqualitäten und Nutzungsintensi-

täten sowie kommunikative Beziehungen zwischen Werbeträgern und ihren Nutzern.

Mediagattung
→ Mediengattung

Media-Mix
Mit der Festlegung des Media-Mix wird entschieden, welche Werbeträger, mit welcher Intensität eingesetzt werden und welche spezifischen Aufgaben den einzelnen Medien im Zusammenhang mit einer Kommunikationsmaßnahme (z.B. einer Werbekampagne) zugeordnet werden. Der zeitliche Rahmen und die Abstimmung der einzelnen Werbeträger untereinander werden ebenso festgelegt.

Media-Multiplier-Effekt (MME)
Die Wirkungsverstärkung von Werbe- und sonstigen Kommunikationsmaßnahmen durch den kombinierten Einsatz von elektronischen und gedruckten Medien, z.B. Fernsehen und Zeitschrift. Verschiedene Studien haben gezeigt, dass die Werbebotschaften von den Zielpersonen durch diese Verfahrensweise besser verarbeitet und »gelernt« werden können. Zudem werden hierbei die unterschiedlichen Mediennutzungsgewohnheiten der Empfänger berücksichtigt (z.B. werden durch Anzeigen Personen erreicht, die wenig TV ansehen).

Mediaplan
In einem Mediaplan werden die für eine Kampagne ausgewählten Werbeträger mit ihren Kosten (Schaltkosten) aufgeführt. Ein für die geplante Kampagne zur Verfügung stehender Etat wird damit auf die einzelnen Medien aufgeteilt. Ein Mediastreuplan (Streuplan) legt nun anschließend genau den zeitlichen Einsatz der einzelnen Werbeträger und deren Zusammenspiel fest. Auf diese Weise lässt sich eine Jahresplanung übersichtlich darstellen und mögliche Belegungslücken oder ungewollte Überschneidungen aufzeigen.

Mediaplaner/in
Der Mediaplaner wählt diejenigen Werbeträger (Medien) aus, die den Kommunikationszielen und übergeordneten Marketingzielen eines Unternehmens gerecht werden. Er verteilt den zur Verfügung stehenden Etat auf die verschiedenen Werbeträger bzw. Werbemittel, um eine maximale Werbewirkung bei der anvisierten Zielgruppe zu erreichen. Der Mediaplaner sorgt für die gesamte Abwicklung der Mediaschaltungen in einer Werbe- oder Mediaagentur. (vgl. → Werbe- und Medienberufe - Berufs- und Tätigkeitsfelder)

Mediaplanung
Die Mediaplanung wählt diejenigen Werbeträger (Medien) aus, die den Kommunikationszielen und übergeordneten Marketingzielen gerecht werden. Die Zielsetzung hierbei ist, mit einem zur Verfügung stehenden Etat, durch eine optimierte Mediakombination die maximale Werbewirkung bei der anvisierten Zielgruppe zu erreichen. Ein Mediaplan listet die ausgewählten Werbeträger mit ihren Kosten (Schaltkosten) auf.

Mediaplan

	Januar				Februar				März				April					Mai				Juni				Juli					August				September					Oktober				November				Dezember				
	1	2	3	4	5	6	7	8	9	10	11	12	13	14	15	16	17	18	19	20	21	22	23	24	25	26	27	28	29	30	31	32	33	34	35	36	37	38	39	40	41	42	43	44	45	46	47	48	49	50	51	52
Stern														●		●		●		●		●		●							●		●		●		●									●		●				
Bunte																				●		●		●		●		●		●		●		●		●		●										●		●		
Quick															●		●		●		●		●		●		●		●									●		●							●		●			
Der Spiegel																●		●		●		●		●		●																				●		●		●		
Zeit-Magazin															●		●		●		●		●		●										●		●		●													
Frau im Spiegel																																			●		●		●						●		●		●			
Brigitte																								●		●		●				●		●		●																
Für Sie																					●		●		●										●		●		●													
Freundin																							●		●		●														●											
Eltern																	●				●				●					●				●													●					
Petra																	●				●					●								●					●				●									
Burda Moden																	●					●													●				●				●					●				
DM																	●				●					●				●				●					●				●				●					

● = Belegung mit einer ganzseitigen Anzeige

Einfaches Beispiel eines Mediaplans ohne Schaltkosten (Quelle: Bruhn, 1997, S. 223)

Die Mediaplanung ist in das Kommunikations-Mix (→ Kommunikationspolitik) eines Unternehmens integriert. (vgl. → Mediaplan)

Mediaselektion
(Mediaselektionsprogramm) Die Verteilung des Werbebudgets auf die einzelnen Werbeträger bzw. Werbemittel zur Erreichung der Werbe- bzw. Kommunikationsziele (→ Intermediavergleich). Als Hilfsmittel für die Aufteilung des Werbeetats auf die einzelnen Medien und Werbemittel stehen eine Vielzahl von computergestützten Selektionsprogramme zur Verfügung.

Mediaselektionsprogramm
→ Mediaselektion

Mediastreuplan
→ Mediaplan

Medien
→ Werbeträger

Medienberater/in
→ Mediengestalter/in für Digital- und Printmedien

Medienberufe
→ Werbe- und Medienberufe

Mediendesigner/in
→ Mediengestalter/in für Digital- und Printmedien

Mediengattung
Die → Werbeträger werden nach Gattungen eingeteilt: Zeitungen, Zeitschriften, Anzeigenblätter, Fernsehen, Hörfunk, Kino, Außen- und Verkehrsmittelwerbung und neue Medien. Man unterscheidet bei den Gattungen auch generell zwischen den gedruckten Medien (Printmedien) und den Non-Printmedien (audiovisuellen Medien).

Mediengestalter/in Bild und Ton
Dieses Berufsfeld umfasst die Gestaltung und elektronische Produktion von Bild- und Tonmedien. Der Mediengestalter ist für das Beschaffen, Aufzeichnen, Schneiden und Bearbeiten von jeglichem Bild- und Tonmaterial zuständig und arbeitet bei Fernseh- und Rundfunkanstalten oder bei Produktionsfirmen. (vgl. → Werbe- und Medienberufe - Ausbildungsberufe)

Mediengestalter/in für Digital- und Printmedien
Der neue Beruf ersetzt die Berufsbilder Schriftsetzer/in, Reprohersteller/in, Reprograf/in und Werbe- und Medienvorlagenhersteller/in. Vier verschiedene Fachrichtungen qualifizieren für den Einsatz in der Druckindustrie, bei Werbestudios, Filmproduktionen und anderen Medienunternehmen (vgl. IHK):

- *Medienberatung (Medienberater/-in):* Schwerpunkte sind hier Kalkulation und Kundenberatung, Akquisition, gestaltungsorientierte Beratung, Projektplanung, Termin- und Kostenkontrolle.
- *Mediendesign (Mediendesigner/in, Mediengestalter/in):* In diesem Bereich werden Daten und Vorlagen so aufbereitet, dass sie für Printmedien oder digitale Medien wie Internet, CD-ROMs oder Multimedia-Produktionen verwendet werden können.

- *Medienoperating (Medienoperator/-in):* In dieser Fachrichtung werden Texte, Grafiken, Fotos oder bewegte Bilder und Tondokumente kombiniert und für verschiedene analoge bzw. digitale Verfahren bearbeitet.
- *Medientechnik (Medientechniker/-in):* In der Medientechnik gilt es, die verschiedensten Daten zu bearbeiten, aufzubereiten und mit Hilfe von unterschiedlichen Technologien wie der Reprographie, Mikrografie und Digitaltechnik auszugeben.

(vgl. → Werbe- und Medienberufe - Ausbildungsberufe)

Mediennutzungsverhalten
→ Copy-Test

Medienoperator/in
→ Mediengestalter/in für Digital- und Printmedien

Medientechniker/in
→ Mediengestalter/in für Digital- und Printmedien

Mehrfachprojektion
→ Multivision

Mehrfarbendruck
Bei einem Mehrfarbendruck werden mit der Hilfe von mehreren Farbwerken in der Druckmaschine die druckenden Bildstellen (z.B. Texte, Grafiken, Bilder) mit ihren jeweiligen Farbanteilen eingefärbt und auf den Bedruckstoff nacheinander aufgebracht. In der Regel wird mit der genormten Druckfarbenskala Cyan, Magenta, Gelb und Schwarz (→ CMYK, → Prozessfarben, → Vierfarbdruck) gedruckt. Hinzukommen können → Schmuckfarben (Sonderfarben), z.B. für die Darstellung einer speziellen Hausfarbe eines Unternehmens.

mehrfarbige Druckvorlage
→ Druckvorlage

mehrstufige Kommunikation
→ Kommunikation

Mehrthemenbefragung
→ Befragung

Meinungsführer
(Opinion Leader) Meinungsführer sind sehr kommunikative Menschen, die risikofreudiger sind als der Bevölkerungsdurchschnitt und die in allen sozialen Schichten anzutreffen sind. Sie zeichnen sich durch fachliche Kompetenz in einem ganz bestimmten Bereich aus und werden um Rat von anderen Personen gefragt. Beispielsweise im Segment der höherwertigen Konsumgüter, wie z.B. Autos, HiFi-Anlagen, Sportgeräte oder auch der Mode. Es sind insbesondere die Bereiche, die mit Prestige verbunden sind oder die ein spezifisches technisches Know-how erfordern. Es gibt Personen, die auf mehreren Produktmärkten meinungsführend sind. Meinungsführer nutzen nicht viel mehr Massenmedien als ihre Mitmenschen, jedoch häufiger spezielle Medien (z.B. → Fachzeitschriften, → Special Interest-Zeitschriften), die sie über den jeweiligen Kompetenzbereich informieren. Diese Tatsache ist insbesondere für die Mediaplanung bei einer Werbekampagne wichtig, um in sol-

chen Medien gezielt die Meinungsführer als Vorreiter zu erreichen. (vgl. → Multiplikator, → Kommunikation)

Mengenstaffel
→ Anzeigenrabatt

Mengenumwerbung
→ Werbung

mental images
→ innere Markenbilder

Merchandiser
→ Merchandising

Merchandising
Der Begriff Merchandising wird sehr unterschiedlich erklärt und verwendet und lässt keine klare und eindeutige Definition zu. Nachfolgend werden die unterschiedlichen Sichtweisen, die in der Fachliteratur vorkommen, kurz dargestellt:

- Im weiteren Sinne versteht man unter Merchandising alle Maßnahmen der Absatzförderung, die der Hersteller gegenüber dem Groß- und Einzelhandel unternimmt (z.B. Vertrieb, Kundendienst, Verkaufsförderung, Beratung und Unterstützung durch Verkaufshilfen).
- Im engeren Sinne wird Merchandising lediglich als Instrument gesehen, das die Verkaufsförderung direkt am Ort des Verkaufs umfasst. Hierzu gehören z.B. Warenständer, Displays, werbliche Maßnahmen am → Point of sale (POS), die Verteilung von Warenproben und der Einsatz von → Propagandisten.
- Merchandising wird auch als Begriff verwendet, wenn es um die Arbeit von Mitarbeitern der Lieferanten bzw. Hersteller (Merchandiser) geht, die die Warenpräsentation, das Auffüllen der Ware, die Auszeichnung bzw. die Regalpflege im Handel übernehmen.
- Eine ganz andere Bedeutung hat Merchandising im Bereich von → Licensing. Hier steht der Begriff z.B. für die Vermarktung von Figuren und Symbolen aus Film und Fernsehen auf den unterschiedlichsten Produkten (z.B. T-Shirts, Klebebildern, Kappen, Spielzeug, Kalendern, Schreibwaren). Spezielle Merchandising-Agenturen vermitteln und verkaufen die Nutzungsrechte von bestimmten Film- und Fernsehfiguren.
- Im Medienbereich bezeichnet man den Verkauf von begleitendem Material zu einem Fernsehprogramm als Merchandising, z.B. wenn zu einer bestimmten Fernsehsendung ergänzend ein Buch, eine Videokassette, eine CD-ROM oder eine Musik-CD in derselben Aufmachung erscheinen.

Message-Effekt
→ Kommunikationswirkung der Werbung

Message Placement
→ Fernseh- und Hörfunkwerbung (Sonderwerbeformen)

Messen und Ausstellungen
Messen sind zeitlich begrenzte Marktveranstaltungen, die ein umfassendes Angebot eines Wirtschaftszweiges (Fachmesse) oder

mehrerer Wirtschaftszweige (allgemeine Messe, technische Messe) für ein bestimmtes Fachpublikum bereitstellt. Sie finden meist regelmäßig am gleichen Ort statt. Auf Messen wird mit Mustern für den Wiederverkauf oder für die gewerbliche Verwendung verkauft. Der Zutritt zur Messe ist in der Regel nur für Fachbesucher erlaubt. Der Schwerpunkt der Messe liegt vor allen Dingen beim Verkauf.
Ausstellungen sind zeitlich begrenzte Marktveranstaltungen, die sich informierend und werbend an die allgemeine Bevölkerung wenden. Hier wird das repräsentative Angebot einzelner oder mehrerer Wirtschaftszweige ausgestellt und darüber informiert. Der Schwerpunkt von Ausstellungen liegt eher bei der Information, wobei das Ziel ebenso die Absatzförderung ist.

Mikrotypographie
→ Typographie

Millimeterpreis
→ Anzeigen-Millimeterpreis

Mittelachsensatz
→ Satzarten

MME
→ Media-Multiplier-Effekt

Modem
Ein Modem übersetzt digitale Datensignale des Computers für die Übertragung im analogen Telefonnetz und umgekehrt (z.B. Verbindungen ins Internet). Der Begriff setzt sich aus den Worten Modulator und Demodulator zusammen.

Moiré
Eine unerwünschte Struktur, die beim Drucken von Rastern (vgl. → Raster) sichtbar wird. Es wird meistens durch falsche Rasterwinkelung der einzelnen Farbauszugsfilme (vgl. → Farbauszug) hervorgerufen.

Montage
Der Begriff Montage hat in der Druckindustrie eine mehrfache Bedeutung (vgl. Teschner, 1995, S. 241):

- *Vorlagenherstellung:* Das Zusammenstellen von einzelnen Bildteilen oder ganzen Bildern zu einer Reprovorlage (Fotocomposing).
- *Reproduktion, computergesteuerter Satz:* Standgerechtes Zusammenstellen einzelner Bildteile, ganzer Bilder und/oder Schriften zu einer Ganzseite (Seitenmontage).
- *Druckformherstellung:* Das stand- und passgerechte Zusammenstellen von sämtlichen Kopiervorlagen, z.B. Druckseiten eines Druckbogens, nach einem Einteilungsbogen oder anderer Standvorlage auf einer transparenten Montagefolie für die Druckformherstellung (Bogenmontage).

Da die Vorlagen für Druckprodukte zunehmend in digitaler Form erstellt werden, sind die konventionellen Montagearbeiten in der Druckvorstufe rückläufig. Die Seiten- und Bogenmontage wird zunehmend am Computer mit Hilfe einer geeigneten Software ausgeführt (digitale Seiten- und Bogenmontage).

Multimedia
Überbegriff für die Verknüpfung von unterschiedlichen Medien bzw.

Informationsträgern, die Text, Grafik, Bild, Ton (Musik, Geräusche, Sprache) und Film verbinden. Die Interaktivität, d.h. die Möglichkeit des Nutzers, in die Darstellung der Information »einzugreifen«, ist oftmals ein Kennzeichen von Multimedia. Der Einsatz neuer elektronischer Medien ermöglicht ein vielfältiges Betätigungsfeld für Multimedia: von der CD-ROM und CD-i über den Videorecorder, Fernseher, Computer bis zu den Online-Diensten. Anwendungen von Multimedia finden sich z.B. im Bereich:

- Ausbildung und Schulung (Computer-based Training/CBT),
- Verkaufsförderung (z.B. am → Point of Sale/POS oder zur Unterstützung des Außendienstes),
- Informationssysteme (z.B. → Infoterminals),
- Infotainment (z.B. Nachschlagewerke, Unterhaltung, Spiele, Special Interest-Ausgaben im Bereich Musik, Garten, Kultur),
- → Online-Dienste (z.B. Unternehmensdarstellungen, Online-Zeitschriften, Online-Zeitungen, Produktinformationen, Kommunikation mit den Kunden, Werbung).

Multimedia-Kiosksysteme
→ Infoterminals

Multimedia-Spezialist/in
Der Bereich Multimedia umfasst die Verknüpfung von unterschiedlichen Medien bzw. Informationsträgern, die Text, Grafik, Bild, Ton (Musik, Geräusche, Sprache) und Film verbinden. Ein Multimedia-Spezialist arbeitet z.B. an der Konzeption und Produktion von CD-ROMs, Informationsterminals und an Internet-Seiten. (vgl. → Werbe- und Medienberufe - Berufs- und Tätigkeitsfelder)

Multiplikator
Im Bereich der Kommunikation eine Person oder ein Medium, das Informationen und Neuigkeiten sehr schnell und umfassend weiterverbreitet. Die Multiplikatoren sind den → Meinungsführern sehr ähnlich und nehmen eine zentrale Stellung u.a. bei der Verbreitung von Meinungen und Trends ein.

Multiplying-Effekt
→ Media-Multiplier-Effekt

Multivision
(Mehrfachprojektion) Unter Multivision versteht man im allgemeinen die gleichzeitige Projektion von mehreren Dias mit verschiedenen Diaprojektoren auf unterschiedlichen Bildflächen, die oft mit Tönen bzw. Musik unterlegt ist. Es lassen sich auf diese Weise mit einer Vielzahl von Projektoren sehr große Flächen, z.B. als Mosaikbild, gestalten. Die Geräte für den Ablauf einer Multivision werden entsprechend vorprogrammiert. Multivisionen eignen sich vor allem für gezielte und aufmerksamkeitsstarke Präsentationen vor einer großen Anzahl von Personen z.B. bei Messen und Ausstellungen oder bei Veranstaltungen.

mündliche Befragung
→ Befragung

Music on demand
→ Audio on demand

N

Nachfasswerbung
→ Werbung

Nachkaufwerbung
Werbemaßnahmen eines Herstellers z.B. in Form von Anzeigen oder Werbespots, in denen kaufbestätigende Informationen bzw. Vorteile des Produkts übermittelt werden. Diese Form der Werbung trägt einen wichtigen Teil zur Reduzierung von Unsicherheiten und Spannungszuständen bezüglich der Richtigkeit der Kaufentscheidung beim Käufer bei (vgl. → kognitive Dissonanz). Hier besteht die Möglichkeit, den Kunden zu binden und eine Produkt- bzw. Markentreue in der Zukunft zu erreichen.

Nanosite-Banner
→ Banner-Werbung

Narrow Casting
→ Fernseh- und Hörfunkwerbung (Sonderwerbeformen)

National Television System Committee
→ NTSC

natürlicher USP
→ Unique Selling Proposition

Naturpapier
Hierzu gehören alle natürlich belassenen Papiersorten, die nicht gestrichen sind, egal ob sie als holzfrei bzw. holzhaltig klassifiziert werden.

Near Video on demand (NVOD)
Near Video on demand gilt als Vorstufe von → Video on demand und bezeichnet ein zeitversetztes Übertragen desselben Films in bestimmten zeitlichen Abständen (z.B. alle 30 Minuten) auf verschiedenen Kanälen über Kabel oder über Satellit. Der Zuschauer kann das Programm z.B. durch einen Telefonanruf individuell abrufen. (vgl. → Pay per View)

Negativschrift
Eine helle (weiße oder hell gerasterte) Schrift auf dunklem Hintergrund.

Net Impression
→ Copy-Analyse

Nettoreichweite
Unter der Nettoreichweite versteht man die Anzahl der Personen einer Zielgruppe, die von einem Werbeträger oder einer Werbeträgerkombination mindestens einmal erreicht wurden bzw. die einmal einen Kontakt hatten. Mehrfach erreichte Personen werden nur einmal gezählt. (vgl. → Bruttoreichweite)

Networking
Networking ist ein neues Wort für einen Bereich innerhalb der Öffent-

lichkeitsarbeit, bei dem die Kunden in Clubs gebunden werden sollen. Beispiele sind der *IKEA-Family Club, ADAC, Metro* und *Kaufhof*, die Kunden- bzw. Clubkarten an ihre Kundschaft ausgeben. Die Kunden sollen damit an das jeweilige Unternehmen gebunden werden. Zu den Kommunikationsmitteln eines solchen Clubs gehören u.a. Clubzeitschriften, Mailings, Clubveranstaltungen, Sonderangebote. Der Inhalt, bzw. das Ziel des Clubgedankens ist die Bevorzugung der Club-Mitglieder gegenüber den »normalen« Verbrauchern.

Neue Medien

Unter den neuen Medien versteht man in der Regel eine Vielzahl von neu entstandenen oder erweiterten Werbeträgern, Werbemitteln, Diensten und Technologien, die vor allem dem technischen Fortschritt zuzurechnen sind und der Kommunikation dienen. Die Aufgabe dieser Medien ist der Transport von Informationen bzw. Botschaften von einem Sender zu einem Empfänger (bis hin zur → Massenkommunikation) bzw. die Bereitstellung von speziellen Diensten aus dem Informations-, Unterhaltungs- oder Konsumbereich. Zu den neuen Medien gehören u.a.:

Medien der Kabel-, Satellitenübertragung bzw. Funkübertragung, z.B.:

- → Digital Video Broadcasting (Digitales Fernsehen),
- → Digitales Satelliten Radio (Digitaler Hörfunk),
- → Videotext,
- → Pay-TV,
- Teleshopping,
- → Video on demand,
- → Near Video on demand.

Medien und Dienste der Telekommunikation, z.B.:

- Bildtelefon,
- Telefonkonferenz,
- Telefax,
- → Faxpolling,
- → Fax on demand,
- → Internet,
- → World Wide Web,
- → Online-Dienste,
- → Electronic Mail,
- → Audio on demand,
- → Online-Shopping (Homeshopping),
- Homebanking,
- Videokonferenz.

Medien der Computertechnik, Datenspeicherung und Präsentation, z.B.:

- → Infoterminals,
- mobile Kleincomputer (Laptop, Notebook),
- Videosysteme,
- → Cyberspace,
- Computer-Animation (vgl. → Animation),
- → Bildplatte,
- → CD-ROM, → CD-i,
- DVD (→ DVD-ROM).

nicht-integriertes Marketingkonzept

→ Marketingkonzept

nicht-standardisiertes Interview

→ Befragung

nicht-teilnehmende Beobachtung

→ Beobachtung

Nielsen-Ballungsraum

Die *A.C. Nielsen Corporation* hat innerhalb der → Nielsen-Gebiete in

Nielsen-Gebiete Regionalstrukturen, Ballungsräume

A.C. Nielsen

ACNielsen Gebiete	ACNielsen Standard-Regionen	ACNielsen Ballungsräume
Gebiet 1: Hamburg, Bremen, Schleswig-Holstein, Niedersachsen	**Nord:** Schleswig-Holstein, Hamburg **Süd:** Niedersachsen, Bremen	① Hamburg ② Bremen ③ Hannover
Gebiet 2: Nordrhein-Westfalen	**Ost:** Westfalen **West:** Nordrhein	④ Ruhrgebiet
Gebiet 3a: Hessen, Rheinland-Pfalz, Saarland	**Ost:** Hessen **West:** Rheinland-Pfalz, Saarland	⑤ Rhein-Main ⑥ Rhein-Neckar
Gebiet 3b: Baden-Württemberg	**Nord:** Reg.Bez. Stuttgart, Karlsruhe **Süd:** Reg.Bez. Freiburg, Tübingen	⑦ Stuttgart
Gebiet 4: Bayern	**Nord:** Ober-, Mittel-, Unterfranken, Oberpfalz **Süd:** Ober-, Niederbayern, Schwaben	⑧ Nürnberg ⑨ München
5: Berlin		⑩ Berlin
6: Mecklenburg-Vorpommern, Brandenburg, Sachsen-Anhalt		⑪ Halle/Leipzig
7: Thüringen, Sachsen	**West:** Thüringen **Ost:** Sachsen	⑫ Chemnitz/Zwickau ⑬ Dresden

Nielsen-Gebiete (Regionalstrukturen) der Bundesrepublik Deutschland (Quelle: A.C. Nielsen GmbH)

Nielsen-Gebiete

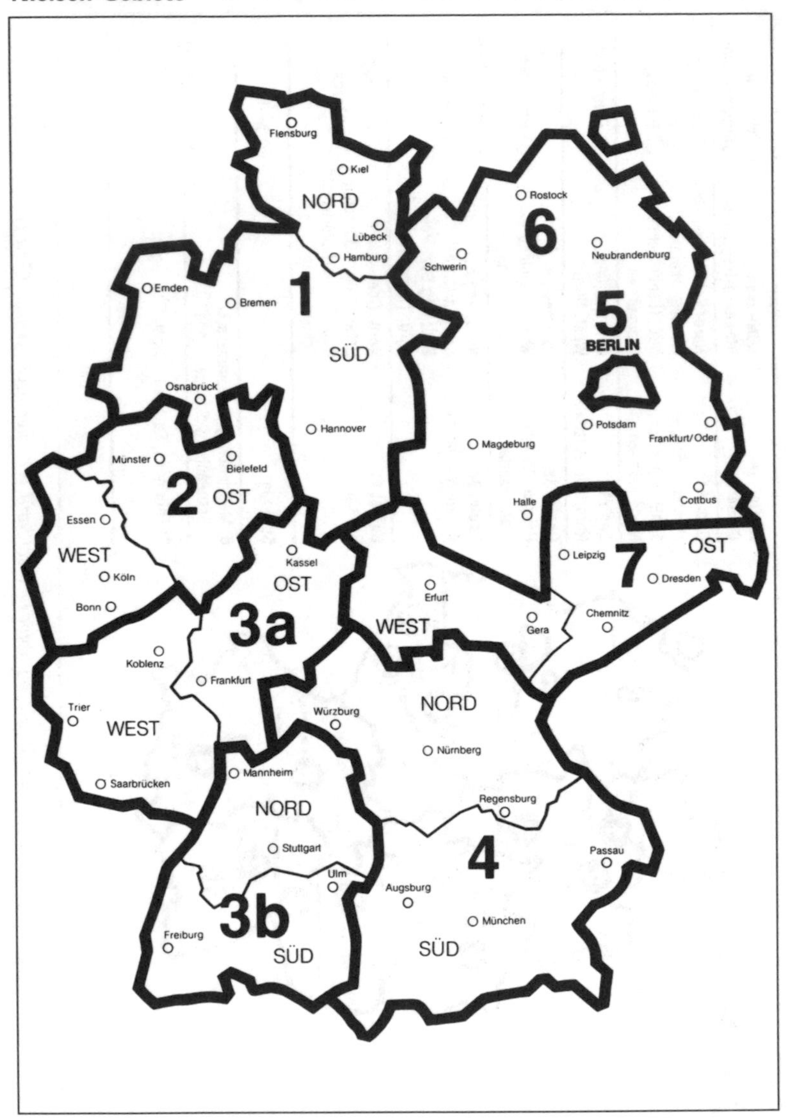

Nielsen-Gebiete der Bundesrepublik Deutschland (Quelle: A.C. Nielsen GmbH)

der Bundesrepublik 13 Ballungsräume festgelegt. Diese Bereiche zeichnen sich u.a. durch eine Konzentration des Handels, ein großes Angebot an Konsumgütern und eine deutlich höhere Kaufkraft der Bevölkerung aus. Die Nielsen-Ballungsräume (NBR) sind:

NBR 1: Hamburg
NBR 2: Bremen
NBR 3: Hannover
NBR 4: Ruhrgebiet
NBR 5: Rhein-Main
NBR 6: Rhein-Neckar
NBR 7: Stuttgart
NBR 8: Nürnberg
NBR 9: München
NBR 10: Berlin
NBR 11: Halle, Leipzig
NBR 12: Chemnitz, Zwickau
NBR 13: Dresden.
(vgl. → Nielsen-Gebiete)

Nielsen-Gebiete
Nielsen-Gebiete sind vom Marktforschungsunternehmen *A.C. Nielsen Corporation* festgelegte Unterteilungen eines Landes. Diese kleineren geographischen Einheiten dienen als Grundlage für die → Marketingforschung, Mediaforschung, das Marketing sowie die → Media- und → Werbeplanung. Die Bundesrepublik ist in die folgenden Gebiete eingeteilt:

- *Nielsen-Gebiet 1:* Schleswig-Holstein, Niedersachsen, Hamburg und Bremen
- *Nielsen-Gebiet 2:* Nordrhein-Westfalen
- *Nielsen-Gebiet 3a:* Hessen, Rheinland-Pfalz, Saarland
- *Nielsen-Gebiet 3b:* Baden-Württemberg
- *Nielsen-Gebiet 4:* Bayern
- *Nielsen-Gebiet 5:* Berlin
- *Nielsen-Gebiet 6:* Mecklenburg-Vorpommern, Brandenburg und Sachsen-Anhalt
- *Nielsen-Gebiet 7:* Thüringen und Sachsen.

Innerhalb der Nielsen-Gebiete sind 13 → Nielsen-Ballungsräume festgelegt.

Non-Business-Marketing
→ Marketing

Non-Printmedien
Alle Medien, die nicht zu den → Printmedien (z.B. Zeitschriften, Zeitungen, Bücher, Plakate) gezählt werden. Zu den Non-Printmedien gehören z.B. Fernsehen, Hörfunk, audiovisuelle Medien und neue Medien, wie das → Internet und → Online-Dienste (z.B. *T-Online* und *America Online*).

Nordisches Format
→ Zeitungsformate

NTSC (National Television System Committee)
Eine Bezeichnung für die amerikanische und auch in anderen Ländern eingesetzte Farbfernsehnorm. Der Begriff kennzeichnet auch die Organisation, die in den Vereinigten Staaten von Amerika für die Festlegung der Fernsehnormen zuständig ist. Weltweit sind drei verschiedene Farbfernsehnormen im Einsatz: → PAL, → SECAM und NTSC.

nuten
In der → Druckweiterverarbeitung das Heraustrennen eines Material-

spans aus einem dicken Papier oder Karton, damit ein besseres Falten bzw. ein Biegen ermöglicht wird.

Nutzen
Die Anzahl der Einzelteile bzw. Exemplare eines Druckproduktes, die auf eine Papierbahn oder einen -bogen gedruckt, herausgeschnitten und damit genutzt werden können. Der Begriff Nutzen wird auch für die Einzelteile verwendet.

Nutzenfilme
Nutzenfilme sind mehrfache Kopien, die von einer reprotechnisch hergestellten Vorlage angefertigt werden. Eine Seite soll beispielsweise zu acht Nutzen wirtschaftlich gedruckt werden. Dazu sind acht identische Kopiervorlagen bzw. Nutzenfilme herzustellen.

NVOD
→ Near Video on demand

O

Objektdesign
→ Corporate Design

objektorientiert
→ Vektor-Datei

OCR
→ Optical Character Recognition

Öffentlichkeitsarbeit
(Public Relations, PR) Die Öffentlichkeitsarbeit ist ein Teilbereich der → Kommunikationspolitik, der die systematische Gestaltung und Pflege der Beziehungen eines Unternehmens bzw. einer Organisation zur Öffentlichkeit umschließt. Die *Gesellschaft Public Relations Agenturen e.V. (GPRA)* definiert PR wie folgt: »Public Relations ist Kommunikationsmanagement. Sie gestaltet den Prozess der Meinungsbildung. Dies geschieht durch den strategisch geplanten, effizienten und gezielten Einsatz der Kommunikationsmittel«. Ein Schwerpunkt der Öffentlichkeitsarbeit ist es, die Präsenz, Identifizierbarkeit und die Unterscheidbarkeit auf dem »Markt der Informationen« zu erhöhen, also in der Öffentlichkeit gegenwärtig zu sein. Dies gilt für die lokale, zum anderen für die nationale Öffentlichkeit. Die Schaffung von gegenseitigem Vertrauen und Verständnis ist ein weiteres wichtiges Ziel von Öffentlichkeitsarbeit. Eine erfolgreiche PR-Arbeit muss bereits im eigenen Unternehmen (interne PR/→ Human Relations), bei den Mitarbeitern und deren Angehörigen beginnen, und sich über die Kunden, die Geschäftspartner, die Geldgeber usw. fortsetzen. Letztendlich sind auch die Medien in diesen Prozess der Vertrauensgewinnung und -herstellung einzubinden. Die Öffentlichkeitsarbeit will das Unternehmen als Ganzes in Kontakt mit der Öffentlichkeit bringen und nicht einzelne Produkte bekannt machen. Hier kommen deshalb überwiegend fremde Medien (z.B. redaktionelle Berichte in Presse, Fernsehen und Hörfunk), die nicht in direkter Abhängigkeit zum Unternehmen stehen, zum Einsatz. Deshalb ist Sachlichkeit und wirkliche Information hier besonders geboten. Auch selbst produzierte Medien und Informationsmittel (z.B. Mitarbeiterzeitung, Imagebroschüre, Unternehmensdarstellung als Film) und neue Kommunikationskanäle (z.B. → Intranet, → Business-TV) dienen der sachlichen Information und Kommunikation und sind nicht ausschließlich dazu da, um Produkte oder Dienstleistungen bekannt zu machen. (vgl. Rota, 1994, S. 49 ff.)

Offertenblatt
Offertenblätter sind periodisch erscheinende Druckerzeugnisse, die überwiegend aus kostenlosen priva-

ten Kleinanzeigen bestehen. Gewerbliche Anzeigen sind ebenso möglich. Offertenblätter werden in der Regel gegen Entgelt verbreitet. (vgl. → Anzeigenblatt)

Offline

Eine Bezeichnung, die besagt, dass ein Medium über keine direkte Verbindung z.B. zu einem Datenbestand bzw. Computernetzwerk verfügt. Ein Beispiel für ein Offline-Medium ist eine CD-ROM mit feststehenden Informationen, die lediglich abgerufen, aber nicht durch eine Online-Verbindung (z.B. über das → World Wide Web) ergänzt werden können. (vgl. → Online)

Offsetdruck

*(Flachdruck)*Der Offsetdruck ist das am weitesten verbreitete Druckverfahren in der deutschen Druckindustrie. Man unterscheidet zwischen Bogenoffsetdruck, bei dem einzelne Papierbogen verarbeitet werden und dem Rollenoffsetdruck, bei dem das Papier von einer großen Rolle bedruckt wird. Auf den Bogenoffsetmaschinen werden z.B. Drucksachen, wie Prospekte, Handzettel, Preislisten, Plakate, Geschäftsberichte, Formulare, Kataloge, Zeitschriften und Bücher in kleineren und mittleren Auflagen gedruckt. Der Rollenoffsetdruck kommt bei hohen Auflagen im Bereich von Zeitschriften, Zeitungen, Werbedrucksachen und Katalogen zum Einsatz. Der Offsetdruck basiert auf dem Prinzip von wasserführenden (druckenden) und wasserabweisenden (nicht druckenden) Stellen auf der Druckform. Vor dem Einfärben der zu druckenden Stellen erfolgt die Befeuchtung der Druckform mit einem Feuchtmittel. Über Walzensysteme wird ein dünner Druckfarben- und Feuchtmittelfilm auf die Druckform übertragen. Der Offsetdruck arbeitet indirekt. Die Druckform bildet dabei das Druckbild zunächst auf einem Gummituchzylinder ab, bevor die Information auf den Bedruckstoff übertragen wird. Der universelle Anwendungsbereich des Offsetverfahrens hat zu verschiedenen Bauformen und technischen Ausstattungen bei den Offsetdruckmaschinen geführt. Die Palette der verfügbaren Druckmaschinen reicht von kleinen, kompakten Einfarben-Offsetmaschinen (Kleinoffset) bis hin zu Maschinen mit mehreren Druckwerken (Rollenoffset, Zeitungsoffset).

Unter wasserlosem Offsetdruck versteht man ein Verfahren mit einer speziellen Druckplatte und darauf abgestimmten Druckfarben, das bei der Farbübertragung kein Feuchtmittel mehr benötigt. (vgl. → Computer-to-press)

Offsetpapier

Ein Sammelbegriff für Druckpapiersorten, die speziell auf die Anforderungen des Offsetdrucks zugeschnitten sind. Die Papiere dürfen beim Druckprozess keinen Staub abgeben und sie müssen rupffest und dimensionsstabil (bei der Berührung mit Feuchtigkeit) sein. Als Offsetpapier kommen sowohl holzfreies, als auch holzhaltiges, gestrichenes sowie ungestrichenes Papier in Frage. Es wird in Form von Papierbogen oder von der Rolle verarbeitet.

ökonomische Kommunikationsziele
→ Kommunikationsziele

ökonomische Marketingziele
→ Marketingziele

Omnibusbefragung
→ Befragung

Online
Eine Bezeichnung für eine Verbindung, die aktiv ist, d.h. bei der Daten direkt ausgetauscht werden können. Ein Beispiel ist eine Online-Verbindung zum → World Wide Web bzw. → Internet oder die direkte Verbindung zweier Computer. (vgl. → Offline)

Online-Dienst
Ein Online-Dienst ist ein in sich geschlossener Rechnerverbund bzw. ein Datennetz mit einer zentralen Verwaltung und speziellen Inhalten. Der Zugang zu diesen Diensten erfolgt über eine Mitgliedschaft mit monatlichen Gebühren. Zu den Online-Diensten gehören z.B. → *T-Online* und → *America Online (AOL)*. Diese Dienste bieten die unterschiedlichsten Informationen und Dienste an (z.B. Homeshopping, Homebanking, verschiedene Datenbanken) und ermöglichen auch den Zugang zum → Internet bzw. zum → World Wide Web.

Online-Medien
Eine Bezeichnung für Medien, bei denen ein direkter Datenaustausch bzw. eine direkte Kommunikation möglich ist. Hierzu gehören z.B. das → World Wide Web bzw. das → Internet sowie → Online-Dienste, wie *T-Online*.

Online-Shopping
Das Einkaufen von Waren und Dienstleistungen per Computer über das → Internet bzw. → World Wide Web oder → Online-Dienste z.B. in virtuellen Shops und virtuellen Warenhäusern.

Online-Werbung
Alle Werbeformen die über das → Internet bzw. → World Wide Web oder → Online-Dienste zum Einsatz kommen. Die vorherrschende Form der Online-Werbung sind → Banner und → Buttons. (vgl. → Internet-Werbeformen)

Opazität
Maß für die Lichtundurchlässigkeit bzw. Deckfähigkeit bei Bedruckstoffen oder Durchsichtvorlagen. Bei Papieren, die beidseitig bedruckt werden sollen, ist eine hohe Opazität wichtig, damit das Druckbild nicht durchscheint.

Opinion Leader
→ Meinungsführer

Optical Character Recognition (OCR)
Unter dem Begriff Optical Character Recognition versteht man ein Verfahren, bei dem gedruckte Texte über einen Flachbettscanner (vgl. → Scanner) optisch eingelesen, in Textdateien umgewandelt und anschließend wie erfasste Texte weiterverarbeitet werden können. Hierzu ist eine spezielle OCR-Software notwendig.

P

Page Impression
(PageView) Im Rahmen der → Werbeerfolgskontrolle im Internet die Anzahl der Sichtkontakte bzw. die Zugriffe auf eine werbungführende Internetseite (Seitenabrufe).

PageView
→ Page Impression

Pagina
(Paginierung) Die Seitenzahlen in einem Buch, Katalog oder einem anderen Druckprodukt. Die Paginierung bezeichnet das Verwenden einer fortlaufenden Seitennummerierung für ein Printmedium.

Paginierung
→ Pagina

PAL (Phase Alternating Line)
Eine in der Bundesrepublik entwickelte europäische Farbfernsehnorm. Weltweit sind drei verschiedene Farbfernsehnormen im Einsatz: PAL, → SECAM und → NTSC.

Panel
Unter einem Panel versteht man »eine repräsentative Stichprobe von Einzelpersonen, Haushalten oder Unternehmen, die über einen längeren Zeitraum hinweg regelmäßig und im Prinzip über den gleichen Erhebungsgegenstand befragt bzw. mit identischer Zielsetzung beobachtet werden« (Nieschlag, Dichtl, Hörschgen, 1991, S. 1017). Diese Untersuchungen liefern gezielte Marktinformationen durch Befragung, Beobachtung oder mit elektronischen Hilfsmitteln und sind über einen längeren Zeitraum angelegt. Bei elektronischen Panels werden z.B. mittels Verkaufsdatenerfassung durch Scanner-Kassen die Einkaufsgewohnheiten von ganz bestimmten Haushalten dokumentiert. Panels können auf den verschiedenen Stufen des Absatzweges eingerichtet werden. So sind z.B. folgende Panels denkbar:

- *Herstellerpanel,*
- *Händlerpanel,* z.B. Groß- und Einzelhandelspanel,
- *Verbraucherpanel,* z.B. Individualpanel (Einzelpersonen) und Haushaltspanel (Gesamthaushalt),
- *Spezialpanels,* bei dem ganz bestimmte Bereiche untersucht werden (z.B. die Beratungsgespräche von Apothekern).

Panorama-Anzeige
Anzeige in einer Zeitung oder Zeitschrift, die über den Bundsteg verläuft. Das Motiv erreicht den Umfang einer vollen Doppelseite.

Pantone-Farben
(Pantone-Farbsystem) Ein Farbsystem zur Standardisierung und Identifikation von Farben, das vor allem

Papierformate

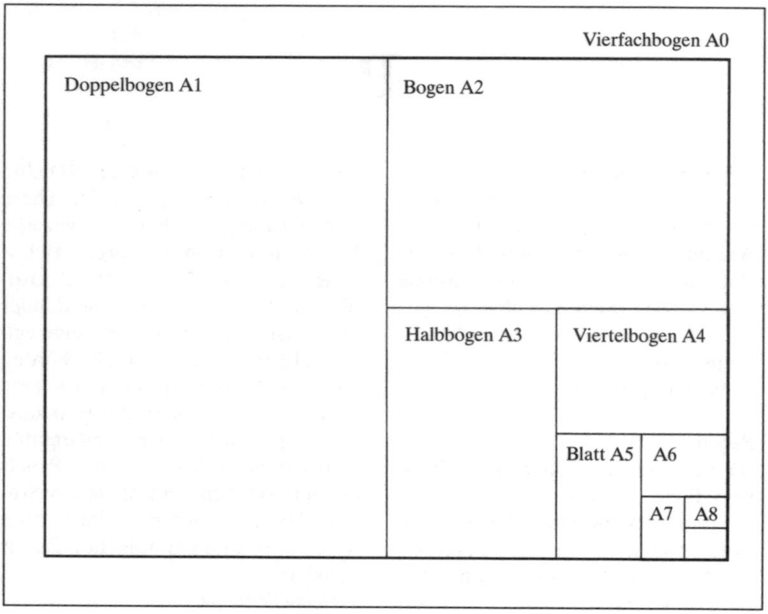

Vierfachbogen A0
Doppelbogen A1
Bogen A2
Halbbogen A3
Viertelbogen A4
Blatt A5
A6
A7
A8

in den angelsächsischen Ländern verbreitet ist. Die Pantone-Farbtöne werden z.B. für grafische Entwürfe festgelegt und als Sonderfarbe im Druckbereich verwendet. (vgl. → HKS-Farben)

Pantone-Farbsystem

→ Pantone-Farben

Papierformate

Format der Papiere nach DIN 476. Die anerkannte Norm zur Herstellung und Verwendung von Formatpapieren. Die DIN-A-Reihe ist die Basis für die beschnittenen Endformate von Druckerzeugnissen. Die DIN-Reihen B, C und D sind abhängige Größen für Verpackungen (z.B. Briefumschläge, Hüllen) sowie Mappen. Die Größen der DIN-A-Reihe im beschnittenen Endformat sind:

- A0 Format: 841 x 1189 mm (Vierfachbogen)
- A1 Format: 594 x 841 mm (Doppelbogen)
- A2 Format: 420 x 594 mm (Bogen)
- A3 Format: 297 x 420 mm (Halbbogen)
- A4 Format: 210 x 297 mm (Viertelbogen/Blatt)
- A5 Format: 148 x 210 mm (Halbblatt)
- A6 Format: 105 x 148 mm (Viertelblatt)

- A7 Format: 74 x 105 mm (Achtelblatt)
- A8 Format: 52 x 74 mm
- A9 Format: 37 x 52 mm
- A10 Format: 26 x 37 mm

Papiergewicht

(Grammatur) Das Papiergewicht wird in Gramm pro Quadratmeter Flächengewicht gemessen und mit der Bezeichnung Gramm pro Quadratmeter (g/qm oder g/m^2) angegeben. In der folgenden Aufstellung sind einige gebräuchliche Papier- und Kartongewichte von 25 bis 600 g/qm aufgeführt:

- Durchschlagpapiere: 25 bis 30 g/m^2
- Dünndruckpapiere: 40 g/m^2
- Prospekt-/Zeitungspapiere: 50 g/m^2
- Plakatpapiere: 60 bis 70 g/m^2
- Schreibpapiere: 70 bis 80 g/m^2
- Werkdruckpapiere: 70 bis 80 g/m^2
- Briefpapiere: 80 bis 100 g/m^2
- Kunstdruckpapiere: 90 bis 150 g/m^2
- Faltblätter: 120 bis 150 g/m^2
- Postkarten, Karteikarten: 130 bis 190 g/m^2
- Visitenkarten-Karton: 200 bis 300 g/m^2
- Umschlagkarton: 190 bis 300 g/m^2
- Leichter Karton: ab 250 g/m^2
- Schwerer Karton: bis 600 g/m^2

Papiervolumen

Das Verhältnis zwischen Papierdicke und → Papiergewicht. Papiere haben in der Regel ein einfaches Volumen. Das Papiervolumen wird mit folgender Formel bestimmt: Papierdicke in Millimeter mal Tausend, dividiert durch das Papiergewicht in Gramm pro Quadratmeter (g/m^2). Für Bücher wird oft ein volumenhaltiges Papier mit eineinhalb- oder zweifachem Volumen eingesetzt, um eine gewünschte Dicke der Publikation zu erhalten.

Parallelfalz

→ Falzarten

Passer

Bei mehrfarbigen Druckprodukten das exakte Aufeinanderpassen der einzelnen Farben bzw. Farbauszüge sowohl bei der Montage der Druckvorlagen, wie auch beim späteren Druck. Auf den einzelnen Druckvorlagen werden als Hilfsmittel sogenannte → Passkreuze (Passermarken) angebracht, um das exakte Einrichten zu ermöglichen. Diese Markierungen werden in der Druckweiterverarbeitung beim endgültigen Beschnitt des Druckproduktes abgeschnitten.

Passermarken

→ Passkreuze

passives Telefon-Marketing

→ Telefon-Marketing

Passkreuze

(Passermarken) Markierungen auf Farbauszügen, die bei der Montage und beim späteren Mehrfarbendruck

helfen, das exakte Aufeinanderpassen der einzelnen Farben zu ermöglichen. Es handelt sich meistens um kreuzförmige feine Linien oder ähnliche feine Strichelemente, die deckungsgleich montiert bzw. gedruckt werden müssen. In der Druckweiterverarbeitung beim endgültigen Beschnitt des Druckproduktes werden diese Strichelemente bzw. Markierungen abgeschnitten. (vgl. → Passer)

Pay per Channel
→ Pay-TV

Pay per View
Eine Form des digitalen Abo-Fernsehens (→ Pay-TV), bei dem einzelne Filme oder Sendungen bestellt und gegen eine Gebühr empfangen werden können. Die Anfangszeit der Sendung ist vom Nutzer nicht frei wählbar. Er kann auch nicht interaktiv in das Programm eingreifen. (vgl. → Video on demand)

Pay-TV
Eine Art digitales Abo-Fernsehen, dessen Basisprogramm gegen eine monatliche Grundgebühr und nur mit Hilfe eines Zusatzgerätes (→ Decoder) zu empfangen ist (Pay per Channel). Für die Nutzung weiterer Kanäle oder für den Abruf einzelner Filme oder Sendungen (→ Pay per View) entstehen hier zusätzliche Kosten.

PDF
→ Portable Document File

perforieren
→ stanzen

Perforierung
→ stanzen

Personal Selling
→ persönlicher Verkauf

Personalwerbung
→ Werbung

persönliche Befragung
→ Befragung

persönlicher Verkauf
(Personal Selling) Ein Teilbereich der → Kommunikationspolitik, der alle Formen des Verkaufs von Produkten und Dienstleistungen, bei denen Verkäufer (Verkaufsmitarbeiter im Innen- und Außendienst oder bei externen Vertriebsgesellschaften) und Kunde in direktem Kontakt stehen. Man unterscheidet den Telefonverkauf und das Verkaufsgespräch mit eventueller Produktdemonstration, das im Unternehmen, im Ladengeschäft, auf Messen und Ausstellungen, auf Veranstaltungen oder beim Kunden zu Hause stattfinden kann. Der Erfolg hängt maßgeblich von der Qualifikation der Verkaufsmitarbeiter ab, die für die Gesprächsbzw. Verhandlungsführung, vor allem im Bereich von Investitionsgütern, Banken und Versicherungen, entsprechend geschult werden.

Phase Alternating Line
→ PAL

Photo CD (Photo Compact Disc)
Ein Medium, auf das Bilder in einem speziellen Datenformat gespeichert werden können. Die Bilder werden mit einem Spezialgerät ein-

gescannt und jeweils in verschiedenen Auflösungen auf der CD gespeichert. Mit spezieller Software kann die Photo CD von jedem Computer verarbeitet werden. Das Medium eignet sich für die Archivierung und den Austausch von größeren Bilddatenbeständen.

Photo Compact Disc
→ Photo CD

Pica-Point
→ typographischer Punkt

Pitch
→ Präsentation

Pixel
Eine Abkürzung für Picture Element (Bildpunkt). Ein Pixel ist ein Grundelement in Form eines kleinen Quadrats. Die digitale Darstellung am Computerbildschirm und die digitale Ausgabe auf Geräten, wie Druckern setzt sich aus einzelnen Pixeln zusammen. (vgl. → Bitmap-Datei)

Pixel-Grafik
→ Bitmap-Datei

Plakatanschlagstellen
(Klassifikation) Die Plakatformate in Deutschland sind nach der DIN A-Reihe genormt. Die Berechnungsgrundlage für Plakatanschlagstellen ist der 1/1-Bogen im Format DIN A1. In der Außenwerbung eingesetzte Plakate entsprechen diesem Format oder setzen sich aus Einzelteilen in der Größe A1 zusammen. Man unterscheidet:

- *Allgemeine Anschlagstellen (Allgemeinstellen):* Plakatsäulen (Litfaßsäulen) oder auch kleine Tafeln, die mehreren Werbungtreibenden gleichzeitig zur Verfügung stehen. In der Regel stehen sie auf öffentlichem Grund.
- *Ganzsäulen, Ganzstellen:* Plakatsäulen (Litfaßsäulen) oder Tafeln, die lediglich einem Werbungtreibenden überlassen werden. Sie stehen meistens auf öffentlichem Grund. Litfaßsäulen können unterschiedliche Ausmaße in Höhe und Umfang aufweisen und sind bei Einkaufszentren und auch in Wohngebieten anzutreffen.
- *Großflächen:* Genormte Tafeln für nur einen Werbungtreibenden, die auf privatem Grund aufgestellt sind. Das maximale Format sind 18/1-Bogen in der Größe 3,56 m Breite und 2,52 m Höhe. Großflächentafeln sind z.B. in Gewerbegebieten, bei Einkaufszentren und auf dem Gelände der *Deutschen Bahn* anzutreffen.
- *Spezialstellen:* Spezialstellen sind Säulen, Tafeln oder Flächen, die weder allgemeine Anschlagstellen noch Ganzstellen (Ganzsäulen) oder Großflächen sind und im Hinblick auf Format, Errichtungs- oder Anbringungsdauer, Verwendungsmöglichkeit, Standort oder sonstige Besonderheiten Abweichungen aufweisen (Allgemeine Geschäftsbedingungen für den Plakatanschlag, ZAW). Zu den Spezialstellen gehören Superposter, Kleintafeln, Häuserwände und Wandflächen, die bei Messen zum Einsatz kommen.
- *Superposter:* Dies sind Einzeltafeln im Format von 5,26 m Breite und 3,72 m Höhe (40/1-Bogen).

- *City-Light-Poster:* Sammelbegriff für Plakate, die in der Regel in beleuchteten Flachvitrinen platziert sind. Die Plakate werden in einer Haltevorrichtung hinter Glas angebracht und sind damit geschützt. Abends werden sie wie Diapositive von hinten beleuchtet. Eine Form der Plakatwerbung, die vor allem an Wartehallen von öffentlichen Verkehrsmitteln und an Stadt-Informationsanlagen eingesetzt wird. Das Format ist der 4/1-Bogen.
- *Kleinflächen, Kleintafeln:* Diese Form der Anschlagstellen kommt nur noch sehr selten vor. Die Flächen sind nur etwa 1,2 m breit und 1,8 bis 2,6 m hoch.

Plakatformate
Die Plakatformate in Deutschland sind nach der DIN A-Reihe genormt. Die Berechnungsgrundlage für Plakatanschlagstellen ist der 1/1 Bogen im Format DIN A1. In der Außenwerbung eingesetzte Plakate entsprechen diesem Format oder setzen sich aus Einzelteilen in der Größe A1 zusammen. Von der DIN A-Reihe abweichende Plakatgrößen müssen mit neutralem Papier (Auskleidebogen) hinterklebt werden.

Plakatpapier
Ein stark holzhaltiges, meistens farbiges Papier, das durch eine spezielle Leimung wetterfest gemacht wurde.

Plakatwerbung
Alle Formen der Werbung mit Hilfe von Plakaten im Innen- und Außenbereich, z.B. Werbung auf Litfaßsäulen, Tafeln, Großflächen (vgl. → Plakatanschlagstellen). Bei der Plakatwerbung muss man von einer sehr kurzen und oberflächlichen Betrachtung ausgehen. Daher sind die folgenden Regeln der Gestaltung speziell für das Plakat zu beachten (vgl. Unger, 1989, S. 328):

- Reduzierung der Botschaft auf die zentralen Aussagen,
- Hervorhebung von Bildern als Gestaltungselement,
- besonders kurze und klar verständliche Überschriften (Headlines), die sich im oberen Bereich des Plakates befinden sollten, da dieser Bereich eher erfasst wird,
- ein konstant eingesetzter Absender (Logo) mit eventuell zugehöriger Subline kann im unteren Bereich platziert sein, da es bei einer prägnanten Plakatgestaltung genügt, wenn derartige konstante Elemente vom Betrachter nur gelegentlich wahrgenommen werden,
- eine größere Textmenge ist zu vermeiden.

plattformübergreifend
→ plattformunabhängig

plattformunabhängig
(plattformübergreifend) Von plattformunabhängig spricht man z.B. bei bestimmten Speicherformaten für Dateien oder bei Programmiersprachen, die auf verschiedenen Computer-Betriebssystemen (Plattformen) eingesetzt und verarbeitet werden können (z.B. *Windows, MAC OS, UNIX*). Verschiedene Computerprogramme erlauben das Abspeichern in plattformübergreifend einsetzba-

ren speziellen Datenformaten z.B. bei Bildern, Grafiken oder vollständigen Layouts.

POI
→ Point of Information

Point
→ typographischer Punkt

Point of Information (POI)
Unter dem POI versteht man einen Ort, an dem mittels → Infoterminals bzw. Multimedia-Kiosksystemen bestimmte Informationen von Interessenten abgerufen werden können. Beispiele sind Infoterminals von Städten und Gemeinden (z.B. Gastronomie- und Hotelverzeichnis) und Infoterminals am Point of Sale (POS), bei denen sich beispielsweise interaktiv bestimmte Informationen zu einem Produkt anzeigen lassen.

Point of Purchase
→ Point of Sale

Point of Sale (POS)
(Point of Purchase, POP) Unter dem Point of Sale (POS) oder auch Point of Purchase (POP) versteht man den Ort, an dem ein Produkt oder eine Dienstleistung angeboten und verkauft wird.

Point to Point Protocol (PPP)
Ein Protokoll für den Zugang und den Datenaustausch mit einem Netzwerk über eine Telefonleitung. Ein verbreitetes Protokoll für den Zugang ins → Internet.

POP
→ Point of Sale

PopUp-Advertisements
→ Internet-Werbeformen

Portable Document File (PDF)
Ein spezielles plattformunabhängiges Dokumentenformat des Computerprogramms *Adobe Acrobat*, das den Datenaustausch zwischen verschiedenen Betriebssystemen ermöglicht, ohne das Erscheinungsbild der Informationen (z.B. Grafiken, Formatierungen, Schriften) zu verändern. PDF soll u.a. zu einem Standard für die Druckvorstufe und den Druckbereich werden.

Portfolio
→ Portfolio-Analyse

Portfolio-Analyse
Die Portfolio-Analyse ist ein Instrument der strategischen Unternehmensführung zur Beurteilung von Geschäftsfeldern unter der Einbeziehung von möglichen Chancen und Risiken künftiger Entwicklungen. Bestandteil der Betrachtung ist das eigene Unternehmen mit seinen Stärken und Schwächen, die zu erwartenden Markt-/Umweltbedingungen sowie der sogenannte Produktlebenszyklus der einzelnen Erzeugnisse. Dazu werden einzelne, ähnliche Bereiche zu strategischen Geschäftsbereichen (SGB) zusammengefasst, die in einer Portfolio-Matrix (Vier-Felder-Matrix, Neun-Felder-Matrix) entsprechend positioniert werden. Die Dimensionen Marktwachstum und Marktanteil an den Achsen der Matrix (Marktwachstum-Marktanteils-Portfolio) sind sehr häufig anzutreffen. Die einzelnen Produkte werden in der Matrix entsprechend

positioniert. Das Portfolio zeigt dann z.B. »Stars« (strategische Geschäftsbereiche mit einem hohen Marktwachstum und hohen Marktanteilen), »Milchkühe« (Bereiche mit niedrigem Wachstum, aber hohem Marktanteil), »Fragezeichen« oder »Sorgenkinder« (schnelles Wachstum bei niedrigem Marktanteil) und »Arme Hunde« oder »Geldschlucker« (niedriges Wachstum und niedriger Marktanteil). (vgl. Koschnick, 1997, S. 1383 ff.)

Portfolio-Matrix
→ Portfolio-Analyse

Postkartenbeihefter
Anforderungs- oder Bestell-Postkarten, die im Zusammenhang mit einer Anzeige in die Zeitschrift miteingeheftet werden.

Postkartenbeikleber
Anforderungs- oder Bestell-Postkarten, die auf einer Anzeige in einer Zeitschrift oder Zeitung aufgeklebt und leicht ablösbar sind.

PostScript
Eine standardisierte Seitenbeschreibungssprache zur hochauflösenden Definition und Ausgabe von grafischen Objekten und Schriften im professionellen DTP- bzw. Publishing-Bereich. Mit dem von *Adobe Systems* entwickelten PostScript-Standard sind Vektor- und Bitmap-Grafiken sowie jede beliebige Form und Größe von Zeichensätzen möglich.

PPP
→ Point to Point Protocol

PR
→ Öffentlichkeitsarbeit

PR-Agentur
→ Public Relations-Agentur

Prägedruck Ein Prägedruck im Hochdruckverfahren, bei dem auch Druckfarbe eingesetzt wird (vgl. → Blindprägung). Die geprägten Bildstellen stehen erhaben oder vertieft auf dem Bedruckstoff. Die Prägung wird z.B. zur Hervorhebung von besonderen grafischen und textlichen Elementen bei hochwertigen Drucksachen eingesetzt.

prägen
→ Prägedruck

Präsentation
Präsentationen sind Ausarbeitungen eines Dienstleistungs- oder Beratungsunternehmen im Bereich der Werbung oder des Marketing (z.B. einer Werbeagentur) für bereits bestehende oder neu zu gewinnende Kunden. Man unterscheidet zwischen:

- *Agenturpräsentation (Credential):* Die Agentur präsentiert sich hier selbst anhand bereits realisierter Arbeiten für andere Kunden. Diese Präsentation nennt man auch Credential (Empfehlung). Die Agentur informiert den Kunden ebenso über ihre Organisation, ihre Arbeitsweise und ihr Dienstleistungsangebot.
- *Sachpräsentation (Strategiepräsentation):* Diese Präsentation beinhaltet speziell für den Kunden ausgearbeitete Konzeptionen und Strategievorschläge für eine ganz

Präsentation

EVALUATION PRÄSENTATION

1. Konzeptionelle Lösung der gestellten Aufgabe

1.1 Informationsverarbeitung

- Richtige Interpretation der Daten
- Eigene Beiträge zur Informationsbeschaffung

1.2 Strategieentwicklung

- Situationsanalyse (korrekte Wiedergabe von Markt und Marktbeziehungen)
- Umfassendes Marketing- und Kommunikationskonzept
- Berücksichtigung von Synergieeffekten innerhalb des Kommunikationsmix
- Korrekte Problemerfassung und Zielgruppenadäquanz
- Berücksichtigung weiterführender und übergreifender Problembereiche
- Detailliertheit und Differenziertheit von Mediaplan und Mediaselektion

2. Inhaltliche Lösung der gestellten Aufgabe

2.1 Erfassung der Aufgabenstellung

- Produkt- und Markenverständnis
- Erkennen der wesentlichen Produktfeatures
- Inhalt der Werbebotschaft
- Berücksichtigung von Alternativen

2.2 Umsetzung

- Kreativität (Originalität, Humor, Ästhetik usw.)
- Eigenständigkeit von Botschaft und Kampagne
- Kreation eines Markencharakters
- Zielgruppenansprache
- Darstellungsweise (redaktionell, bildlich, akustisch usw.)
- Glaubhaftigkeit/Überzeugungskraft

3. Präsentation durch die Agenturmannschaft

- Kompetenz und Kommunikationsfähigkeit der Mitarbeiter
- Kritikfähigkeit
- Identifikation der Agenturmitarbeiter mit dem Produkt
- Persönliches Engagement der Mitarbeiter
- Handling/Darbietung
- Flexibilität
- Gesamteindruck der Präsentation
- Professionalität

4. Sonstiges

- Kosten-Leistungs-Verhältnis (Abrechnungsmodus, Vertrag usw.)
- Pünktlichkeit/Termintreue
- Steuerbarkeit einzelner Werbemittel in Problemsituationen
- Einbeziehung von Erfolgskontrollen

Kriterienliste zur Beurteilung einer Werbepräsentation (Quelle: Berndt / Hermanns, Hrsg., 1993, S. 131)

bestimmte Aufgabenstellung, die durch ein Briefing des Kunden dokumentiert wurde.
- *Einzelpräsentation:* Im Gegensatz zur Wettbewerbspräsentation stellt eine Werbeagentur hier ihre Vorschläge und Konzeptionen außer Konkurrenz für den Kunden vor und versucht ihn zu überzeugen.
- *Wettbewerbspräsentation (Konkurrenzpräsentation, Pitch):* Im Gegensatz zur Einzelpräsentation beauftragt hier der Kunde bereits im Vorfeld mehrere Agenturen mit der Ausarbeitung einer Aufgabenstellung, die im Briefing dargestellt wurde. Die einzelnen Agenturen treten in einen Wettbewerb zueinander.
- *Jahres-* oder *Etatpräsentation:* Für die bereits betreuten Kunden werden regelmäßig Jahres- bzw. Etatpräsentationen durchgeführt. Ein bestehender Etat wird auf verschiedene Kommunikationsmaßnahmen verteilt, dem Kunden präsentiert und mit ihm abgestimmt. Die weiteren Planungen und die Festlegung künftiger Strategien, z.B. die Weiterführung oder Veränderung von bereits laufenden Kampagnen werden abgesprochen, um z.B. auf veränderte Marktbedingungen zu reagieren.

Präsenter
→ Testimonial

Preispolitik
(Kontrahierungspolitik, Entgeltpolitik) Teilbereich des → Marketing-Mix, der die Festlegung des Preis-/Leistungsverhältnisses eines Produktes oder einer Dienstleistung umfasst. Dabei sind der kalkulierte Unternehmensgewinn, die Gegebenheiten am Markt und die Preise der eigenen Produkte, die bereits verkauft werden, zu berücksichtigen. Zur Preispolitik gehören die erstmalige preisliche Festsetzung, ihre Veränderung (die sogenannte Preisdifferenzierung), die Gewährung von Rabatten, die Zahlungsbedingungen, die Kreditgewährung und das Leasing.

Prepress
→ Druckvorstufe

Primacy-Effekt
→ Kommunikationswirkung der Werbung

Primärerhebung
→ Primärforschung

Primärforschung
(Primärerhebung) In der → Marketing-, Media- und Sozialforschung die Neugewinnung bzw. Neuerhebung von Informationen und Daten zu einem bestimmten Untersuchungsgegenstand (z.B. Konsumverhalten in Privathaushalten über das Internet), für den möglicherweise keine aktuellen Untersuchungen vorliegen oder der überhaupt noch nicht erhoben wurde (vgl. → Sekundärforschung). Bei der Primärforschung werden häufig die → Befragung oder die → Beobachtung zur Durchführung eingesetzt. In die Untersuchung können Hersteller, Handel und/oder die Endverbraucher einbezogen werden. Man unterscheidet:
- *Vollerhebung:* Alle relevanten Personen werden uneingeschränkt zu

einem bestimmten Thema bzw. Untersuchungsgegenstand befragt.
- *Teilerhebung:* Nur ein gewisser Anteil der in Frage kommenden Personen wird in die Untersuchung einbezogen. Um die gewonnenen Informationen auf die Gesamtheit zu übertragen, muss auf eine repräsentative Auswahl geachtet werden.

Printer-Font
→ Font

Printmedien
(Druckmedien) Eine Sammelbezeichnung für alle Druckprodukte, die auf Papier, Karton und Pappen (z.B. Zeitungen, Bücher, Werbedrucksachen, Plakate, Verpackungen) entstehen und zur Vervielfältigung und Weitergabe von Informationen dienen. Im engeren Sinne versteht man unter den Printmedien jegliche Form von Zeitschriften, Zeitungen und sonstigen periodisch erscheinenden Publikationen. (vgl. → Non-Printmedien)

Printwerbung
Alle Formen der Werbung mit gedruckten Werbemitteln bzw. auf gedruckten Werbeträgern. Hierzu gehören z.B. Prospekte, Kataloge, Plakate und Zeitungsanzeigen.

Proband
Im Rahmen der → Marketing-, Media- und Sozialforschung die Bezeichnung für eine Test-, Auskunfts- oder Versuchsperson, mit deren Hilfe bestimmte Informationen bezüglich des jeweiligen Untersuchungsgegenstandes (z.B. der Test eines Produktes oder eines Werbemittels innerhalb der Zielgruppe) ermittelt werden.

Probedruck
→ Andruck

Product Placement
Unter dem Begriff Product Placement versteht man die Integration eines Markenartikels oder einer Dienstleistung in einen Spielfilm. Der Schauspieler benutzt oder verbraucht das jeweilige Produkt oder nimmt eine bestimmte Leistung im Rahmen der Filmhandlung in Anspruch. Die Einbindung z.B. von Technik- oder Automobilmarken bei einem *James Bond*-Film transportiert ein bestimmtes Image und Prestige auf diese Produkte. Voraussetzung für ein erfolgreiches Product Placement ist ein hoher Bekanntheitsgrad und ein positives Image des Produkts bzw. Firmennamens. Es gibt spezielle Placement-Agenturen, die als Vermittler und Lizenzgeber agieren, Drehbücher auf Placement-Möglichkeiten durcharbeiten und einen Product Placement-Einsatz planen, gestalten, durchführen und auch überwachen. Das Product Placement kann verschiedene Formen annehmen z.B. (vgl. Weis, 1995, S. 416 f.):
- *Generic Placement:* Der Einsatz einer Warengattung (z.B. Zigaretten, Kaffee), bei der die eingesetzte Marke für den Zuschauer nicht erkennbar ist.
- *Corporate Placement:* Hervorhebung einer Organisation oder eines Unternehmens in der Filmhandlung.

- *Innovation Placement:* Bekanntmachung von ganz neuen Produkten durch Einbeziehung in den filmischen Ablauf.
- *Image Placement* oder *Creative Placement*: Das Thema des Films bzw. die gesamte Produktion ist auf ein bestimmtes Produkt konzentriert oder auf eine Marke hin abgestimmt. Es spielt praktisch eine »Hauptrolle« (z.B. *VW-Käfer*).
- *»normales« Product Placement:* Hier wird ein deutlich erkennbares Markenprodukt als Requisite im Film verwendet.

Produktdifferenzierung
→ Produktpolitik

Produktdiversifikation
→ Produktpolitik

Produkteliminierung
→ Produktpolitik

Produkt-Erinnerungswert
→ Copy-Test

Produktimage
→ Image

Produktinnovation
→ Produktpolitik

Produktioner/in
Der Produktioner in einer Werbeagentur oder Werbeabteilung plant, leitet und überwacht die Herstellung von Printmedien. Er prüft die technisch mögliche Umsetzbarkeit von gestalterischen Ideen und sucht nach den kostengünstigsten Produktionsmöglichkeiten. Die Auswahl von Lieferanten, das Einholen von Angeboten für spezielle Aufträge, die Beurteilung von Druckvorlagen hinsichtlich ihrer Eignung zur Reproduktion, die Verhandlung mit Dienstleistern, wie Druckereien und Reprobetrieben, die Prüfung der Andrucke sowie die Termin- und Kostenüberwachung gehören zu seinem Aufgabenbereich. (vgl. → Werbe- und Medienberufe - Berufs- und Tätigkeitsfelder)

Produktionskonzept
→ Marketingkonzepte

Produktkonzept
→ Marketingkonzepte

Produktlebenszyklus
Man geht davon aus, dass jedes Produkt am Markt, ebenso wie das menschliche Leben, bestimmte Phasen durchläuft. Diese »Lebensdauer« (Lebenszyklus) kann Jahrzehnte, Jahre oder nur Monate dauern. Folgende Phasen werden dabei unterschieden:

- *Einführungsphase:* Das Produkt wird ausgeliefert und die Umsätze steigen leicht an. Diese Phase verläuft etwa bis zur Erreichung der Gewinnschwelle.
- *Wachstumsphase:* Die Umsatzzuwächse sind überproportional und stabilisieren sich nach einiger Zeit. In dieser Phase wird in der Regel auch die höchste Umsatzrendite erwirtschaftet. Die ersten Nachahmer des Produkts treten auf dem Markt auf.
- *Reifephase:* Die absoluten Umsatzzuwächse enden. Die Phase ist charakterisiert durch ein geringes

Wachstum und eine Sättigung des Marktes.

- *Sättigungsphase (Marktsättigung):* Die Umsatzkurve erreicht hier ihr Maximum.
- *Degenerationsphase:* Die Umsätze sinken stark ab und der Gewinn nähert sich gegen Null.
- *Produktversteinerung (Absterbephase):* Die Umsatzkurve fällt hier stetig ab.

Produkt-Mix

→ Produktpolitik

Produktpolitik

(Produkt-Mix) Ein Teilbereich des → Marketing-Mix, der sich in erster Linie auf die Produktqualität bezieht, also auf die Produkteigenschaften, die äußere Gestaltung eines Produkts und die Markenbildung. Die Entscheidungen über die entsprechenden Produktionsprogramme und das Festlegen des Sortiments für den Handel gehören ebenso zur Produktpolitik, wie die Entwicklung neuer Produkte, Garantieleistungen und der technische und kaufmännische Kundendienst. Die Produktpolitik gilt als zentraler Bereich des Marketing. Es gilt, Bedürfnisse am Markt bzw. Probleme der Kunden aufzuspüren und Problemlösungen dafür anzubieten. Zu den grundlegenden Möglichkeiten der Produktpolitik gehören:

- *Produkteliminierung:* Ein Programm- oder Produktbereich wird systematisch nach verschiedenen Gesichtspunkten analysiert und z.B. bei geringer Rentabilität oder schlechten Marktchancen ausgesondert bzw. aufgegeben.
- *Produktinnovation:* Entwicklung und Verkauf von völlig neuartigen Produkten oder die Eingliederung von Produkten, die für das jeweilige Unternehmen eine Neuheit im Produktprogramm darstellen.
- *Produktvariation:* Bei der Variation werden bestimmte Eigenschaften eines auf dem Markt befindlichen Produktes verändert bzw. verbessert. Dies kann z.B. hinsichtlich Funktion, Design, Image und der Namensgebung geschehen. Ein Produkt wird damit an neue Entwicklungen und veränderte Marktbedingungen angepasst.
- *Produktdifferenzierung:* Bei der Differenzierung werden Varianten von bereits auf dem Markt vorhandenen Produkten verkauft. Diese können z.B. als Zweitmarke mit geringerem Preis und einer anderen Verpackung in neuen Märkten positioniert sein.
- *Produktdiversifikation (Diversifikation):* Ein Unternehmen nimmt neue Produkte oder Leistungen in sein Programm auf und betätigt sich damit auf neuen Märkten. Die folgenden grundsätzlichen Möglichkeiten zur Diversifikation sind denkbar:
  - *Horizontale Diversifikation:* Erweiterung eines bestehenden Programms mit verwandten Produkten auf derselben Wirtschaftsstufe.
  - *Vertikale Diversifikation:* Erweiterung der Leistungstiefe auf vorgeschaltete Wirtschaftsstufen (z.B. die eigene Rohstoffbeschaffung) oder nachgeschaltete Wirtschaftsstufen (z.B. eigenes Vertriebssystem).

- *Laterale Diversifikation:* Erweiterung des Leistungsprogramms um völlig neue Produkte, die in keiner technischen oder wirtschaftlichen Beziehung zum bisherigen Angebot stehen. Die laterale Diversifikation ist die typische Diversifikationsform von Mischkonzernen.

Produkttest
Ein Produkttest ist eine experimentelle Untersuchung, bei der Testpersonen kostenlos bereitgestellte Produkte probeweise gebrauchen oder verbrauchen und anschließend eine Beurteilung des Produktes, seiner Bestandteile oder seiner Eigenschaften abgeben. Die Einschätzung der Testperson kann auch, je nach Untersuchungsart, nur durch ein bloßes Betrachten des Konsumgutes erfolgen. Ein Produkttest kann sich auf neue oder bereits auf dem Markt eingeführte Produkte beziehen. Die Tests werden z.B. in einem künstlichen Umfeld, bzw. einem Testinstitut (Labortest) mit direkter mündlicher Befragung durchgeführt oder die Testperson probiert die Produkte zu Hause aus und bewertet sie in schriftlicher Form mit einem Fragebogen. Die Ziele von Produkttests können u.a. sein:
- Beurteilung der Akzeptanz von Produkten,
- Ermittlung der optimalen Gestaltung und Ausführung der einzelnen Produktelemente (Funktion, Leistung, Design, Farbe, Verpackung, Preis, Marke, Name),
- Ermittlung der Gebrauchstauglichkeit des Produktes insgesamt,
- Überprüfung des Produkt-Image,
- Bewertung des Produktes durch die Testperson in Bezug auf eine Reihe von Produktalternativen.
- Informationssammlung zur Entwicklung einer Produktalternative.

Produktvariation
→ Produktpolitik

Produktversteinerung
→ Produktlebenszyklus

Produktwerbung
→ Werbung

Prognose
→ Delphi-Methode

Prognosetechnik
→ Delphi-Methode

Programm-Bartering
→ Bartering

Promotion
→ Verkaufsförderung

Promotion-Anzeige
Eine spezielle Form von Anzeigen, bei der die Anzeigengestaltung vom jeweiligen Verlag bzw. der Redaktion durchgeführt und an das spezielle Printmedium (z.B. eine Frauenzeitschrift) angepasst wird. Die Anzeige muss dabei aus presserechtlichen Gründen eindeutig als Werbung mit dem Wort »Anzeige« gekennzeichnet sein. Dem Werbungtreibenden bzw. dem Anzeigenkunden wird diese Serviceleistung zusätzlich berechnet.

Promotionspiel
→ Fernseh- und Hörfunkwerbung

Propaganda

Im Gegensatz zur Wirtschaftswerbung (vgl. → Werbung) handelt es sich bei der Propaganda um eine »Werbung« für ausserwirtschaftliche Bereiche. Hierzu gehören z.B. die Verbreitung von Ideologien und von bestimmten Weltanschauungen.

Propagandist/in

(Werbedamen, Verkaufsberater/innen) Propagandisten sind in der Regel Fachverkäufer, die überwiegend zeitlich begrenzte und aktionsbezogene Verkaufseinsätze für unterschiedliche Produkte verschiedener Hersteller an wechselnden Einsatzorten durchführen. Die Aufgabe der Propagandisten ist es, durch eine Direktansprache der potenziellen Kunden den Absatz bestimmter Produkte zu fördern. Sie werden direkt im Handel am → Point of Sale (POS), auf der Straße oder an öffentlichen Orten eingesetzt. Oft wird die Verteilung von Warenproben als zusätzliche Verkaufsförderungsmaßnahme durchgeführt.

Prospekt

Ein kleines oder größeres Faltblatt oder ein aus mehreren Blättern bestehendes Druckprodukt, das der Information und Werbung dient. Prospekte sind ein Mittel der → Direktwerbung und werden z.B. in Zeitungen eingelegt oder als Wurfsendung an die Haushalte verteilt.

Prospekt-Anzeige

Eine beidseitige, faltbare Anzeigen-Doppelseite in einer Zeitschrift auf einem herausnehmbaren Bogen gedruckt.

Protokoll

(Bereich Computertechnik) In der Computer- und Netzwerktechnik versteht man unter einem Protokoll einen vorgeschriebenen Ablauf, der die Datenübertragung regelt.

Provider

→ Access-Provider

Prozessfarben

Die genormte Druckfarbenskala bzw. die Grundfarben für den vierfarbigen Druck mit Cyan (C), Magenta (M) , Gelb (Y = Yellow) und Schwarz (K = Key). Mit diesen Grundfarben lassen sich durch unterschiedliche Prozentwerte der einzelnen Farben drucktechnisch fast alle gewünschten Farben erzeugen. Allgemein wird dieses Farbsystem als CMYK-System bezeichnet.

prozyklische Werbung

→ zyklische Werbung

psychographische Segmentierung

→ Marktsegmentierung

psychologische Kommunikationsziele

→ Kommunikationsziele

psychologische Marketingziele

→ Marketingziele

Public Domain

Eine Computer-Software, die z.B. über CD-ROMs oder das → World Wide Web verbreitet wird und kostenlos kopiert, benutzt und weitergegeben werden darf. Der Hersteller besitzt an der Software ein Urheberrecht, daher darf sie im Gegensatz zu Freeware-Programmen (vgl. → Freeware) programmiermäßig nicht verändert werden.

Public Relations
→ Öffentlichkeitsarbeit

Public Relations-Agentur
Eine selbständige und auf den Bereich → Öffentlichkeitsarbeit spezialisierte Werbeagentur, die ihre Kunden in diesem Bereich umfassend betreut (z.B. Pressearbeit, Herstellung von Imagebroschüren, Durchführung von Image-Kampagnen).

Publikumszeitschrift
Publikumszeitschriften sind periodisch erscheinende Zeitschriften, die ihren Lesern allgemein verständliche und meist unterhaltende Inhalte sowie Lebenshilfe bieten. Im Gegensatz zur → Fachzeitschrift wenden sich Publikumszeitschriften an breite Bevölkerungsgruppen, völlig unabhängig von ihrer sozialen Schicht, ihrem Beruf, ihrem Einkommen usw. (vgl. → Special Interest-Zeitschrift, → Zielgruppenzeitschrift)

Punkt
→ typographischer Punkt

R

Rabattkombi
→ Anzeigenrabatt

Rabattkombination
→ Anzeigenrabatt

Raster
Raster sind bestimmte Rasterpunkt-Strukturen, mit deren Hilfe man Halbtonvorlagen im Reproduktions- und Druckprozess umsetzen kann. In den Verfahren Flach-, Hoch- und Siebdruck lassen sich keine »echten« Halbtöne (Grautöne) darstellen. Hier gibt es nur die Möglichkeit, den Vollton von Schwarz bzw. einer Farbe (Strichzeichnung, Strichvorlage) zu drucken oder eine bestimmte Fläche ganz unbedruckt zu lassen. Sollen Halbtöne, also verschiedene Stufen zwischen Schwarz bzw. einer Farbe und Weiß (z.B. Farb- oder Schwarzweiß-Bilder) reproduziert werden, ist eine Rasterung erforderlich, die die Zwischenstufen praktisch vortäuscht. Diese Rasterung bzw. Rasterreproduktion erfolgt meist in elektronischer Form. Ein einzelner Rasterpunkt ist, je nach Grauwert, unterschiedlich groß und liegt in einer Rasterzelle. Diese Rasterzelle wird vom Rasterpunkt, je nach Größe, verschiedenartig ausgefüllt. Die Anzahl der Rasterzellen werden auf einer Streckeneinheit in Lines per Inch (lpi, l/inch) oder Linien pro Zentimeter (l/cm) angegeben. Ein für den Zeitschriftendruck übliches 50er- bis 60er-Raster hat somit 50 bzw. 60 Linien pro Zentimeter. Die Feinheit des Rasters wird auch Rasterweite oder Rasterfrequenz genannt. In der Regel kommt ein Punktraster zum Einsatz, die Rasterelemente können aber auch u.a. eine elliptische, quadratische, wellenförmige oder eine linienartige Form aufweisen. Der mögliche Einsatz von Rastern hängt auch von der Oberfläche des jeweiligen Bedruck-

Umrechnung von l/cm in lpi

Ein Inch entspricht 2,54 cm. Daraus ergeben sich für eine Linie pro Zentimeter (l/cm) 2,54 Lines per Inch (lpi).

l/cm	lpi
90	228
80	203
70	177
60	152
54	137
48	122
40	101
34	86
28	71
24	61
20	51

Raster

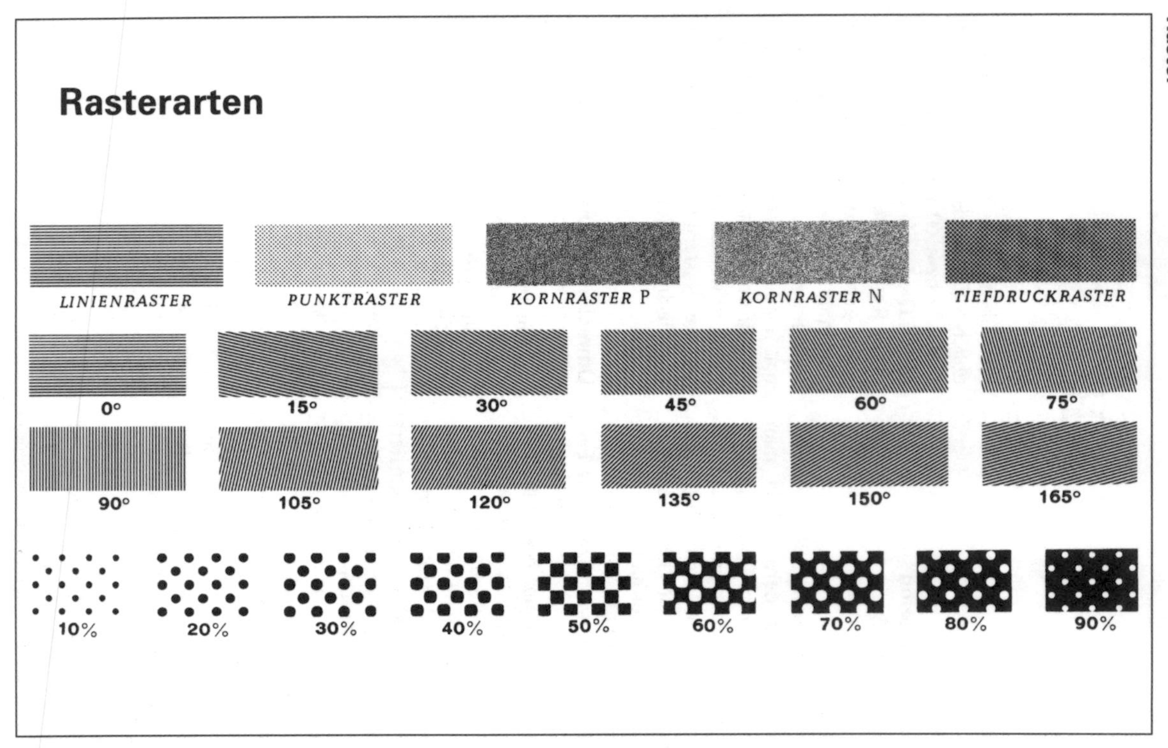

Verschiedene Raster, Rasterwinkelungen und Rasterdeckungen

stoffes ab. Eingesetzt werden folgende Raster:

- 20er- bis 30er-Raster (bei grobem Zeitungspapier),
- 34er- bis 40er-Raster (bei satiniertem Papier),
- 54er- bis 70er-Raster (bei gestrichenem Papier),
- 70er- bis 200er-Raster (bei Spezialdrucken und qualitativ besonders hochwertigen Drucksachen).

Rasterbild-Prozessor
→ Raster Image Processor (RIP)

Rasterfrequenz
→ Raster

Rastergrafik
→ Bitmap-Datei

Raster Image Processor (RIP)
Ein Hardware-Baustein eines Computersystems, der die Befehle von Seitenbeschreibungssprachen (z.B. PostScript) in die für die Ausgabe notwendigen Druckpunkte umrechnet bzw. rastert. Ein RIP kann auch in Form einer Software auf einem System installiert sein. Die komplexen Grafik-, Bild- und Textdaten aus der → Druckvorstufe werden z.B. über ein RIP elektronisch für die Belichtung auf Film oder Druckplatte oder für den direkten Druck umgewandelt bzw. gerastert.

Rasterpunkt
Rasterpunkte sind Bildstellen bzw. Druckelemente, mit deren Hilfe man Halbtonvorlagen in eine Rasterstruktur umsetzen kann. In den Verfahren Flach-, Hoch- und Siebdruck müssen die Halbtöne (Zwischentöne) von z.B. Schwarz-weiß- oder Farbbildern gerastert werden. Ein Rasterpunkt ist, je nach Grauwert, unterschiedlich groß und liegt in einer Rasterzelle. Diese Rasterzelle wird vom Rasterpunkt, je nach Größe, verschiedenartig ausgefüllt. Die Anzahl der Rasterzellen werden auf einer Streckeneinheit in Lines per Inch (lpi, l/inch) oder Linien pro Zentimeter (l/cm) angegeben. (vgl. → Raster)

Rasterreproduktion
→ Raster

Rasterung
→ Raster

Rasterweite
→ Raster

Rauhsatz
→ Satzarten

Raytracing
Ein Begriff für die realistische Darstellung von dreidimensionalen Objekten am Computer mit einer geeigneten Software. Mit der Hilfe von künstlichen Schatten, Lichtquellen und Reflexionen erhalten die verschiedenen Objekte und ihre Umgebung ein möglichst natürliches Aussehen.

Reaktanz
(Reaktanztheorie) Die Widerstandsreaktion eines Individuums, die durch eine versuchte übermäßige Beeinflussung seines Verhaltens durch Personen, Informationen usw. eintritt. Je größer dieser Beeinflussungsdruck sich darstellt, desto grö-

ßer ist die Distanzierung bzw. die Ablehnung. Eine Person fühlt sich durch eine Beeinflussung in ihren Meinungen, Einstellungen und Freiräumen eingeschränkt und ist bestrebt, ihre »Freiheit« wiederzuerlangen. In der → Kommunikationspolitik bzw. der Gestaltung von Werbung ist dieser Umstand besonders zu beachten. Eine Bedrängung bzw. eine offensichtliche Beeinflussungsabsicht muss bei den Kommunikationsmaßnahmen vermieden werden. Die Werbung läuft sonst Gefahr, eine Meinungs- und Verhaltensänderung nicht zu erreichen oder gar völlig abgelehnt zu werden. (vgl. → kognitive Dissonanz)

Reaktanz-Effekt
→ Kommunikationswirkung der Werbung

Reaktanztheorie
→ Reaktanz

Reason Why
Unter dem Reason Why versteht man die Begründung eines in der Werbung aufgestellten Nutzenversprechens für ein Produkt. Diese Begründung soll den Konsumenten in seiner Entscheidung für ein bestimmtes Produkt bestärken (z.B. eine besondere technische Eigenschaft). Auch nach dem Kauf soll der Reason Why dem Käufer die Richtigkeit seiner Wahl bestätigen. Je höher der Produktanspruch, desto mehr Bedeutung erhält der Reason Why. (vgl. → Copy-Strategie)

Recall-Test
→ Werbeerfolgskontrolle

Recency-Effekt
→ Kommunikationswirkung der Werbung

Recognition-Test
→ Werbeerfolgskontrolle

Recyclingpapier
Papier- und Kartonsorten, die aus 100 % Altpapier hergestellt werden.

Reduktion
→ Artwork

Reduktionswerbung
→ Werbung

Reichweite
»In der → Media- und Werbeforschung bezeichnet die Reichweite eines Werbeträgers den Anteil (Prozentsatz) an der Bevölkerung oder einer anderen Zielgruppe, seien es Einzelpersonen oder Haushalte, die zu einem bestimmten Zeitpunkt oder in einem bestimmten Zeitraum Kontakt mit diesem Werbeträger haben bzw. hatten« (Koschnick, 1995, S. 1495). Man unterscheidet generell Brutto- und Nettoreichweite. Während man unter der Nettoreichweite die Anzahl der Personen einer Zielgruppe, die von einem Werbeträger oder einer Werbeträgerkombination mindestens einmal erreicht werden, versteht, ist die Bruttoreichweite die Summe der Reichweiten mehrerer Werbeträger inklusive der Überschneidungen, d.h. mehrfach erreichte Personen werden hier auch mehrfach gezählt.
Von internen Überschneidungen spricht man, wenn ein Nutzer durch mehrere Ausgaben desselben Me-

diums erreicht wurde. Externe Überschneidungen sind vorhanden, wenn ein Nutzer mit verschiedenen Medien Kontakt hatte. (vgl. → interne Überschneidung, → externe Überschneidung)

Reifephase
→ Produktlebenszyklus

Reihenfolgeeffekt
→ Bilder, bildhafte Darstellungen

Reinlayout
→ Layout

Reinzeichnung
→ Layout

Relaunch
(Relaunching) Als Relaunch bezeichnet man die erneute Aktivierung eines bereits auf dem Markt befindlichen Produktes, um dem eventuell rückläufigen oder stagnierenden Absatz neue Impulse zu geben. Das Produkt wird hierbei verändert bzw. verbessert oder lediglich durch verstärkte Werbemaßnahmen bzw. durch eine neue Produktpositionierung beim Verbraucher in Erinnerung gebracht. Man nennt diese Maßnahme auch Revitalisierungsmarketing. Die Vorteile eines Produktes werden, z.B. durch technische Veränderung, Änderungen im Design oder durch Erweiterung der Zusatzleistungen, erweitert. Ein beispielsweise in der Sättigungsphase (vgl. → Produktlebenszyklus) befindliches, etwas veraltetes Produkt erhält durch einen modernen Werbeauftritt (z.B. neuer Slogan, neue Verpackung, neue Werbeformen) und eine Verbesserung seiner Eigenschaften (z.B. wegen veränderten Verbraucherbedürfnissen) neue Absatzchancen.

Relaunching
→ Relaunch

Reliabilität
(Messgenauigkeit) Unter Reliabilität versteht man die Zuverlässigkeit, bzw. den Grad der Sicherheit von Messmethoden (z.B. bei → Beobachtungen und Untersuchungen innerhalb der → Marketingforschung). Ein Verfahren gilt dann als reliabel, wenn die ermittelten Werte bei Erhebungen durch verschiedene Personen oder bei einer Wiederholung des Messvorganges sich nur geringfügig und vernachlässigbar unterscheiden. (vgl. → Validität)

Remission
Beim Vertrieb von Zeitungen, Zeitschriften und Büchern wird die Rückgabe von nicht verkauften Exemplaren vom Einzelhandel an den Großhandel bzw. an den Verlag als Remission bezeichnet. Die zurückgenommenen Zeitschriften, Zeitungen oder Bücher bezeichnet man als Remittenden. Die sogenannte Remission kann körperlich, d.h. durch eine Rücksendung der unversehrten Exemplare oder körperlos erfolgen. Da alte Zeitungen und Zeitschriften ohnehin nicht mehr verkauft werden können, wird aus Kostengründen in der Regel eine körperlose Remission (KR) vorgenommen, indem z.B. nur die Titelseiten der Presseerzeugnisse herausgerissen und zurückgeschickt werden (Titelkopfremission, Kopfre-

mission) oder der Nachweis über schriftliche Aufstellungen des Einzelhandels erbracht wird.

Remittenden
→ Remission

Repro
→ Reproduktion

Reproduktion (Repro)
Ein Teilbereich der Druckvorstufe bzw. Druckvorbereitung, der die Übertragung von sämtlichen Bildvorlagen, Logos, Grafiken usw. auf bestimmte Materialien (z.B. Filme) oder auf Datenträger durch technische Geräte (z.B. Reprokamera, → Scanner) übernimmt, um damit geeignete Vorlagen für die Druckformherstellung bzw. den Druckprozess zur Verfügung zu stellen.

Reprograf/in
→ Mediengestalter/in für Digital- und Printmedien

Reprohersteller/in
→ Mediengestalter/in für Digital- und Printmedien

Response
(Rücklauf) Der Rücklauf bzw. die Antworten und Reaktionen der Zielpersonen aufgrund von Werbemaßnahmen (z.B. bei einer → Direktwerbung). Die Rücklaufquote kann in Form von Bestellungen, Aufträgen, Anmeldungen und/oder zurückgesandten Anforderungskarten gemessen und beurteilt werden.

Revitalisierungsmarketing
→ Relaunch

RGB
→ additive Grundfarben

Rheinisches Format
→ Zeitungsformate

Rich-Media-Banner
→ Banner-Werbung

rillen
In der → Druckweiterverarbeitung das linienförmige Aufbringen von Vertiefungen auf Papier oder Karton, damit ein besseres Falten bzw. ein Biegen des Werkstoffes ermöglicht wird. Das Papier wird dabei an diesen Stellen verdichtet, um ein Platzen oder Brechen beim Falten zu verhindern.

RIP
→ Raster Image Processor

Robinson-Liste
Eine Bestandsliste, die vom Deutschen Direktmarketing Verband (DDV) in Wiesbaden geführt wird und die Adressen von Personen enthält, die keine Direktwerbung von Unternehmen erhalten möchten. In diese Liste kann man sich jederzeit eintragen lassen. Die Robinson-Liste ist eine freiwillige Einrichtung der Werbewirtschaft, die dem Schutz des Verbrauchers dienen soll.

Rohlayout
→ Layout

Rollenoffsetdruck
→ Offsetdruck

Rough
→ Layout

Rub-off-Effekt
→ Kommunikationswirkung der Werbung

Rückenheftung
→ Drahtheftung

Rückenstichheftung
→ Drahtheftung

Rücklauf
→ Response

Rundfunk-Spot
→ Hörfunk-Spot

Rundsatz
→ Satzarten

S

Sachpräsentation
→ Präsentation

Salesfolder
Gedruckte Verkaufsunterlagen, die den Verkäufer bzw. den Außendienst bei seinem Verkaufsgespräch unterstützen. Die Produkte und/oder Dienstleistungen werden mit ihren Vorteilen ausführlich in einem Salesfolder dargestellt und dienen als Leitfaden und Argumentationshilfe für das Verkaufsgespräch. Ein Salesfolder kann für die Endkunden und/ oder eine spezielle Version für die Absatzmittler (Handel) bestimmt sein.

Sales Promotion
→ Verkaufsförderung

Sammelhefter
→ Drahtheftung

Sammelwerbung
Eine Form der → Gemeinschaftswerbung. Mehrere Werbungtreibende einer Branche oder Anbieter gleicher Produkte bzw. Dienstleistungen werben gemeinsam unter Nennung ihrer Firmen- bzw. Markennamen (z.B. eine Zeitungsanzeige von Arbeitsgemeinschaften).

Satelliten-Anzeige
Mehrere Zeitungsanzeigen desselben Werbungtreibenden, die über einige Anzeigenspalten verteilt sind und so eine höhere Aufmerksamkeit erzeugen.

satiniertes Papier
Ein mit der Hilfe von Walzen, sogenannten Kalandern, durch Druck und Temperatur verdichtetes und geglättetes Papier. Je nach Verfahren glänzt das Papier mehr oder weniger.

Sättigungsphase
→ Produktlebenszyklus

Satz
(Bereich Grafische Industrie) Den für die Druckproduktion benötigten bzw. erstellten Text bezeichnet man als Satz. Nach dem Einsatzbereich unterscheidet man z.B. Werksatz (bei Büchern), Zeitungssatz und Anzeigensatz.

Satzanordnung
→ Satzarten

Satzarten
(Satzanordnung) Die Anordnung der Schrift auf einer gedruckten Seite. Man unterscheidet (vgl. Siemoneit, 1989, S. 123 ff.):
- *Blocksatz:* Hier sind die Worte, wie in dem vorliegenden Buch, auf die gesamte Zeilenbreite verteilt bzw. ausgeschlossen. Die Wortzwischenräume sind unterschiedlich.

Je weniger Worte in einer Zeile, desto größer die Wortabstände. Der Blocksatz vermittelt ein ruhiges und ausgeglichenes Satzbild und sollte bei Zeileninhalten zwischen 35 und maximal 60 Zeichen eingesetzt werden.
- *Links- bzw. rechtsbündiger Flattersatz:* Die Wortzwischenräume sind konstant und die Zeilen enden unregelmäßig bzw. »flattern«. Das Satzbild wirkt eher unruhig. Vor allem bei größeren Textmengen in Büchern und Zeitungen würde sich dieser Effekt sehr nachteilig auswirken. Zum Einsatz kommt der linksbündige Flattersatz bei Zeileninhalten unter 35 Zeichen und kleineren Textmengen, Überschriften und Aufzählungen. Die rechtsbündige Variante wird in der Regel nur für Bildunterschriften, Überschriften und spezielle typographische Effekte verwendet.
- *Rauhsatz:* Der Rauhsatz ist dem linksbündigen Flattersatz sehr ähnlich, er unterscheidet sich lediglich durch die geringeren Ausläufe der Zeilen und kommt optisch dem Blocksatz nahe.
- *Mittelachsensatz (Satz auf Mittelachse):* Die einzelnen Zeilen werden zentriert und auf die Zeilenmitte hin ausgerichtet. Die Zeilen »flattern« auf beiden Seiten. Mittelachsensatz wird für kleinere Textmengen, z.B. in Einladungen, auf Titelseiten von Büchern und Broschüren und bei Überschriften verwendet.
- *Konturensatz:* Beim Konturensatz werden im Satzspiegel befindliche Objekte von Text umflossen. Text- und Bildinformationen werden durch diese Satzart miteinander verknüpft. DTP-Programme wie *QuarkXPress* bieten mittlerweile komfortable Möglichkeiten zur Umsetzung von Konturensatz.
- *Formen- und Figurensatz:* Hier wird eine vorgegebene Form mit Text gefüllt. Der Text dient hier gleichzeitig zur Illustration und symbolisiert z.B. einen Kreis, einen Baum oder eine körperliche Form. Auch der Formen- und Figurensatz wird durch vielfältige Funktionen in DTP-Programmen unterstützt.
- *Rund- oder Bogensatz:* Diese Satzart kommt u.a. bei Münzen, Aufklebern und Stempeln zum Einsatz. Die Schrift wird an einer Rundung entlang geführt und damit verzerrt. Ein sparsamer Einsatz wird empfohlen, da die Lesbarkeit leidet.
- *Synoptischer Satz:* Beim synoptischen Satz werden gleichzeitig Texte in mehreren Sprachen gesetzt. Die Texte werden dabei in unterschiedlichen Sprachen z.B. in Spalten genau gegenüber gestellt.

Satz auf Mittelachse
→ Satzarten

Satzherstellung
Derjenige Teil der → Druckvorstufe, in dem der → Satz (Text) produziert bzw. hergestellt wird.

Satzspiegel
Mit dem Satzspiegel bezeichnet man einen bestimmten, gemäß → Gestaltungsraster vorgegebenen Bereich einer Druckseite, auf dem Texte, Bilder und Illustrationen platziert wer-

Satzarten

Blocksatz
Unter Werbung versteht man alle Formen der gezielten und geplanten Beeinflussung von Menschen. Werbung kann im politischen, kulturellen oder wirtschaftlichen Bereich stattfinden. Der Bereich Wirtschaftswerbung kann sich auf ein Unternehmen oder eine Institution als Ganzes beziehen oder auf Produkte oder Dienstleistungen. Die Wirtschaftswerbung im engeren Sinne wird mit der Absatzwerbung gleichgesetzt.

Rauhsatz
Unter Werbung versteht man alle Formen der gezielten und geplanten Beeinflussung von Menschen. Werbung kann im politischen, kulturellen oder wirtschaftlichen Bereich stattfinden. Der Bereich Wirtschaftswerbung kann sich auf ein Unternehmen oder eine Institution als Ganzes beziehen oder auf Produkte oder Dienstleistungen. Die Wirtschaftswerbung im engeren Sinne wird mit der Absatzwerbung gleichgesetzt.

linksbündiger Flattersatz
Unter Werbung versteht man alle Formen der gezielten und geplanten Beeinflussung von Menschen. Werbung kann im politischen, kulturellen oder wirtschaftlichen Bereich stattfinden. Der Bereich Wirtschaftswerbung kann sich auf ein Unternehmen oder eine Institution als Ganzes beziehen oder auf Produkte oder Dienstleistungen. Die Wirtschaftswerbung im engeren Sinne wird mit der Absatzwerbung gleichgesetzt.

rechtsbündiger Flattersatz
Unter Werbung versteht man alle Formen der gezielten und geplanten Beeinflussung von Menschen. Werbung kann im politischen, kulturellen oder wirtschaftlichen Bereich stattfinden. Der Bereich Wirtschaftswerbung kann sich auf cin Unternehmen oder eine Institution als Ganzes beziehen oder auf Produkte oder Dienstleistungen. Die Wirtschaftswerbung im engeren Sinne wird mit der Absatzwerbung gleichgesetzt.

Satzarten

Mittelachsensatz

Unter Werbung versteht
manalle Formen der gezielten
und geplanten Beeinflussung
von Menschen. Werbung kann
im politischen, kulturellen oder
wirtschaftlichen Bereich
stattfinden. Der Bereich
Wirtschaftswerbung kann sich
auf ein Unternehmen oder eine
Institution als Ganzes beziehen
oder auf Produkte oder
Dienstleistungen. Die
Wirtschaftswerbung im engeren
Sinne wird mit der
Absatzwerbung gleichgesetzt.

Konturensatz

Unter Werbung versteht man alle Formen der gezielten und geplanten Beeinflussung von Menschen. Werbung kann im

Werbung

politischen, kulturellen oder wirtschaftlichen Bereich stattfinden. Der Bereich Wirtschaftswerbung kann sich auf ein Unternehmen oder eine Institution als Ganzes beziehen oder auf Produkte oder Dienstleistungen. Die Wirtschaftswerbung im engeren Sinne wird mit der Absatzwerbung gleichgesetzt.

Formen- und Figurensatz

Unter Werbung versteht man
alle Formen der gezielten
und geplanten Beeinflus-
sung von Menschen.
Werbung kann im
politischen, kultu-
rellen oder wirtschaft-
lichen Bereich stattfinden.
Der Bereich Wirtschaftswerbung kann sich auf ein Unternehmen oder eine Institution als
Ganzes beziehen oder auf Produkte oder Dienstleistungen.
Die Wirtschaftswerbung im engeren Sinne wird mit der Absatzwerbung gleichgesetzt.

den. Die Größe des Papierrandes soll dabei in einem harmonischen Verhältnis zur Fläche des Satzspiegels stehen. Die Größe der Ränder zueinander können z.B. im Verhältnis des → Goldenen Schnitts (5:8) oder im Verhältnis der DIN-Formate (5:7) ermittelt werden.

Scanner
Ein optisches Eingabegerät, das mit spezieller Software gesteuert wird und die Erfassung, Digitalisierung und Verarbeitung von Bildvorlagen an einem Computersystem übernimmt. Man unterscheidet Trommelscanner und Flachbettscanner, die sich durch die zylindrische bzw. flache Aufnahmefläche für die Bildvorlagen unterscheiden. Trommelscanner werden für Reproduktionen in höchster Qualität eingesetzt. Flachbettscanner haben sich im → Desktop Publishing-Bereich durchgesetzt.

Scannerauflösung
→ Auflösung

Schaltkosten
→ Schaltungskosten

Schaltung
→ Werbe-Schaltung

Schaltungskosten
Im Rahmen der → Mediaplanung die Kosten für die Buchung von Werbeträgern (z.B. Anzeigenseiten, TV-Spots, Hörfunk-Spots).

Schatten-Anzeige
(Shadow-Anzeige, Shadowprint-Anzeige) Bei der Schattenanzeige wird ein Anzeigenmotiv gerastert und als Fond (Hintergrund) auf die entsprechende Seite gedruckt. Der redaktionelle Text wird dabei über die Anzeige, die lediglich als Hintergrund erscheint, gedruckt.

Schauwerbegestalter/in
Der Schauwerbegestalter ist für die optimale Präsentation von Produkten und Dienstleistungen in Schaufenstern, in Verkaufsräumen sowie auf Messen und Ausstellungen zuständig. Sie entwerfen und produzieren die notwendigen Schilder, Beschriftungen, Plakate und Dekorationen. (vgl. → Werbe- und Medienberufe - Ausbildungsberufe)

Schlagzeile
→ Headline

Schleichwerbung
(getarnte Werbung) Eine Form von Schleichwerbung liegt vor, wenn der Betrachter eine Botschaft nicht oder nur teilweise sofort als Werbung erkennen kann. Bei redaktionell gestalteten Anzeigen, die beim Leser eine bessere Akzeptanz und Glaubwürdigkeit hervorrufen sollen, ist die Gefahr einer Verwechslung z.B. besonders gegeben. Eine derartige Schleichwerbung ist nach dem → Gesetz gegen den unlauteren Wettbewerb (UWG) verboten. Redaktionell gestaltete Anzeigen sind deshalb deutlich mit dem Wort »Anzeige« zu kennzeichnen, damit der Rezipient den Werbecharakter der Botschaft sofort erkennen kann. Andere Bezeichnungen, wie z.B. Promotion oder PR-Anzeige sind für derartige Anzeigen unzulässig.

Schriftfamilie

Dutch 801 (~ Times Roman, Toronto)

Dutch 801 Roman
Dutch 801 Roman Headline
Dutch 801 Italic
Dutch 801 Italic Headline
Dutch 801 Semi Bold
Dutch 801 Semi Bold Italic
Dutch 801 Bold
Dutch 801 Bold Italic
Dutch 801 Extra Bold
Dutch 801 Extra Bold Italic

Schmalbahn

Kennzeichnung eines zu bedruckenden Papierbogens bezüglich seiner Laufrichtung. Bei Bogenpapieren, die aus einer Papierbahn herausgeschnitten werden können, unterscheidet man Schmalbahn und Breitbahn:

- *Schmalbahn:* Die Fasern des Papiers verlaufen parallel zur längeren Seite des Bogens.
- *Breitbahn:* Die Fasern liegen parallel zur kürzeren Seite des Papiers.

Bei der Papierbogenbestellung ist die Dehnrichtung meistens unterstrichen oder die Maschinenrichtung ist mit einem »M« markiert oder das Papierformat ist mit den Abkürzungen SB (Schmalbahn) bzw. BB (Breitbahn) gekennzeichnet. (vgl. → Laufrichtung)

Schmuckfarben

Alle Farben, die außerhalb der üblichen Druckfarben (Cyan, Magenta, Yellow und Schwarz) verwendet werden und für eine bestimmte Standardfarbe oder eine Farbmischung stehen (z.B. → HKS-Farben, → Pantone-Farben).

Schreibschriften

Schreibschriften werden auch Pinselschriften genannt und vermitteln den Eindruck von etwas »Handgeschriebenem«. Im Gegensatz zu allen anderen Schriften können sich die einzelnen Zeichen berühren bzw. überlappen. Beispiele für Schreibschriften sind: *Mistral, Kaufman, Freehand, Letraset Van Dijk, Surreal, Technical, Tekton, Staccato, Nevison Casual.*

Schriftfamilie
Jede Schrift besitzt verschiedene Varianten (Schriftschnitte), die zur Hervorhebung und zur Auszeichnung bestimmter Textpassagen, ohne Wechsel des Schriftgrades, dienen. Grundsätzlich unterscheidet man zwischen gerade stehende und kursive, magere, halbfette und fette, normale, breite und schmale Schnitte. Zusammengenommen bezeichnet man diese verschiedenen Schnitte einer Schrift als Schriftfamilie.

Schriftgrad
→ Schriftgröße

Schriftgröße
(Schriftgrad) Die Größe einer Schrift, bzw. der Abstand zwischen den Oberlängen (Oberkanten) und Unterlängen (Unterkanten) der einzelnen Buchstaben, die in der typographischen Maßeinheit Punkt definiert ist. Dieser Abstand wird auch Schriftgrad oder Schriftkegel genannt. Siehe hierzu auch die Abbildung auf der folgenden Seite.

Schriftklassifikation
Für die typographische Gestaltung von jeglichen Medien bzw. Werbemitteln steht ein fast unüberschaubares Angebot an Schriften von den verschiedenen Herstellern zur Verfügung. Die Schriften werden nach DIN 16518 in unterschiedliche Gruppen eingeteilt:

- Gruppe 1
  Venezianische Renaissance-Antiqua (Beispiele: *Trajanus, Centaur*).
- Gruppe 2
  Französische Renaissance-Antiqua (Beispiele: *Palatino, Garamond*).

Schriftgröße

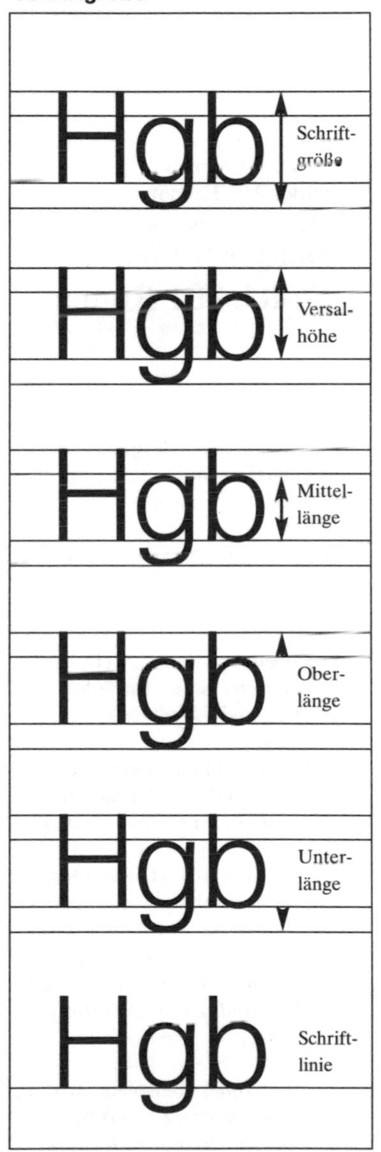

Schriftgrößen

	Pica-Point	in Millimeter (gerundet)
Dutch 801 Roman	6	2,11
Dutch 801 Roman	7	2,46
Dutch 801 Roman	8	2,81
Dutch 801 Roman	9	3,16
Dutch 801 Roman	10	3,51
Dutch 801 Roman	12	4,21
Dutch 801 Roman	14	4,91

- Gruppe 3
  Barock-Antiqua (Beispiele: *Bookman, Baskerville, Caslon* und eine Variante der *Times*).
- Gruppe 4
  Klassizistische Antiqua (Beispiele: *Bodoni* und eine Variante der *Century Schoolbook*).
- Gruppe 5
  Serifenbetonte Antiqua (Beispiele sind: *Glypha* und Varianten der *Memphis* und *Clarendon*).
- Gruppe 6
  Serifenlose Antiqua (Beispiele sind: *Helvetica* und in Varianten die *Univers, Futura* und *Avant Garde*).
- Gruppe 7
  Antiqua-Varianten (Diese Gruppe ist eine Sammlung verschiedener Stile, die in die vorherigen Gruppen nicht einzuordnen waren und auch keine klassischen Schreibschriften sind, z.B. *Colossalis, Largo, Mosaik*).
- Gruppe 8
  Schreibschriften (Beispiele: *Mistral, Kaufman, Freehand, Letraset Van Dijk, Surreal, Technical, Tekton).*
- Gruppe 9
  Handschriftliche Antiqua (Beispiele: *Post-Antiqua, Time-Script, Delphin*).
- Gruppe 10
  Gebrochene Schriften (Beispiele: *Gotenburg, Rundgotisch, Post-Fraktur, Alte Schwabacher*).
- *Gruppe 11*
  Fremde Schriften (Beispiele: *Arabisch, Sanskrit, Chinesisch).*

schriftliche Befragung
→ Befragung

Schriftschnitt
Eine Variante einer Schrift. Jede Schrift besitzt verschiedene Varianten (Schriftschnitte), wie z.B. kursiv, fett, schmal (condensed), die zur Hervorhebung und zur Auszeichnung bestimmter Textpassagen, ohne Wechsel des Schriftgrades, dienen. (vgl. → Schriftfamilie)

Schriftsetzer/in
→ Mediengestalter/in für Digital- und Printmedien

Optische Wirkung von Schrift

Texte mit verschiedenen Schriftgrößen und unterschiedlichen Zeilenabständen

7 Punkt Schrift mit 9 Punkt Zeilenabstand

Unter Werbung versteht man alle Formen der gezielten und geplanten Beeinflussung von Menschen. Werbung kann im politischen, kulturellen oder wirtschaftlichen Bereich stattfinden. Der Bereich Wirtschaftswerbung kann sich auf ein Unternehmen oder eine Institution als Ganzes beziehen oder auf Produkte oder Dienstleistungen. Die Wirtschaftswerbung im engeren Sinne wird mit der Absatzwerbung gleichgesetzt.

8 Punkt Schrift mit 9,5 Punkt Zeilenabstand

Unter Werbung versteht man alle Formen der gezielten und geplanten Beeinflussung von Menschen. Werbung kann im politischen, kulturellen oder wirtschaftlichen Bereich stattfinden. Der Bereich Wirtschaftswerbung kann sich auf ein Unternehmen oder eine Institution als Ganzes beziehen oder auf Produkte oder Dienstleistungen. Die Wirtschaftswerbung im engeren Sinne wird mit der Absatzwerbung gleichgesetzt.

9 Punkt Schrift mit 10,5 Punkt Zeilenabstand

Unter Werbung versteht man alle Formen der gezielten und geplanten Beeinflussung von Menschen. Werbung kann im politischen, kulturellen oder wirtschaftlichen Bereich stattfinden. Der Bereich Wirtschaftswerbung kann sich auf ein Unternehmen oder eine Institution als Ganzes beziehen oder auf Produkte oder Dienstleistungen. Die Wirtschaftswerbung im engeren Sinne wird mit der Absatzwerbung gleichgesetzt.

10 Punkt Schrift mit 11,5 Punkt Zeilenabstand

Unter Werbung versteht man alle Formen der gezielten und geplanten Beeinflussung von Menschen. Werbung kann im politischen, kulturellen oder wirtschaftlichen Bereich stattfinden. Der Bereich Wirtschaftswerbung kann sich auf ein Unternehmen oder eine Institution als Ganzes beziehen oder auf Produkte oder Dienstleistungen. Die Wirtschaftswerbung im engeren Sinne wird mit der Absatzwerbung gleichgesetzt.

Optische Wirkung von Schrift

Texte mit verschiedenen Schriftgrößen und unterschiedlichen Zeilenabständen

11 Punkt Schrift mit 12,5 Punkt Zeilenabstand

Unter Werbung versteht man alle Formen der gezielten und geplanten Beeinflussung von Menschen. Werbung kann im politischen, kulturellen oder wirtschaftlichen Bereich stattfinden. Der Bereich Wirtschaftswerbung kann sich auf ein Unternehmen oder eine Institution als Ganzes beziehen oder auf Produkte oder Dienstleistungen. Die Wirtschaftswerbung im engeren Sinne wird mit der Absatzwerbung gleichgesetzt.

12 Punkt Schrift mit 14 Punkt Zeilenabstand

Unter Werbung versteht man alle Formen der gezielten und geplanten Beeinflussung von Menschen. Werbung kann im politischen, kulturellen oder wirtschaftlichen Bereich stattfinden. Der Bereich Wirtschaftswerbung kann sich auf ein Unternehmen oder eine Institution als Ganzes beziehen oder auf Produkte oder Dienstleistungen. Die Wirtschaftswerbung im engeren Sinne wird mit der Absatzwerbung gleichgesetzt.

»Schusterjunge«
Bei der Satztechnik sind die beiden Fachbegriffe »Schusterjunge« und → »Hurenkind« zu beachten, um eine qualitativ hochwertige Seitengestaltung zu erreichen. Von einem »Schusterjungen« spricht man, wenn die erste Zeile eines Absatzes am Ende einer Seite oder einer Spalte vorkommt. Dies beeinträchtigt das Erscheinungsbild des Satzes und sollte vermieden werden.

Schwerin-Effekt
→ Kommunikationswirkung der Werbung

Screen-Designer/in
Ein Screen-Designer arbeitet im Bereich Multimedia und ist für die gesamte grafische Gestaltung z.B. von CD-ROMs, Informationsterminals und von Internetseiten zuständig. (vgl. → Werbe- und Medienberufe - Berufs - und Tätigkeitsfelder)

Screen-Font
→ Font

Screenshot
Das Abbild der Anzeige eines Computerbildschirms, das als Bilddatei abgespeichert, ausgedruckt und/oder weiterverarbeitet werden kann.

Scribble
→ Layout

SCSI
→ Small Computer System Interface

SECAM
(Sequentiel Couleur A Memoire)
Die Farbfernsehnorm, die in Frankreich, in einigen französischsprachigen Ländern und teilweise im ehemaligen Ostblock verbreitet ist. Auf der Welt sind insgesamt drei verschiedene Farbfernsehnormen im Einsatz: → PAL, SECAM und → NTSC.

Second Level-Domain
→ Domain

Secondary Domain
→ Domain

Segmentierung
→ Marktsegmentierung

Seitenmontage
→ Montage

Seitenstichheftung
→ Drahtheftung

Sekundärerhebung
→ Sekundärforschung

Sekundärforschung
(Sekundärerhebung) In der → Marketing- und Mediaforschung die Verwendung von vorhandenen bzw. geeigneten Informationen, die für einen bestimmten Untersuchungsgegenstand bzw. ein Marketingproblem bereits vorliegen und ausgewertet werden können (z.B. Analyse amtlicher Statistiken). Im Rahmen der Sekundärforschung werden betriebsinterne und externe Datenquellen unterschieden (vgl. Weis, 1995, S. 97 ff.):
Zum *betriebsinternen Informationsmaterial* zählen z.B.:
- Verkaufszahlen,
- Angebots- und Anfragenstatistiken,
- Auftragseingangs- und Umsatzstatistiken,
- Außendienstberichte und Statistiken über Außendiensttätigkeit,
- Reklamationsstatistiken,
- Kundendateien,
- Lagerbestandslisten.

Zum *betriebsexternen Informationsmaterial* zählen z.B.:
- Veröffentlichungen von staatlichen Stellen,
- Firmenhandbücher und Adressbücher,

- Informationen von Wirtschaftsverbänden,
- Veröffentlichungen von wirtschaftswissenschaftlichen Institutionen,
- Informationen aus der Fachpresse und Fachliteratur,
- Berichte in Zeitungen und Zeitschriften,
- Medien der Konkurrenz, z.B. Preislisten, Kataloge, Prospekte.

Im Gegensatz zur relativ aufwendigen und kostenintensiven → Primärforschung können die erwähnten Informationsquellen der Sekundärforschung kostengünstig und zeitsparend wichtige Daten liefern.

Sequentiel Couleur A Memoire
→ SECAM

Serifen
Als Serifen werden die Verzierungen, Ausläufe und kleine Querstriche an den senkrechten Linien von Buchstaben und Zeichen bezeichnet. Serifen sind ein charakteristisches Merkmal von Antiqua-Schriften, z.B. *Times, Bookman, Palatino, Garamond, Caslon*. (vgl. → serifenlose Schrift, → Schriftklassifikation)

Serifen

Schrift mit Serifen

Headline

serifenlose Schrift

Headline

serifenlose Schrift
Diese Schriften verfügen über keine Verzierungen, Ausläufe und kleine Querstriche an den senkrechten Linien ihrer Buchstaben und Zeichen. Zu den serifenlose Schriften gehören z.B. *Helvetica, Univers, Futura, Avant Garde*. (vgl. → Serifen, → Schriftklassifikation)

Server
Ein spezieller zentraler Computer in einem Netzwerk, dessen Leistungen und/oder Softwareausstattung sämtlichen angeschlossenen Teilnehmern verfügbar gemacht wird. Oft werden Server auch nur für bestimmte Aufgaben wie die Ausführung von Druckaufträgen oder die zentrale Speicherung von Daten eingesetzt.

Service-Fee
Unter dem Service-Fee versteht man die Vereinbarung eines einheitlichen Vergütungssatzes zwischen Kunde und Werbeagentur. Die Provisionsvergütungen und Rabatte an die Agentur werden hierbei direkt an den Kunden weitergegeben, dafür erhält sie eine Pauschalvergütung in Höhe von normalerweise 17,65 % vom Netto-Netto-Umsatz (Bruttoumsatz minus Provisionen minus Rabatte). Die Kosten für Auftragsbeschreibung, Ausschreibung, Angebotsauswertung, Auftragserteilung, Auftragsüberwachung, Termin- und Qualitätskontrolle sowie für die Organisationskosten (Telefon, Telefax, Telex, Porti, Fahrten) sollen durch das Service-Fee abgedeckt werden.

Service-Provider
→ Access-Provider

Set-Top-Box
Ein Zusatzgerät (Decoder), das digitale Programme und Daten empfangen und diese in analoge Signale für das Fernsehgerät umwandeln kann (vgl. → Pay-TV). Das Gerät dient auch dem Abruf von Filmen und Sendungen (→ Pay per View) und verschiedenen interaktiven Möglichkeiten. Der Decoder für die Pay-TV-Kanäle *Premiere* und *DF 1* wird d-box oder d-box-decoder genannt. Die Decoder werden zukünftig direkt in den Fernsehgeräten eingebaut sein.

Shadow-Anzeige
→ Schatten-Anzeige

Shadowprint-Anzeige
→ Schatten-Anzeige

Share of Advertising
→ Werbeerfolg

Share of Mind
→ Werbeerfolg

Share of Voice
→ Werbeerfolg

Shareware
Eine Computer-Software, die z.B. über CD-ROMs oder das → World Wide Web verbreitet wird und die gegen eine Shareware-Gebühr an den Autor des Programms benutzt werden darf. Der Hersteller besitzt an der Software ein Urheberrecht, daher darf sie im Gegensatz zu Freeware-Programmen (vgl. → Freeware) programmiermäßig nicht verändert werden. (vgl. → Public Domain)

SI-Zeitschrift
→ Special Interest-Zeitschrift

Siebdruck
(Durchdruck) Der Siebdruck ist ein universelles Druckverfahren, das handwerklich, gewerblich und industriell für kleinere Auflagen eingesetzt wird. Im Siebdruck werden u.a. selbstklebende Folien, Kunststoffe, Papier, Karton, Pappe, Textilien, Metalle und Glas bedruckt. Das Verfahren findet Verwendung, wenn besondere Anforderungen an die Farbe gestellt werden und ein ganz spezieller Bedruckstoff (z.B. gewölbte Formen) gewünscht wird. Der Siebdruck ist in dieser Hinsicht gegenüber den anderen Druckverfahren konkurrenzlos, da er unzählige Farbeffekte durch eine variable Schichtdicke der Farben auf nahezu jedem Material herstellen kann.
Der Siebdruck beruht auf folgendem Prinzip: Durch die Druckform, ein Kunststoff- oder Metallgewebe (Sieb), wird mit einem Rakel die Druckfarbe verteilt, durch die offenen Siebstellen hindurchgedrückt und damit auf den Bedruckstoff übertragen. Der Siebdruck wird daher auch als Durchdruck bezeichnet. Bei der Übertragung der zu druckenden Elemente auf das Sieb wird dieses fotomechanisch behandelt, um die druckenden und nicht druckenden Stellen voneinander zu trennen. Die Dicke der eingesetzten Siebgewebe bestimmen die Farbschichtdicke, die auf den Bedruckstoff aufgebracht werden kann. Für

den Siebdruck typische Anwendungen sind Plakate, Schilder, Kunststoff- und Glasflaschen, T-Shirts sowie hochwertige Werbedrucke.

Sleeper-Effekt
→ Kommunikationswirkung der Werbung

Slogan
→ Werbeslogan

Small Computer System Interface (SCSI)
Eine Schnittstelle zum Anschluss von Peripheriegeräten (z.B. Scanner, Laufwerke, externe Festplatten) an einen Computer.

Social Marketing
(Sozio-Marketing) Unter Social Marketing versteht man einen Bereich des Marketing, der die Unterstützung gemeinschaftlicher sozialer Aufgaben und Ideen (z.B. Umweltschutz, Gesundheitswesen, Spenden für gemeinnützige Zwecke) zum Ziel hat. Im Mittelpunkt der Bestrebungen steht nicht die Gewinnmaximierung, sondern die Verwirklichung sozialer Ziele und Ideen, die dem Allgemeinwohl dienen. Gemeinnützige Organisationen wie z.B. *Greenpeace, Menschen für Menschen* sowie Selbsthilfe- und Wohlfahrtsorganisationen setzen gezielt Kommunikationsmaßnahmen zur Beeinflussung von Meinungen, Einstellungen und Verhaltensweisen innerhalb der Bevölkerung ein.

Software
Eine Sammelbezeichnung für die nicht materiellen Teile eines Computersystems. Hierzu gehören das Betriebssystem mit Benutzeroberfläche, Dienst- und Hilfsprogramme sowie sämtliche Computerprogramme.

Sonderfarben
→ Schmuckfarben

Source-Effekt
→ Kommunikationswirkung der Werbung

sozio-demographische Segmentierung
→ Marktsegmentierung

Sozio-Marketing
→ Social Marketing

Special Interest-Zeitschrift
(SI-Zeitschrift) Special Interest-Zeitschriften sind durch ein redaktionelles Angebot mit einem thematischen Schwerpunkt gekennzeichnet (z.B. Motorsport-, Garten-, Foto- und Videozeitschriften). In jeder periodisch erscheinenden Ausgabe haben alle redaktionellen Beiträge einen klaren Bezug zum Themenschwerpunkt. Im Gegensatz zu den Fachzeitschriften werden die Special Interest-Titel überwiegend im privaten Bereich genutzt und decken hier den persönlichen Informations- und Freizeitbedarf ab. (vgl. → Fachzeitschrift, → Publikumszeitschrift, → Zielgruppenzeitschrift)

spektrale Grundfarben
→ additive Grundfarben

sperren
→ Laufweite

Spezialagenturen
Eine Form von Werbeagenturen, die ihr Angebot auf einen bestimmten Auftraggeberbereich (z.B. Touristikbranche, Textilbranche) oder auf bestimmte Medien bzw. Kommunikationsmittel (z.B. PR-Agenturen, Veranstaltungs-Agenturen, Sponsoring-Agenturen) beschränken.

Spezialbefragung
→ Befragung

Spezialpanel
→ Panel

Spezialstellen
→ Plakatanschlagstellen

Spill-in-Effekt
→ Kommunikationswirkung der Werbung

Spill-over-Effekt
→ Kommunikationswirkung der Werbung

Spitzengruppenwerbung
→ Alleinstellungswerbung

Spitzenstellenwerbung
→ Alleinstellungswerbung

Sponsoring
Teilbereich der → Kommunikationspolitik. »Sponsoring umfasst die Planung, Organisation, Durchführung und Kontrolle aller Maßnahmen zur Bereitstellung von Geld und/oder Sachmitteln (auch Dienstleistungen) durch Unternehmen für Personen und Organisationen im sportlichen, kulturellen und sozialen Bereich zur Erreichung der eigenen Marketing- und Kommunikationsziele durch Gegenleistung des Gesponserten« (Koschnick, 1996, S. 915). Ein Unternehmen, das Sponsoring als Kommunikationsmittel einsetzt, demonstriert z.B. soziale Verantwortung und steigert damit gleichzeitig seinen Bekanntheitsgrad. Durch die Gegenleistung des Gesponserten (z.B. Nennung des Sponsors auf Eintrittskarten, Plakaten und in Programmheften) werden bestimmte Kommunikationsziele des Unternehmens erreicht. Der Sponsor hofft, dass seine Produkte oder Dienstleistungen vom Image des geförderten Projekts oder der Veranstaltung profitieren können. Siehe hierzu die Abbildung auf der folgenden Seite.

Sponsorsendung
→ Fernseh- und Hörfunkwerbung

Sport Licensing
→ Licensing

Spot
→ Fernseh-Spot, → Hörfunk-Spot

Sprachdesign
→ Corporate Design

Sprache und Text
Die Sprache kann gezielt dazu eingesetzt werden, um auf das Denken, Fühlen und Handeln der Konsumenten einzuwirken. Der Einsatz von Sprache und/oder Text in der Werbung setzt allerdings eine Entschlüsselung der Zeichen durch den Leser oder Hörer voraus. Je nach Kulturkreis, Intellekt, Meinungen, Vorstellungen usw. der verschiedenen Zielgruppen verläuft diese De-

Bezugsrahmen des Sponsoring

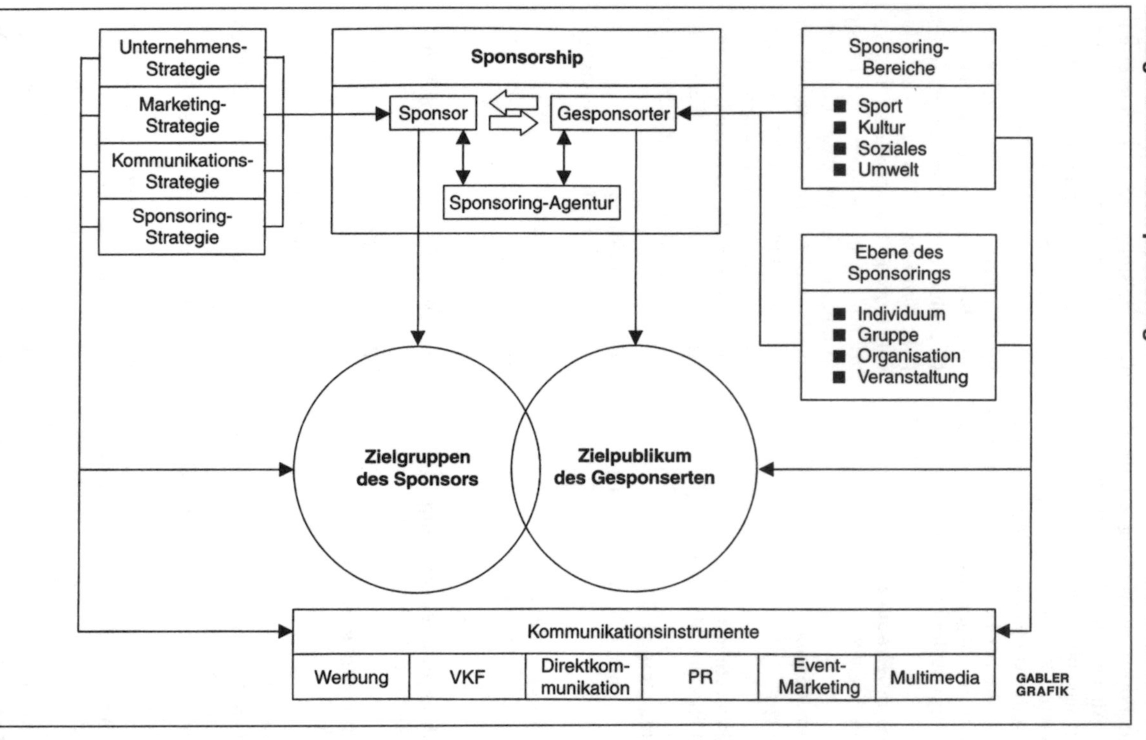

Bezugsrahmen des Sponsoring (Quelle: Meffert, 1998, S. 711 / in Anlehnung an Bruhn, 1989, S. 63)

kodierung und Wahrnehmung etwas anders und ruft somit auch andere Reaktionen hervor. Deshalb sind die empfängerbezogenen Faktoren sehr wichtig und müssen stets eine Berücksichtigung finden. Die formellen Faktoren eines Textes, wie z.B. Schriftart, Schriftgröße und Satzart sowie die inhaltlichen Faktoren (semantische Bezüge), wie z.B. die Auswahl, Rang- und Reihenfolge von Wörtern, sind ebenso auf die kommunikative Zielsetzung bzw. auf die Eigenheiten und Gewohnheiten der Zielgruppe auszurichten. (vgl. Urban, 1980, S. 59 f.)

Stadtillustrierte
Lokale bzw. regionale Ausgaben von Zeitgeist- und Lifestyle-Zeitschriften mit umfangreichen Veranstaltungshinweisen für eine vorwiegend jüngere Zielgruppe.

Staff Promotion
→ Verkaufsförderung

standardisiertes Interview
→ Befragung

stanzen
In der → Druckweiterverarbeitung das Heraustrennen bzw. Ausschneiden von beliebigen Formen aus einem Papier oder Karton mittels Stanzformen und Stanzmaschinen. Eine spezielle Form der Stanzung ist das Perforieren, bei dem durch das Heraustrennen vieler kleiner Löcher oder Schlitze aus einem Papier das Abtrennen bestimmter Teile (z.B. Anforderungs- und Bestellkarten, Gutscheine, Abrissteile von Eintrittskarten) ermöglicht wird.

Stanzung
→ stanzen

statische Banner
→ Banner-Werbung

Stichprobe
Unter einer Stichprobe versteht man in der → Marketingforschung eine Auswahl aus der Grundgesamtheit (Teilerhebung), die nach vorher festgelegten Kriterien ermittelt wird. Ziel der Stichprobe ist es, aus dieser möglichst repräsentativen Auswahl auf die Grundgesamtheit schließen zu können. Dazu können verschiedene Auswahlverfahren angewendet werden (z.B. Zufallsauswahl, Quotaverfahren, Auswahl typischer Fälle, Konzentrationsauswahl). (vgl. → Panel)

Storyboard
Ein Präsentationsmittel bzw. eine Grundlage für die Herstellung eines TV- oder Kinofilms oder eines Werbefernsehspots. Dabei werden auf der Grundlage eines Drehbuchs die Szenen in Form von Standbildern oder Zeichnungen skizziert bzw. dargestellt. Das Storyboard enthält auch eine verbale Beschreibung der Szenen, Regieanweisungen, den gesprochenen oder eingeblendeten Text sowie Angaben zu Musik- und Geräuschuntermalungen. Auf der Grundlage des Storyboards wird dann Szene für Szene abgedreht, geschnitten und nachbearbeitet. (vgl. → Exposé, → Treatment, → Drehbuch)

Strategiepräsentation
→ Präsentation

Streuverluste

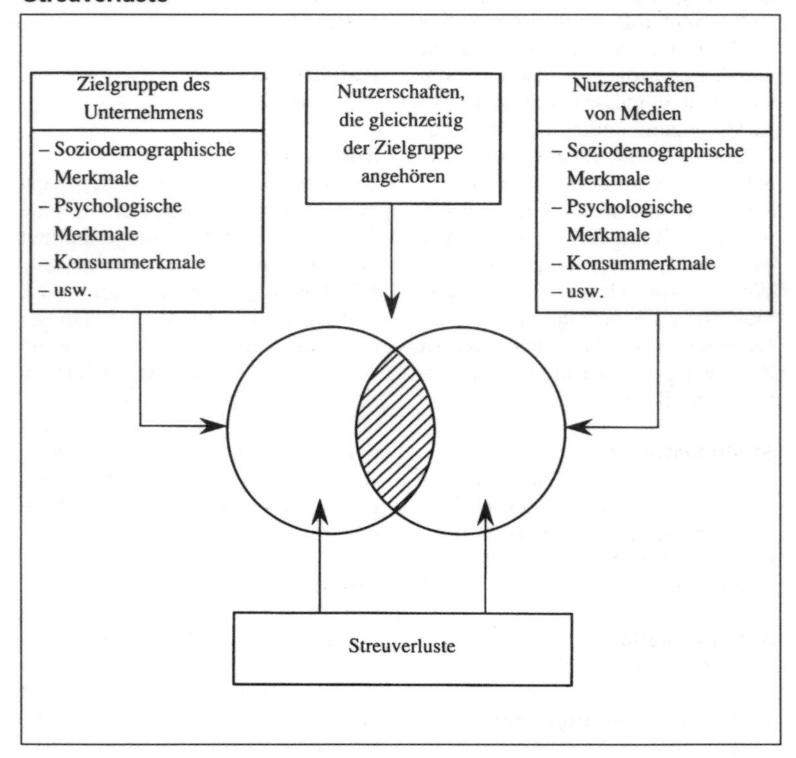

Zielgruppenerreichung und Streuverluste (Quelle: Bruhn, 1997, S. 224)

Streifenanzeige

Eine Anzeige, die über die gesamte Höhe oder Breite des Satzspiegels verläuft. Bei einer hochformatigen Streifenanzeige steht der redaktionelle Text neben der Anzeige, bei einer querformatigen Anzeige befindet er sich darüber oder auch darunter.

Streu-Agentur

→ Media-Agentur

Streukosten

Alle Kosten, die bei der »Streuung« bzw. Verbreitung und Veröffentlichung von Werbemitteln (z.B. die Schaltungskosten bei einer Anzeigenkampagne) anfallen.

Streumedien

→ Werbeträger

Streuplan

→ Mediaplan

Streuverluste
Ein Begriff für überflüssige oder nicht beabsichtigte Werbeträger- bzw. Werbemittelkontakte von Personen, die nicht zur Zielgruppe der Kommunikationsmaßnahmen gehören oder die durch → interne und → externe Überschneidungen mehrfach angesprochen wurden.

Strichvorlage
→ Druckvorlage

strukturiertes Interview
→ Befragung

subliminale Werbung
→ unterschwellige Werbung

subtraktive Grundfarben
Die subtraktiven Grundfarben sind Cyan, Magenta und Gelb. Der Farbeindruck entsteht durch Licht, das von diesen Farben reflektiert wird. Beim Übereinanderdrucken dieser Farben ergibt sich der Farbeindruck Schwarz. Die Farben werden praktisch voneinander »abgezogen«, hingegen sie sich bei der additiven Farbmischung zu weißem Licht ergänzen. Das subtraktive Farbsystem kann, im Gegensatz zum additiven System, nur einen Teil der für das menschliche Auge wahrnehmbaren Farben darstellen (vgl. → additive Grundfarben). Das → CMYK-System ist in der Reproduktions- bzw. Drucktechnik die Grundlage für die Herstellung von farbigen Druckprodukten. (vgl.→ Prozessfarben)

Superlativwerbung
→ Alleinstellungswerbung

Superposter
→ Plakatanschlagstellen

Supplement
Supplements sind Presseerzeugnisse, die einen eigenen Titel und eine eigenständige Aufmachung aufweisen. Sie werden über Zeitungen und Zeitschriften verbreitet bzw. diesen kostenlos beigefügt. Man unterscheidet zwischen Programm-Supplements, die meinungsbildend und unterhaltend sind sowie den fachbezogenen Supplements, die bestimmte Themen und Fachgebiete behandeln. Programm-Supplements werden überwiegend als Beilage von regionalen und überregionalen Tageszeitungen verbreitet, die fachspezifischen Supplements sind in der Regel in Fachzeitschriften beigefügt.

synoptischer Satz
→ Satzarten

T

Tag Image File Format (TIFF, TIFF/IT)
Ein plattform- und programmunabhängiges Grafik- und Bildformat im Desktop Publishing-Bereich für Pixelbilder. Das TIFF-Format beschreibt u.a. den Bildtyp (Bitmap, Graustufen, indizierte Farben etc.) und welches Farbmodell verwendet wurde. Das erweiterte Format TIFF/IT (Tag Image File Format for Image Technology) speichert bzw. umfasst auch Texte und Layouts.

Tandem-Spot
→ Fernseh- und Hörfunkwerbung (Sonderwerbeformen)

TAP
→ Tausend-Auflage-Preis

Targeting
Der Begriff kennzeichnet die Zielgruppenbestimmung für Werbe- und sonstige Kommunikationsmaßnahmen im → Internet bzw. → World Wide Web (dmmv, 1999): »Durch den Einsatz der passenden → AdServer-Technologie ist es möglich, Werbung zielgruppen- und nutzerorientiert zu steuern. Durch die Vorgabe bestimmter Zielgruppenprofile kann eine Werbeschaltung problemlos optimiert werden. Beispielsweise können Nutzer eines bestimmten Browsers gezielt angesprochen werden, in dem die gebuchte Werbung z.B. ausschließlich *Netscape*-Usern präsentiert wird. Weitere Kriterien und auch Verknüpfungen, wie etwa der Wohnort, Alter, Geschlecht etc. sind als Zielgruppendefinition unter Berücksichtigung des jeweiligen Träger-Angebotes realisierbar. Nach folgenden Parametern können bereits heute Targeting-Profile eingesetzt werden« (dmmv, 1999):

- *Per HTTP-Protkoll:* Browser, Version des Browsers, Betriebssystem.
- *Per Cookie:* Alter, Geschlecht, Einkommen, Postleitzahl, Beruf, Herkunftsland, Hobbies, etc.
- *Per Internetzugang:* Top-Level-Domain, Land, Provider.
- *Per Content:* Suchwort, Frequenz, Inhalt, Thema, Website, Directory, Sektion, Seite, Seitenposition.

Tausend-Auflage-Preis (TAP)
Mit dem Tausend-Auflage-Preis wird die Höhe der Anzeigenkosten, bezogen auf 1.000 Exemplare eines Printtitels, ermittelt. Der TAP wird wie folgt berechnet: Insertionskosten multipliziert mit Tausend dividiert durch die verbreitete Auflage.

Tausenderpreis
Für die Mediaplanung sind die verschiedenen Tausenderpreise der einzelnen Medien zur Beurteilung des Preis-/Leistungsverhältnisses besonders wichtig. So errechnen sich die einzelnen Preise, indem die Inser-

tions- oder Schaltkosten mit 1.000 multipliziert werden. Diese Summe wird z.B. durch die Auflage oder die Zahl der eingeschalteten Fernsehgeräte dividiert. Der ermittelte Betrag gibt nun die Werbekosten pro 1.000 Zielpersonen an, die ein Werbeträger oder Werbemittel theoretisch erreichen kann. Da diese Tausenderpreise aber sehr wenig über die tatsächliche und wirksame Reichweite bei den Zielgruppen aussagen, gibt es genauere Berechnungsgrundlagen wie den → Tausend-Leser-Preis und den → Tausend-Kontakt-Preis.

Tausend-Kontakt-Preis (TKP)
Mit dem TKP wird die Höhe der Kosten für 1.000 Kontakte innerhalb eines bestimmten Werbeträgers ermittelt. Der TKP wird wie folgt berechnet: Insertionskosten multipliziert mit 1.000 dividiert durch die Summe der Kontakte.

Tausend-Leser-Preis (TLP)
Mit dem TLP wird die Höhe der Kosten für 1.000 Kontakte innerhalb einer Zeitschrift oder Zeitung ermittelt. Der TLP wird wie folgt berechnet: Insertionskosten multipliziert mit 1.000 dividiert durch die Summe der Leser. Analog berechnen sich der Tausend-Hörer-Preis beim Hörfunk und der Tausend-Seher-Preis beim Fernsehen oder beim Kino.

TCP/IP
→ Transmission Control Protocol/ Internet Protocol

technische Reichweite
Die maximale Anzahl von Haushalten oder Personen (absolut oder in Prozent), die einen Sender oder ein Programm über Kabel oder Satellit empfangen können.

teil-standardisiertes Interview
→ Befragung

teil-strukturiertes Interview
→ Befragung

Teilerhebung
→ Primärforschung

teilnehmende Beobachtung
→ Beobachtung

telefonische Befragung
→ Befragung

Telefon-Marketing
Ein Marketinginstrument, das den Kunden mit Informationen versorgt und den persönlichen Verkauf über das Telefon unterstützt. Ein → Call Center im Unternehmen oder ein externer Dienstleister kann diese Aufgabe übernehmen. Die Optimierung des Dialogs mit dem bestehenden oder neu zu gewinnenden Kunden steht dabei im Vordergrund. Zu den Aufgaben gehören vor allem: Kundenbindung. Kundenbetreuung und -beratung (z.B. Service-Hotlines bzw. Support), die reibungslose Vertriebsabwicklung (z.B. Bearbeitung von Bestellungen und Reklamationen) sowie die Neukundengewinnung. Man unterscheidet zwischen aktivem Telefon-Marketing (der bestehende oder neu zu gewinnende Kunde wird angerufen) und passivem Telefon-Marketing (der Kunde wendet sich selbst per Telefon an das Unternehmen).

Telefon-Promotion
→ Fernseh- und Hörfunkwerbung (Sonderwerbeformen)

Telefon-Werbung
→ Telefon-Marketing

terrestrisch
Eine Übertragungsart, bei der die Rundfunkwellen durch die Luft als Transportmedium übertragen werden. Die Sende- und Empfangseinrichtungen sind bei dieser Übertragung Antennen.

Testimonial
(Testimonialwerbung) »Alle Formen der Werbung, in denen mit Hilfe von Aussagen und Urteilen zufriedener Kunden die Glaubwürdigkeit der Werbebotschaft erhöht werden soll« (Koschnick, 1996, S. 937). Zum Bereich der Testimonialwerbung gehören auch Auftritte von Prominenten, wie z.B. Schauspieler oder Sportler, die ein Produkt oder eine Dienstleistung positiv bewerten. Hier spricht man von sogenannten Präsentern. Die Wirkung und Akzeptanz einer Werbung hängt entscheidend vom Image und den Sympathiewerten des Präsenters ab.

Testimonialwerbung
→ Testimonial

Testperson
→ Proband

Texter/in
→ Werbetexter/in

Text-Erinnerungswert
→ Copy-Test

Textteilanzeige
Eine Anzeige in einer Zeitschrift oder Zeitung, die an drei Seiten von redaktionellem Text umgeben ist und an keine andere Anzeigenwerbung angrenzt.

Thumbnail
Ein kleines Übersichtsbild bzw. eine kleine Grafik in geringer Auflösung, die meistens stellvertretend für das Originalbild steht. Thumbnails finden sich in Inhaltsverzeichnissen zur besseren Übersicht bei großen Bilder- oder Grafiksammlungen oder stellvertretend z.B. im → World Wide Web zum Download des Originalbildes auf den eigenen Computer.

Tiefdruck
Der Tiefdruck ist bei großen Auflagen konkurrenzlos und zeichnet sich durch eine hohe Qualität aus. Mehr als die Hälfte aller Zeitschriften werden in Deutschland im Tiefdruck hergestellt. Weitere typische Druckprodukte sind Versandhauskataloge und Werbedrucksachen in sehr hohen Auflagen. Diese werden im sogenannten Rotationstiefdruck hergestellt, d.h. der Druckprozess läuft nach rotativem Prinzip ab, indem Zylinder gegen Zylinder gedrückt wird. Beim Tiefdruck liegen die druckenden Elemente in Form von vertieften Näpfchen unter dem Niveau der nicht druckenden Stellen. Die Übertragung des Druckbildes bzw. das Aufbringen der Vertiefungen erfolgt durch Gravier- oder Ätzverfahren. Die einzelnen Näpfchen werden durch sogenannte Stege voneinander getrennt. Der zu druckende Tonwert wird durch das Volumen der Näpf-

chen bestimmt. Je tiefer die Gravur, desto dunkler wird der Farbton. Eine Rasterung, wie in anderen Druckverfahren ist beim Tiefdruck nicht erforderlich. Die Druckformherstellung ist sehr aufwendig und teuer, so dass sich Auflagen erst ab etwa 500.000 Exemplaren lohnen. Ebenso wie in den anderen Druckverfahren wird mit den Farben Cyan, Magenta und Gelb sowie mit Schwarz als Standard gedruckt. Wenn keine Sonderfarben eingesetzt werden, besteht ein Zylindersatz somit aus vier Zylindern. Um besonders hohe Auflagen mit einem Zylindersatz realisieren zu können, werden diese verchromt. Die Druckformzylinder laufen beim Druck in einer Farbwanne. Während der Drehung des Zylinders füllen sich die Näpfchen mit der dünnflüssigen Farbe. Bevor der Zylinder mit dem Bedruckstoff in Berührung kommt, wird mit einem Rakelmesser die überschüssige Farbe von den Stegen abgestreift. Die Farbe verbleibt auf diese Weise nur in den vertieften Näpfchen. Die Papierbahn wird mit Hilfe einer gummierten Stahlwalze gegen den Druckformzylinder gepresst, wobei die Farbe in den Näpfchen punktförmig an das Papier abgegeben wird. Anschließend wird die bedruckte Papierbahn in einer Trockenkammer getrocknet.

Tiefdruckpapier
In der Regel holzhaltiges und stark satiniertes (geglättetes) Papier mit hohem Füllstoffgehalt, das gestrichen und ungestrichen angeboten wird. Bei einer hohen Druckgeschwindigkeit muss das Papier eine gleichmäßige Farbannahme ermöglichen. Um die Farbe aus den gravierten Näpfchen gut aufnehmen zu können, muss das Papier etwas weich und geschmeidig sein. Einsatzgebiete für Tiefdruckpapiere sind Illustrierte, Versandhaus- und Reisekataloge sowie Werbeprospekte und Beilagen in hoher Auflage.

Tiefeninterview
→ Befragung

TIFF
→ Tag Image File Format

TIFF/IT
→ Tag Image File Format

Titelkopfanzeige
Eine Anzeige, die auf der ersten Seite einer Zeitung neben dem Titel eingesetzt wird. Das mögliche Format einer Titelkopfanzeige ist je nach Verlag unterschiedlich.

Titelkopfremission
→ Remission

TKP
→ Tausend-Kontakt-Preis

TLP
→ Tausend-Leser-Preis

Tonality
Sie ist der Grundton, d.h. der Stil und die Ausstrahlung einer Werbebotschaft. Eine Werbung muss entsprechend »verpackt« sein, um bestimmte Gefühle bei den Zielgruppen auslösen zu können. Die Präsentation und Positionierung eines Produkts kann z.B. sachlich, nüchtern

und informativ erfolgen oder ganz auf Gefühle abgestimmt sein. (vgl. → Copy-Strategie)

T-Online
Ein Oberbegriff für die Online-Plattform der *Deutschen Telekom. T-Online* ist ein Online-Dienst, der u.a. Dienste wie Homebanking und Homeshopping bietet sowie den Zugang zu vielfältigen Datenbanken und dem → Internet ermöglicht.

Tonwert
Ein Tonwert ist ein beliebiger Grauton (Halbton) zwischen Schwarz und Weiß. Unterschiedliche Tonwerte bei Farbbildern werden Farbwerte genannt. Als Lichter bezeichnet man die hellen, als Tiefen die dunklen Tonwerte einer Bild- oder Druckvorlage. Bei der drucktechnischen Reproduktion müssen in einigen Druckverfahren die verschiedenen Halbtöne mittels Rasterung (vgl. → Raster) umgewandelt werden. Die durch das Rastern entstehenden, in der Größe variierenden, Rasterpunkte täuschen die Grautöne vor. Der Tonwert zeigt den prozentualen Anteil der bedeckten Fläche eines Filmes oder Papiers in Prozenten an (z.B. heller Ton, wenig Deckung, Tonwert 10 %).

Top Level-Domain
→ Domain

Touch Screen
Ein berührungsempfindlicher Computerbildschirm. Die Eingabe erfolgt durch Berührung der Monitoroberfläche, wobei jeder Position auf der Benutzeroberfläche eine bestimmte Funktion zugeordnet werden kann, die von einem Computerprogramm ausgeführt wird.

Trackball
Ein in die Tastatur fest integriertes Computer-Eingabegerät, das mittels Bewegung bzw. Rotation einer Kugel den Cursor steuern kann. Ein Trackball ersetzt bei tragbaren Computern (Laptop, Notebook) die Computer-Maus.

Traffic
→ Trafficer

Traffic-Abteilung
→ Trafficer

Trafficer
(Traffic-Abteilung, Traffic-Manager)
Die Abteilung Traffic ist in einer Werbeagentur für die Arbeitsablauf- und Terminkontrolle zuständig. Sie kümmert sich um den reibungslosen terminlichen Ablauf gegenüber den Kunden und die Abstimmung mit Lieferanten und Dienstleistern. Ein Traffic-Manager ist ein Organisationsfachmann, der für die Arbeitserfassung, -planung und Terminkontrolle zuständig ist. (vgl. → Werbe- und Medienberufe - Berufs- und Tätigkeitsfelder)

Traffic-Manager
→ Trafficer

Transmission Control Protocol/ Internet Protocol (TCP/IP)
Die Kommunikation zwischen Computern im Internet sowie in fast allen *Unix*-Netzen erfolgt mit der Hilfe von TCP/IP. Die unter diesem Be-

griff zusammengefassten Protokolle ermöglichen den Datenaustausch zwischen Computern.

Treatment

Bei einem Werbefilm, einer beliebigen Filmproduktion oder bei der Herstellung eines anderen audiovisuellen Mediums (z.B. → Multivision) wird auf der Grundlage des → Exposés, das die Umsetzungsideen bzw. Handlungsabläufe grob darstellt, nun in einem zweiten Schritt das Treatment mit präziseren Angaben erstellt. Im Treatment werden nun die Abläufe bzw. Szenenfolgen, Handlungsorte, Darsteller usw. näher beschrieben und festgelegt. (vgl. → Storyboard, → Drehbuch)

Trickle-down-Effekt

→ Kommunikationswirkung der Werbung

Trommelscanner

→ Scanner

TV-Spot

→ Fernseh-Spot

Typographie

Typographie ist die Lehre vom Gestalten einer Drucksache. Die praktische Umsetzung eines Textes in eine gedruckte Form bezeichnet man ebenso als Typographie. Zu den typographischen Gestaltungsmitteln zählen Schriften, grafische Zeichen, Schmuckelemente, Linien und Flächen sowie deren harmonische Anordnung. Bei der Gestaltung sind u.a. Format, Satzspiegel, evtl. vorhandene → Gestaltungsraster, Papierart und Falzung des zu druckenden Produktes zu beachten. Typographie soll gut lesbar, funktional und ästhetisch sein. »Typographie vermittelt nicht nur eine Botschaft oder Information, Typographie ist ein Ausdruck des Schönen. Der Einsatz und die Anordnung der Gestaltungsmittel erfordern Kreativität, das Beherrschen der wesentlichen Grundregeln, Schriftbewusstsein sowie Erfahrung im Umgang mit den Gestaltungsmitteln« (vgl. Teschner, 1995, S. 358).

Man unterscheidet zwischen Mikrotypographie und Makrotypographie. Die Mikrotypographie ist die Typographie im engeren Sinne. Sie umfasst die Grundregeln für die Gestaltung von Texten, wie z.B. Zeilenabstand und Buchstabengröße. Die Makrotypographie bezeichnet die Verteilung der typographischen Elemente auf der ganzen Seite oder innerhalb eines gedruckten Mediums.

typographischer Punkt

Didot-Punkt	Pica-Point	Millimeter
1	1,07	0,376
2	2,141	0,752
3	3,211	1,128
4	4,281	1,504
5	5,352	1,88
6	6,422	2,256
7	7,492	2,632
8	8,563	3,009
9	9,633	3,385
10	10,703	3,761
11	11,773	4,137
12	12,844	4,513

typographischer Punkt
(typographisches Maßsystem) In der Grafischen Industrie ein weitverbreitetes typographisches Maßsystem. Ein typographischer Punkt (Didot-Punkt) entspricht 0,375 mm. Er basiert auf der französischen Einheit »Fuß«. Ein ähnliches Maß ist der anglo-amerikanische Pica-Point, welcher 0,351 mm entspricht und auf dem Maß »Zoll« aufbaut. Schriften, Zeilenabstände und Rahmen werden z.B. in verschiedenen Punktgrößen angegeben. Die Umrechnung von Didot- auf das Pica-System lautet wie folgt:
- 1 Pica-Point = 0,936 Didot-Punkt
- 1 Didot-Punkt = 1,068 Pica-Point.

typographisches Maßsystem
→ typographischer Punkt

Typometer
Ein Messlineal für das typographische und metrische Maßsystem (Millimeter, Zentimeter), z.B. zur Ermittlung von Schriftgrößen und Zeilenabständen.

U

UAP
→ Unique Advertising Proposition

Überschrift
→ Headline

ULWC-Papiere (Ultra-Light Weight Coated Paper)
Ein Begriff, der für ultra-leichtgewichtige, gestrichene, holzhaltige Papiere mit einer Grammatur von nur 39 bis 48 g/qm steht.

Ultra-Light-Weight Coated Paper
→ ULWC-Papiere

Umbruch
(Ganzseitenumbruch) Elektronisches bzw. digitales oder manuelles Zusammenstellen der verschiedenen Elemente (z.B. Texte, Grafiken und Bilder) auf einer Seite. Gemäß dem vorgegebenen Layout bzw. Satzspiegel werden die einzelnen Seiten direkt für den Druck vorbereitet. Beim digitalen Umbruch entfällt die manuelle Seitenmontage mit einzelnen Filmteilen. Die Montage erfolgt am Computerbildschirm. Die einzelnen Elemente werden per DTP-Programm positioniert und als Datei abgespeichert. Die Ganzseite ist formatgerecht und damit direkt belichtungsfähig, um eine Druckvorlage herstellen zu können. Die Computerdaten können auf digitalen Datenträgern weitergegeben oder direkt per ISDN- oder analoger Dateinleitung z.B. an ein Belichtungsstudio oder eine Druckerei übertragen werden.

unaided recall
→ Werbeerfolgskontrolle

undifferenzierte Marketingstrategie
→ Marketingstrategie

ungestützter Recall-Test
→ Werbeerfolgskontrolle

Unified Resource Locator
→ URL

Uniform Resource Locator
→ URL

Unique Advertising Proposition (UAP)
Nach dem amerikanischen Werbefachmann *Rosser Reeves* wird zwischen einem natürlichen und einem konstruierten → Unique Selling Proposition/USP (einem einzigartigen Verkaufsargument eines Produktes) unterschieden. »Ein *natürlicher USP* lässt sich unmittelbar aus einem Produkt, seinen Eigenschaften oder auch seiner Herstellungsweise ableiten. Ein *künstlicher USP* (UAP) ist hingegen ein Anspruch, der aus dem Produkt selbst, seiner Beschaffenheit oder seiner Herstellungsweise

nicht ableitbar ist. Er wird ihm folglich durch Werbung erst zugeschrieben« (Koschnick, 1996, S. 947). Die Unique Advertising Proposition kommt auf relativ gesättigten Märkten mit austauschbaren bzw. gleichartigen Produkten (Me-too-Produkte) zum Einsatz. Dabei wird durch kommunikationspolitische Maßnahmen versucht, eine gefühlsmäßige Alleinstellung des Produktes gegenüber den Konkurrenten zu erreichen.

Unique Resource Locator
→ URL

Unique Selling Proposition (USP)
Der Unique Selling Proposition beschreibt das einzigartige Verkaufsargument eines Produktes, um es erfolgreich und in eindeutiger Abgrenzung zur Konkurrenz im Markt zu positionieren. Der USP kann im Produkt selbst und seinen Eigenschaften begründet liegen (*natürlicher USP*) oder mittels Werbung erst emotional geschaffen werden (*künstlicher USP*/→ *Unique Advertising Proposition*). Das einzigartige Verkaufsargument muss dabei in den Werbebotschaften stets herausgestellt werden.

unlauterer Wettbewerb
→ Gesetz gegen den unlauteren Wettbewerb

unlautere Werbung
→ Gesetz gegen den unlauteren Wettbewerb

unstrukturiertes Interview
→ Befragung

Unternehmens-Kommunikation
→ Corporate Communication

Unternehmenskultur
→ Corporate Culture

Unternehmensphilosophie
→ Corporate Identity

Unternehmensziele
→ Marketingziele

unterschneiden
→ Laufweite

unterschwellige Wahrnehmung
→ unterschwellige Werbung

unterschwellige Werbung
(*subliminale Werbung*) Die Wahrnehmungspsychologie geht davon aus, dass es eine Reizschwelle gibt, die zwischen bewusst wahrnehmbaren und nicht bewusst wahrnehmbaren Reizen trennt. Man geht bei dieser Theorie davon aus, dass die ins Unterbewusstsein dringenden Reize das Verhalten eines Individuums beeinflussen können. Eine Form der unterschwelligen Werbung könnte z.B. eine in Sekundenbruchteilen eingeblendete Werbebotschaft innerhalb eines Kinofilms sein, die vom Zuschauer nicht bewusst wahrgenommen wird. Die Wirkung von unterschwelliger Werbung wird allerdings von Fachleuten bestritten und verschiedene Untersuchungen haben keine Hinweise auf eine Verhaltensbeeinflussung erbracht. Eine ausführliche und kritische Betrachtung der unterschwelligen Wahrnehmung stammt von Dr. Horst W. Brand vom Institut für Sozialpsycho-

logie in Köln, *Die Legende von den »geheimen Verführern«*, Weinheim 1978. Folgende Thesen werden von ihm aufgestellt (ZAW, 1987, S. 5-13):

- *These 1:* »Jegliche Art von werblicher Einflussnahme setzt einen Akt der kommunikativen Informationsübermittlung voraus«.
- *These 2:* »Es gibt im Prinzip nur zwei Klassen von Umweltreizen: solche, deren physikalische Intensität groß genug ist, dass sie wahrgenommen werden (können), und solche, deren Reizenergie so gering ist, dass sie nicht mehr wahrgenommen werden (können)«.
- *These 3:* »Bereits der Begriff unterschwellige Wahrnehmung ist logisch widersprüchlich, da es eine Wahrnehmung von *nicht* wahrnehmbaren Reizen nicht gibt«.
- *These 4:* »Wenn es keine unterschwellige Wahrnehmung gibt, kann es auch keine (erfolgreiche) unterschwellige Werbung geben«.
- *These 5:* »Ungeachtet der mangelhaften Kontrolle der Unterschwelligkeit der Reize weisen namentlich die Untersuchungen zur unterschwelligen Werbung weitere methodische Mängel auf, die die Haltbarkeit ihrer Ergebnisse erschüttern«.
- *These 6:* »Die Bedürfnisse eines Individuums lassen sich durch unterschwellige Werbung weder wecken, noch können bereits vorhandene Bedürfnisse durch unterschwellige Werbung in ihrer Intensität gesteigert werden.
- *These 7:* »Individuelle Einstellungen und Bewertungen lassen sich durch unterschwellige Werbung nicht verändern«.
- *These 8:* »Wähler- und Verbraucherentscheidungen können durch unterschwellige Werbung nicht manipulativ beeinflusst werden«.
- *These 9:* »Über die Möglichkeiten (und Grenzen) einer unterschwelligen Werbung braucht erst dann wieder ernsthaft diskutiert werden, wenn der Tatbestand einer unterschwelligen Wahrnehmung zweifelsfrei nachgewiesen wird«.

Update

Eine neue, verbesserte und eventuell erweiterte Version eines Computerprogramms oder eines Computer-Betriebssystems.

Upload

Die Übermittlung von Daten vom eigenen Computer zu einem Server bzw. zu einem anderen Computer. Ein Upload ist das Gegenteil von → Download.

Urheberrecht

Das Urheberrecht ist im Urheberrechtsgesetz (UrhG) geregelt. Vom Urheberrecht geschützte Werke können aus den Bereichen der Literatur, Wissenschaft und Kunst stammen. Hierzu gehören z.B. Schriftwerke, Reden, Werke der Musik, Werke der bildenden Kunst, Lichtbildwerke und Filme. Voraussetzung ist eine persönliche, geistige Schöpfung. § 11 UrhG lautet: »Das Urheberrecht schützt den Urheber in seinen geistigen und persönlichen Beziehungen zum Werk und in der Nutzung des Werkes«. Der Urheber ist gegen die unbefugte wirtschaftliche Auswertung seines schöpferischen Werkes geschützt. Dem Ur-

heber steht damit ein umfassendes und ausschließliches Recht bezüglich aller Verwertungsarten seiner Leistung in ideeller und materieller Hinsicht zu.
Das Urheberrecht ist vererblich und auf die Dauer von 70 Jahren nach dem Tode des Urhebers befristet und erlischt danach. An Lichtbildwerken erlischt das Urheberrecht 25 Jahre nach dem Erscheinen des Werkes.

Urheberrechtsgesetz
→ Urheberrecht

UrhG
→ Urheberrecht

URL (Uniform Resource Locator, Unified Resource Locator, Unique Resource Locator)
Eine URL kennzeichnet die genaue Ressource bzw. Adresse von bestimmten Dateien im Internet. Neben der Adresse des Servers und der Datei enthält die URL auch das entsprechende Protokoll, mit dem der Zugriff durch den → Web-Browser ermöglicht werden kann.

USP
→ Unique Selling Proposition

UWG
→ Gesetz gegen den unlauteren Wettbewerb

V

Validität
Unter Validität versteht man den Begriff Gültigkeit, ein Kriterium zur Beurteilung der Güte von Messmethoden. Ein Verfahren gilt dann als valide, wenn der Untersuchungsgegenstand mit seinen Merkmalen exakt gemessen werden kann und damit Messergebnis und Untersuchungsziel übereinstimmen. Die Validität gibt somit an, ob mit einem bestimmten Verfahren die Daten richtig erhoben werden. (vgl. → Reliabilität)

Vektor-Datei
Ein mathematisch definiertes Format, das Text- und Grafikdaten mittels Grundformen (z.B. Rechtecke, Kreise, Linien) und → Bézier-Kurven darstellen kann. Beispiele sind PostScript-Schriften oder vektororientierte EPS-Dateien (vgl. → Encapsulated PostScript). Vektor-Dateien lassen sich im Gegensatz zu Bitmap-Dateien ohne Qualitätsverlust vergößern. Man nennt diese Daten sowie auch entsprechende Computerprogramme vektor- oder objektorientiert. Im Gegensatz hierzu setzen sich → Bitmap-Dateien aus einer Vielzahl von einzelnen Pixeln zusammen. Bei einer Vergrößerung sind die Pixel erkennbar.

Vektor-Grafik
→ Vektor-Datei

vektororientiert
→ Vektor-Datei

Verbandswerbung
Die Verbandswerbung gehört zur → Gemeinschaftswerbung im weiteren Sinne. Sie wird von einem Verband eingesetzt, wobei nicht mit einzelnen Firmen- und Markenbezeichnungen geworben wird.

Verbraucherpanel
→ Panel

Verbraucher-Promotion
→ Verkaufsförderung

verbreitete Auflage
→ Auflage

Verbundmarke
→ Markenarten

Verbundwerbung
Die Verbundwerbung gehört zur → Gemeinschaftswerbung im weiteren Sinne. Branchenfremde Unternehmen schließen sich für eine gemeinsame Werbeaktion zusammen, wobei die einzelnen Firmen- und Markenzeichen beispielsweise in Kollektivanzeigen genannt werden (z.B. Waschmaschinen und Waschpulver). Bei einer gemeinsamen Werbemaßnahme von Hersteller und Handel spricht man auch von Co-op-Werbung.

Verdruckbarkeit
Die Laufeigenschaften und das Verhalten des Bedruckstoffes beim Druckprozess in der Druckmaschine z.B. Planlage, Stabilität, Staubfreiheit. (vgl. → Bedruckbarkeit)

vergleichende Werbung
Vergleichende Werbung liegt vor, wenn ein Werbungtreibender direkten und erkennbaren Bezug auf einen Konkurrenten in seinen Kommunikationsmaßnahmen nimmt und dabei seine Leistung heraushebt. Bislang war in der Bundesrepublik die vergleichende Werbung nur sehr eingeschränkt möglich, z.B. die Werbung mit Testurteilen und Nennung von Konkurrenten oder der System- und Fortschrittsvergleich, in denen der Vorteil gegenüber den Konkurrenzprodukten deutlich gemacht werden durfte. Mittlerweile sind neue Richtlinien der Europäischen Gemeinschaft zu beachten, die vergleichende Werbung grundsätzlich zulassen, wenn folgende Bedingungen erfüllt sind:

- Vergleichende Werbung darf nicht irreführend sein,
- sie darf nur Waren oder Dienstleistungen für den gleichen Bedarf oder dieselbe Zweckbestimmung vergleichen,
- vergleichende Werbung darf nur objektiv eine oder mehrere wesentliche, relevante, nachprüfbare und typische Eigenschaften dieser Waren und Dienstleistungen, zu denen auch der Preis gehören kann, vergleichen,
- sie darf auf dem Markt keine Verwechslung zwischen dem Werbenden und einem Mitbewerber oder zwischen den Marken, den Handelsnamen, anderen Unterscheidungszeichen, den Waren oder den Dienstleistungen des Werbenden und denen eines Mitbewerbers verursachen,
- durch eine vergleichende Werbung dürfen weder die Marken, die Handelsnamen oder andere Unterscheidungszeichen, noch die Waren, die Dienstleistungen, die Tätigkeiten oder die Verhältnisse eines Mitbewerbers herabgesetzt oder verunglimpft werden,
- bei Waren mit Ursprungsbezeichnung muss die vergleichende Werbung sich in jedem Fall auf Waren mit der gleichen Bezeichnung beziehen,
- vergleichende Werbung darf den Ruf einer Marke, eines Handelsnamens oder anderer Unterscheidungszeichen eines Mitbewerbers oder der Ursprungsbezeichnung von Konkurrenzerzeugnissen nicht in unlauterer Weise ausnutzen,
- sie darf eine Ware oder eine Dienstleistung nicht als Imitation oder Nachahmung, einer Ware oder Dienstleistung, mit geschützter Marke oder geschütztem Handelsnamen darstellen,
- falls sich die vergleichende Werbung auf ein Sonderangebot bezieht, so müssen klar und eindeutig der Zeitpunkt des Endes des Sonderangebots und, wenn das Sonderangebot noch nicht gilt, der Zeitpunkt des Beginns des Zeitraums angegeben werden, in dem der Sonderpreis oder andere besondere Bedingungen gelten; gegebenenfalls ist darauf hinzuweisen, dass das Sonderangebot nur

so lange gilt, wie die Waren und Dienstleistungen verfügbar sind. Die Möglichkeiten einer Interpretation und die juristischen Handhabungen dieser neuen Richtlinien werden erst in der künftigen Werbepraxis bzw. in gerichtlichen Urteilen näher bezeichnet werden. In der Fachwelt werden die unbestimmten Aussagen bezüglich der vergleichenden Werbung bemängelt. Fachleute raten zu einem behutsamen und vorsichtigen Einsatz von vergleichender Werbung, der für jede einzelne Marke und für jede Werbemaßnahme genau überprüft werden muss. Ansonsten läuft die Werbung Gefahr, dass die Konsumenten unter Umständen mit einer Ablehnung der Werbemaßnahme bzw. des Produktes reagieren.

Verhaltenswirkung
→ Kommunikationswirkung der Werbung

Verkaufsförderung
(Absatzförderung, Sales Promotion)
Die Verkaufsförderung ist ein Teilbereich des → Marketing-Mix. Sie wirkt auf den Absatz kurzfristig und unmittelbar und pflegt zudem die Beziehungen zwischen dem Hersteller und seinen Marktpartnern. Die Verkaufsförderung umfasst u.a. die Schulung und den Einsatz des Verkaufspersonals, die Raumgestaltung und Präsentation am Ort des Verkaufs sowie preis- und produktpolitische Maßnahmen. Sie ist ein zeitlich gezielt einsetzbares Instrument innerhalb des Marketing-Mix. Man unterscheidet zwischen den Außendienst-Promotions (Staff Promotion), den Händler-Promotions (Dealer oder Trade Promotion) und den Verbraucher-Promotions (Consumer Promotion) bei der Verkaufsförderung (vgl. Nieschlag, Dichtl, Hörschgen, 1988, S. 492 ff. und Heinen, 1985, S. 593 f.):

- Die *Außendienst-Promotions (Staff Promotion)* sollen den Reisenden, den Handelsvertretern und dem Verkaufspersonal im Handel Warenkenntnisse, Verkaufsargumente, Informationen über die Konkurrenz und die Taktik für die Verkaufsverhandlung vermitteln. Der Hersteller kann diese Kenntnisse mit Hilfe von Schulungskursen und Wochenendseminaren erweitern und fördern. Mit der Veranstaltung von Wettbewerben und der Ausschreibung von Preisen mit erheblichem Wert, beispielsweise ein Farbfernseher für den umsatzstärksten Reisenden, werden zusätzliche Anreize geschaffen (vgl. → Incentive).
- Die *Händler-Promotions (Dealer Promotion)* richten sich an die Inhaber der Geschäfte und an das Verkaufspersonal. Ein Preisausschreiben, ein Wettbewerb oder eine Produktdemonstration mit Multimedia-Systemen im Handel kann hier Anreize schaffen. Auch die Einbeziehung der Händler und deren Verkäufer bei Schulungs- und Informationsveranstaltungen kann die Verkaufsleistung steigern. Zu den Händler-Promotions gehören auch die Unterstützung des Handels bei der Ausgestaltung der Verkaufsräume und eine direkte preisliche Beratung (z.B. Kalkulationshilfen).

- Die *Verbraucher-Promotions (Consumer Promotion)* werden am Ort des Verkaufs durchgeführt. Dies sind z.B. Veranstaltung von Gewinnspielen, Verteilung von Produktproben und Einführungs- und Sonderpreise. Neben den erwähnten Maßnahmen gehören zu diesem Teil der Verkaufsförderung auch die Gestaltung des Verkaufsortes mit Plakaten und Modellen, die Präsentation der einzelnen Produkte in Warenständern, als Videofilm sowie der Einsatz von interaktiven Präsentationsterminals (vgl. → Infoterminals). Die Verkaufsförderung hat hier zum einen die Funktion, potenzielle Kunden direkt am Ort des Verkaufs anzusprechen, zum anderen muss sie die Käufer erreichen, die bereits durch andere Kommunikationsinstrumente auf das jeweilige Produkt aufmerksam wurden.

Verkaufskonzept
→ Marketingkonzepte

Verkaufsterminals
→ Infoterminals

verkaufte Auflage
→ Auflage

Verkehrsmittelwerbung
Alle Formen der Werbung in und an privaten und öffentlichen Verkehrsmitteln. Hierzu gehören Außenbeschriftungen von Bussen, U-Bahnen, S-Bahnen und Personenzügen, sowie Tafeln, Schilder, Plakate und Beschriftungen im Innenbereich dieser Verkehrsmittel. (vgl. → Außenwerbung)

Versalien
Großbuchstaben einer Druckschrift.

Versuchsperson
→ Proband

vertikale Diversifikation
→ Produktpolitik

vertikale Gemeinschaftswerbung
→ Gemeinschaftswerbung

Video on demand (VOD)
Der Zuschauer kann über Video on demand eine beliebige Sendung zu einem beliebigen Zeitpunkt gegen eine Gebühr bestellen und an seinem Fernsehgerät anschauen. (vgl. → Near Video on demand)

Videotext
Bei der Signalübertragung des Fernsehens können zusätzlich zum Fernsehbild Grafiken, Bilder und Texte übertragen werden. Dieser Informationsdienst der Fernsehsender kann auch für den Einsatz von Werbung genutzt werden.

4c
Kurzbezeichnung für ein vierfarbiges Druckprodukt, das im → CMYK-Verfahren mit den → Prozessfarben gedruckt wird.

Vierfarbdruck
Der Farbdruck mit → Prozessfarben bzw. den genormten Druckfarben Cyan, Magenta, Gelb und Schwarz (→ CMYK) z.B. im → Offsetdruck oder → Hochdruck.

Vierfarbendruck
→ Vierfarbdruck

ViewTime
→ AdViewTime

Virtual Reality (VR)
→ virtuelle Realität

Virtual Reality Modeling Language (VRML)
Eine Programmiersprache für dreidimensionale Darstellungen im → Internet bzw. im → World Wide Web.

virtuelle Realität (VR)
(Virtual Reality) Eine scheinbare Wirklichkeit. Künstliche Welten und Erfahrungsräume werden dabei durch einen Computer errechnet und dargestellt. In diesen Welten und Räumen kann sich der Anwender scheinbar frei bewegen. Beispiele hierfür sind virtuelle Shops und Kaufhäuser, virtuelle Unternehmen sowie Computerspiele (vgl. → Cyperspace)

Visuality
→ Corporate Design

visuelle Gestaltung
→ Artwork, → Corporate Design

visuelle Kernbilder
→ Corporate Design

Vollerhebung
→ Primärforschung

Vorlage
→ Druckvorlage

Vorratseffekt
→ Kommunikationswirkung der Werbung

VR
→ virtuelle Realität

VRML
→ Virtual Reality Modelling Language

W

Wachstumsphase
→ Produktlebenszyklus

Warenmuster
→ Warenproben

Warenproben
(Warenmuster) Warenproben sind Werbemittel, die kostenlos verteilt und/oder einer Zeitschrift beigeklebt werden (Warenproben-Beikleber), um den potenziellen Käufer auf das Produkt aufmerksam zu machen und ihn zum Ausprobieren zu animieren. Beispiele sind kleine Proben von Kosmetikartikeln oder von Wasch- und Putzmitteln.

Warenproben-Beikleber
→ Warenproben

Warentest
Ein Warentest wird durch ein neutrales Marktforschungs- oder Testinstitut durchgeführt (z.B. *Stiftung Warentest e.V.*) und unterscheidet sich damit vom → Produkttest. Der Warentest untersucht z.B. Gebrauchstauglichkeit, Eigenschaften und Preiswürdigkeit eines Produkts. Die Testergebnisse werden in bestimmten Zeitschriften und auszugsweise auch in Tageszeitungen veröffentlicht. Den Konsumenten sollen damit sachliche Informationen als Hilfe für eine Kaufentscheidung zur Verfügung gestellt werden.

Warenzeichen
Ein Warenzeichen kann ein Bild- oder Wortzeichen, eine Kombination von Bild- und Wortzeichen, ein Symbol oder ein eigentümliches Gestaltungsmerkmal, wie z.B. ein bestimmter Schriftzug, sein, das ein Unternehmen zur Kennzeichnung seiner Produkte, seiner Dienstleistungen und/oder zur Darstellung des gesamten Unternehmens verwendet.

wasserloser Offsetdruck
→ Offsetdruck

Wear-in-Effekt
→ Kommunikationswirkung der Werbung

Wear-out-Effekt
→ Kommunikationswirkung der Werbung

Web
Eine Abkürzung für den Begriff → World Wide Web.

Web-Browser
Eine Software für die Kommunikation bzw. die Navigation und den Datenaustausch im → Internet (z.B. *Netscape Communicator, Microsoft Internet Explorer*).

Webpage
Eine einzelne Seite im → World Wide Web bezeichnet man als

Webpage. Die verschiedenen Seiten eines Anbieters bilden zusammen eine Website.

Web-Publishing
Die Verbreitung von Informationen über das → Internet bzw. → World Wide Web.

Website
Das vollständige Informationsangebot bzw. alle Seiten eines Teilnehmers im → World Wide Web einschließlich der → Homepage. Eine einzelne Seite im → World Wide Web bezeichnet man als Webpage.

Webtracking
→ Werbeerfolgskontrolle im Internet

Webvertising
Ein neuer Begriff, der aus den Worten Web und Advertising geschaffen wurde und der die Werbung im → World Wide Web bezeichnet. (vgl. → Internet-Werbeformen)

Wechselplatten
→ Cartridge

Werbeagentur
Eine Werbeagentur ist ein Dienstleistungsunternehmen, das für seine Auftraggeber die Beratung, Konzeption, Gestaltung, Planung und Realisation von Werbe- und sonstigen Kommunikationsmaßnahmen übernimmt. Eine Full-Service-Werbeagentur ist in der Lage, die werblichen und kommunikationstechnischen Aufgaben ihrer Kunden ganzheitlich zu betreuen. Sie bietet in der Regel die folgenden Leistungen an: Analyse von Marketingproblemen, Werbeberatung (z.B. Kommunikationsstrategien, Medienauswahl), Mittlertätigkeit (z.B. Media-Schaltung, Produktionsabwicklung von Werbemitteln), Konzeption, Gestaltung, Planung, Produktion und Durchführung von Werbe-, Verkaufsförderungs-, PR- und sonstigen Kommunikationsmaßnahmen sowie die Werbeerfolgskontrolle. Eine nach Abteilungen organisierte Werbeagentur lässt sich wie folgt gliedern (vgl. Huth, Pflaum, 1996, S. 53 f.):

- *Werbevorbereitung:* Die Abteilungen, die für Informationen, Dokumentationen sowie für die Marketingforschung zuständig sind, stellen per → Primärforschung und/oder → Sekundärforschung Daten als Grundlage für die gestellte Kommunikationsaufgabe zur Verfügung.
- *Kundenberatung:* Die Abteilung Kontakt oder Account Services bzw. der Kontakter oder Account-Manager sorgt für die Verbindung bzw. Kommunikation mit dem Kunden und die werbliche Beratung. Des Weiteren ist sie für die termin- und sachgerechte Umsetzung bzw. Koordination des Auftrages innerhalb der Werbeagentur zuständig. Einem → Etat-Direktor unterstehen verschiedene Kontakter.
- *Gestaltung und Produktion:* Die Grafikabteilung (auch Kreativabteilung oder Creative Services) konzipiert, gestaltet und produziert die Werbemittel für die vom Kunden gewünschten Kommunikationsmaßnahmen. Die Abtei-

lung wird von einem Creativ-Direktor geleitet, dem Texter, Grafiker und Layouter unterstehen. Der Art Buyer kümmert sich um den »Einkauf« von Gestaltungsleistungen von freischaffenden Grafikern, Textern, Fotografen usw. (Freelancer). Der Produktioner sorgt für die Herstellung der Werbemittel. Der Film-, Funk- und Fernsehbereich (FFF) ist für die Gestaltung und Produktion von Werbespots zuständig. Der Bereich Traffic ist für die Arbeitsvorbereitung sowie für die Einhaltung der Termine verantwortlich.

- *Media:* Die Abteilung Media wird von einem Media-Direktor geführt. Dieser Bereich ist für die Mediaplanung und die Mediaschaltung bzw. Mediaabwicklung zuständig.
- *Verwaltung:* Hierzu gehören alle organisatorischen Bereiche, die unternehmenstypisch sind, wie z.B. Buchhaltung und Sekretariat.

Neben der klassischen Werbeagentur gibt es eine Reihe von Spezialagenturen, die sich auf ganz bestimmte Bereiche spezialisiert haben z.B. Sponsoring-Agenturen, PR-Agenturen, Media-Agenturen, Verkaufsförderungs-Agenturen, Event-Marketing-Agenturen.

Werbe-Belegung

→ Werbe-Schaltung

Werbeberufe

→ Werbe- und Medienberufe

Werbebeschränkung

→ Werberecht, → Deutscher Werberat

Werbebotschaft

Den Inhalt (z.B. Art der werblichen Argumentation, zentrales Werbeversprechen, einzigartiges Verkaufsargument → Unique Selling Proposition) und die Gestaltungsform (z.B. Farben, Formen, Schriften, Musik) von Werbemaßnahmen bezeichnet man als Werbebotschaft. »Werbebotschaften können als inhaltliche Operationalisierungen von Werbezielen unter Berücksichtigung der Werbedaten definiert werden« (Zentes, 1996, S. 430). Werbebotschaften enthalten die grundsätzlichen Wirkungselemente der Werbung: Sprache, Text, Farbe, Form, Bild, Musik und Töne. Im Rahmen der Werbemittel-Gestaltung sind die Werbeziele sowie die zielgruppengerechte kreative, verbale und visuelle Umsetzung der Botschaft zu berücksichtigen. Nach der Wahrnehmungsart lassen sich die Werbebotschaften differenzieren (vgl. Zentes, 1996, S. 430):

- visuelle Botschaft (z.B. Farbe, Form, Text, Bild),
- akustische Botschaft (Sprache, Musik, Töne und Geräusche),
- geruchswirkende (olfaktorische) Botschaft (Dufteigenschaften),
- geschmackliche Botschaft (wenn ein Verzehr des Werbeobjektes gegeben ist),
- auf den Tastsinn bezogene (haptische) Botschaft (bei körperlichem Kontakt mit dem Werbeobjekt.

Werbebudget

→ Werbeetat

Werbebudgetierung

→ Werbeetat

Werbebudgetplanung
→ Werbeetat

Werbedurchführung
→ Werbekampagne

Werbeerfolg
Unter dem Werbeerfolg versteht man das Ausmaß der Zielerreichung bei einer durchgeführten Werbemaßnahme, d.h. die Betrachtung, inwieweit die gesteckten Werbe- bzw. Kommunikationsziele mit den eingesetzten Mitteln erreicht oder sogar übertroffen wurden (z.B. bestimmter Umsatz, Erhöhung des Bekanntheitsgrades, Veränderung des Produkt-Image, erzielter Werbedruck). Man unterscheidet zwischen ökonomischen Erfolgskriterien (z.B. Wiederkaufrate, Umsatz, Gewinn, Rentabilität) und außerökonomischen Erfolgskriterien (z.B. Reichweite in der Zielgruppe, Werbeerinnerung, Markenbekanntheit, Image). Zu den außerökonomischen Messkriterien zählen auch (vgl. Diller, Hrsg., 1994, S. 1054):

- Der *Share of Advertising (SoA)*, der den eigenen Werbeaufwand für ein bestimmtes Produkt in Relation zum Werbebudget der gesamten Konkurrenz darstellt. Der Share of Advertising ermöglicht auf diese Weise eine Beurteilung des Werbedrucks in einem bestimmten Markt.
- Der *Share of Voice (SoV)*, der die eigenen erreichten Kontakte in der Zielgruppe mit den erzielten Gesamtkontakten der Konkurrenten in eine Relation setzt und damit die Effizienz des Werbeträgereinsatzes überprüft.
- Der *Share of Mind (SoM)*, der die durch den Werbeträgereinsatz erreichten Kontakte je Zielperson in ein Verhältnis zu den von der

Erfolgskriterien der Werbung

Außerökonomische Erfolgskriterien	**Ökonomische Erfolgskriterien**
Werbekontakte (erzielter Werbedruck)	*Ausgelöste Kaufakte*
– Reichweite	– Käuferreichweite
– Kontaktmenge und -verteilung	– Wiederkaufrate
– Share of Voice	.
– Share of Mind	.
	– Kaufintensität
Kommunikative Wirkungen	– Absatzmenge
– Werbeerinnerung	– Umsatzvolumen
– Markenbekanntheit	– Marktanteil
– Information über Marken	
– Einstellung/Image/Positionierung	*Abgeleitete Größen*
– Präferenzen und Kaufabsicht	– Werbeertrag
	– Werbegewinn
	– Werberentabilität

Erfolgskriterien der Werbung (Quelle: Berndt / Hermanns, Hrsg., 1993, S. 528)

Konkurrenz erzielten Kontakte je Zielperson setzt.

Zur Messung des Werbeerfolgs stehen im Rahmen der → Werbeerfolgskontrolle umfangreiche Instrumente zur Verfügung.

Werbeerfolgskontrolle

»Eine Überprüfung durchgeführter Werbemaßnahmen im Hinblick auf den Realisierungsgrad der angestrebten Werbeziele. Man unterscheidet generell zwischen einer ökonomischen Werbeerfolgskontrolle, die sich auf Größen, wie Umsatz oder Gewinn bezieht, und einer außerökonomischen Variante, die das Image, die Bekanntheit einer Firma usw. untersucht (kommunikativer Erfolg)« (vgl. Nieschlag, Dichtl, Horschgen, 1988, S. 1035). Eine schriftliche Zieldefinition legt die Kommunikationsziele hinsichtlich Inhalt, Ausmaß und zeitlichem Bezug genau fest. Nur auf diese Weise kann die Werbeerfolgskontrolle die Wirksamkeit bzw. Effizienz einer Maßnahme überhaupt messen und beurteilen. Zur *außerökonomischen* Werbeerfolgskontrolle gehören z.B. die Testverfahren zur Messung der Informationswirkung der Werbung:

- *ungestützter Recall-Test (unaided recall):* Befragung von Testpersonen, ob sie sich an eine bestimmte Werbebotschaft erinnern. Hierbei werden keinerlei Erinnerungshilfen gegeben.
- *gestützter Recall-Test (aided recall)*: In diesem Fall werden bei der Befragung nach einer Werbebotschaft Erinnerungshilfen in Form von Marken-, Produkt- oder Firmennamen gegeben.
- *Recognition-Test:* Allgemein wird bei diesem Verfahren einer Testperson ein Werbemittel vorgelegt und anschließend gefragt, ob sie dieses schon einmal gesehen hat. Ein bekanntes Testverfahren ist der *Starch*-Test.

Zur *ökonomischen* Werbeerfolgskontrolle gehören z.B. die Testverfahren:

- *Gebietsverkaufstest:* Bei diesem Verfahren wird die Wirkung von Werbung auf den Umsatz gemessen. Hierzu werden ein Testmarkt, auf dem geworben wird, und ein Kontrollmarkt, auf dem keine Werbemaßnahmen eingesetzt werden, gegenüber gestellt.
- *BuBaW-Verfahren* (Bestellung unter Bezugnahme auf das Werbemittel): Die Werbebotschaft ist hier idealerweise, z.B. bei einer Anzeige, mit einer Kennziffer versehen. Die Anzahl der eingehenden Bestellungen und damit der Werbeerfolg können auf diese Weise genau einer entsprechenden Anzeige zugeschrieben werden.

Die Ergebnisse der Werbeerfolgskontrolle dienen als Grundlage für zukünftige Werbemaßnahmen (Werbeerfolgsprognose). Siehe hierzu die Abbildung auf der folgenden Seite. (vgl. → Werbeerfolgskontrolle im Internet)

Werbeerfolgskontrolle im Internet

(AdReporting, Webtracking) »Abhängig von der eingesetzten → Ad-Server-Technologie kann Werbekunden, anders als beispielsweise in Print-, Hörfunk- und Fernsehmedien wöchentlich, täglich, oder auch

Werbeerfolgskontrolle

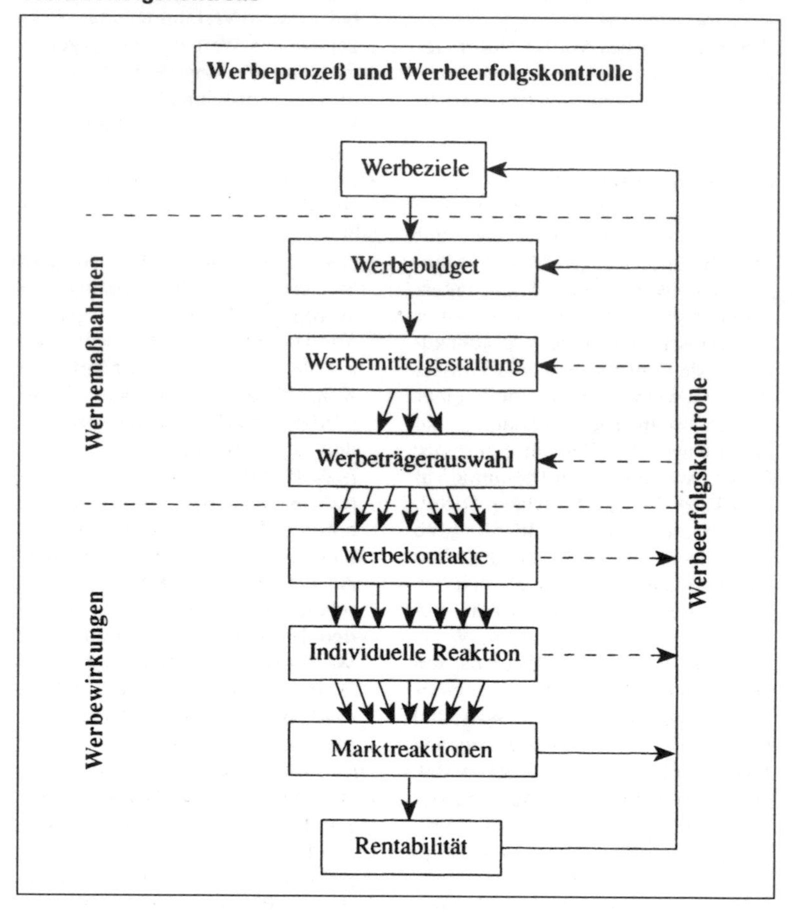

Werbeprozess und Werbeerfolgskontrolle (Quelle: Berndt / Hermanns, Hrsg., 1993, S. 527)

stündlich, ein Report über den Erfolg der geschalteten → Banner zur Verfügung gestellt werden. Von AdServern erstellte Reports reichen von einfachen Basisdaten (→ AdViews, → AdClicks) bis hin zu ausführlichen Analysen. Ausgewertet werden die erfolgten Sichtkontakte sowie die aktive Resonanz auf die Werbebotschaften in Form erfolgter

AdClicks. Reportings nach weiteren Parametern, wie → AdViewTime oder Visit/Impression-Relation werden von seiten der Werbungtreibenden immer häufiger gefordert und sind bereits bei einigen Angeboten realisierbar. Leistungsfähige AdServer verfügen zudem über die Möglichkeit, aufgrund der vorliegenden Daten, Werbeschaltungen zu optimieren, indem sie beispielsweise selbständig Banner mit unbefriedigenden Klickraten auf anderen Contents (Inhalten) platzieren bzw. einzelne Banner-Motive austauschen« (dmmv, 1999).

Jeder Nutzer, der im Internet auf das World Wide Web zugreift, hinterlässt durch Logdateien (Logfiles) Informationen beim besuchten Online-Angebot. Diese Dateien speichern je nach Konfiguration u.a. den Zeitpunkt des Zugriffs, die Adresse der besuchten Seite, die Version des vom Nutzer verwendeten Browsers und die Art des Betriebssystems. Diese Einträge bzw. Dateien dienen als Grundlage für die nachfolgend beschriebenen Auswertungssysteme bzw. möglichen media- und marketingrelevanten Messgrößen im → Internet bzw. → World Wide Web (vgl. A.C. Nielsen Werbeforschung, S + P, Hamburg):

- *Visit:* Ein Visit beschreibt einen aufeinander folgenden Nutzungsvorgang bzw. einen Besuch eines Online-Angebots. Hierzu gehören die verschiedenen Seitenabrufe innerhalb einer Website und die Nutzungsdauer auf dem jeweiligen Angebot.
- *Page Impression (PageView, Seitenabrufe):* Die Anzahl der Sichtkontakte bzw. die Zugriffe auf eine werbungführende Internetseite (HTML-Seite).
- *AdViews (Werbekontakte):* Die Anzahl der Sichtkontakte mit einem werbetragenden Objekt (Banner, Button), das jeweils vollständig auf den Bildschirm des Nutzers geladen wurde.
- *AdClicks (Werbeklicks):* Die Anzahl der Klicks auf ein Hyperlink bzw. ein werbetragendes Objekt (Banner, Button), das auf die Website des Werbungtreibenden führt.
- *AdClick-Rate (prozentualer Anzeigenabruf):* Das Verhältnis der angesehenen Anzeigen bzw. Banner oder Buttons (AdViews) zu den auch angeklickten Anzeigen (AdClicks), d.h. wie viele Nutzer, die eine Anzeige gesehen haben, diese auch angeklickt haben.
- *AdViewTime:* Derjenige Zeitanteil bei einem Besuch einer Website, bei der ein werbungführender Teil des Angebots für den Nutzer sichtbar war.
- *Browser (Nutzungen):* Die Anzahl der unterschiedlichen Browser, die auf ein Online-Angebot zugegriffen haben. Die Identifikation des Browsers erfolgt u.a. über sogenannte Cookies, d.h. eine gespeicherte Datei innerhalb des Browsers, die Informationen über den Nutzer liefert.
- *User (Nutzer):* Die Anzahl der Personen, die sich ein Online-Angebot im Internet angesehen haben. Die Personen müssen anhand bestimmter Kennzeichen, wie z.B. Name oder E-Mail-Adresse zu identifizieren sein.

- *Identified User (demographisch identifizierbare Nutzer):* Die Nutzer eines Online-Angebots, die durch nähere demographische Angaben (z.B. Alter, Beruf) über ein Registrierungs- oder Anmeldungsformular gekennzeichnet sind.

Werbeerfolgsprognose
→ Werbeerfolgskontrolle

Werbeetat
(Werbebudget, Werbebudgetierung, Werbebudgetplanung) Der Werbeetat ist die Gesamtsumme aller Ausgaben für die Werbung innerhalb einer bestimmten Zeitperiode zur Erreichung bestimmter Werbeziele. Zum einen ist die Höhe des Werbeetats pro Zeitperiode sowie die optimale Verteilung auf die einzelnen Werbeträger zu bestimmen. Die drei wichtigen Entscheidungsbereiche sind (vgl. Koschnick, 1996, S. 1038):

- *Planperiode* (hier wird der zeitliche Rahmen für die Gültigkeit des Etats festgelegt),
- *Kostenträger* (die Aufwendungen für die Werbung werden den verschiedenen Produkten, Produktgruppen oder den Dienstleistungen zugeordnet),
- *Kommunikationsträger* (hier wird exakt bestimmt, wofür die zur Verfügung stehenden Mittel eingesetzt werden).

Für das Entscheidungsproblem zur Bestimmung der optimalen Größe des Werbebudgets stehen verschiedene Verfahren zur Verfügung:

- *heuristische Verfahren und Prinzipien* (einfache »Faustregeln«, wie z.B. ein bestimmter Prozentsatz vom Umsatz oder vom Gewinn),
- *Optimierungsverfahren* (hier wird im Rahmen der → Werbeerfolgskontrolle versucht, den Zusammenhang zwischen Werbemaßnahmen und ihrer Wirkung zu ermitteln und zukünftig zu optimieren).

Werbegabe
→ Werbegeschenk

Werbegeschenk
(Werbegabe) Ein unentgeltliches und vom Kauf einer Ware unabhängiges Geschenk an einen bestehenden oder potenziellen Kunden z.B. in Form eines Kalenders, Kugelschreibers, Taschenrechners oder Notizblocks. Eine Werbegabe soll eine positive Beziehung zum Kunden aufbauen und erhalten und ihn an das Unternehmen binden. Werbegeschenke sind grundsätzlich zulässig sofern nicht gegen die Klauseln des UWG (→ Gesetz gegen den unlauteren Wettbewerb) und der Zugabeverordnung (ZugabeVO) verstoßen wird und kein »psychologischer Kaufzwang« beim Kunden entsteht.

Werbegrafiker/in
(Grafikdesigner/in, Grafiker/in) Der Werbegrafiker arbeitet in einer Agentur oder einer Werbeabteilung an sämtlichen Gestaltungsarbeiten, vom Entwurf und Scribble über das Layout bis hin zur Reinzeichnung bzw. Umsetzung. Sein Aufgabenbereich umfasst u.a. die Gestaltung von Firmensignets, Faltblättern, Prospekten, Katalogen, Plakaten, Zeitungsanzeigen und jeglichen Werbemitteln. (vgl. → Werbe- und Medienberufe - Berufs- und Tätigkeitsfelder)

Werbekampagne
(Werbedurchführung) Eine Werbekampagne beinhaltet alle Maßnahmen, die von der Gestaltung bis zur Realisierung von Werbeaktivitäten reichen. Drei Phasen lassen sich dabei unterscheiden:
- → Werbemittel-Gestaltung,
- Herstellung bzw. Produktion der Werbung bzw. der Werbemittel,
- Schaltung bzw. Belegung der Werbeträger und/oder Streuung der Werbemittel.

Werbekaufmann/frau
Dieser Ausbildungsberuf bietet eine fundierte Basisqualifikation für die unterschiedlichsten Tätigkeitsbereiche im Bereich der Werbung. Gegenstand der Ausbildung sind u.a. kaufmännische Grundlagen, Konzeption und Gestaltung von Kommunikationsmaßnahmen, Mediaplanung und Produktion von Werbemitteln. (vgl. → Werbe- und Medienberufe - Ausbildungsberufe)

Werbekonstanten
(CD-Konstanten) Werbekonstanten sind ständig wiederkehrende Elemente bei sämtlichen Kommunikationsaktivitäten. Verschiedene werbliche Maßnahmen eines Unternehmens müssen eine einheitliche Gestaltung unter Berücksichtigung der Richtlinien des → Corporate Design aufweisen. Damit soll bei der jeweiligen Zielgruppe eine schnelle Informationsaufnahme und Wiedererkennung gewährleistet werden. Die Abhebung von der Konkurrenz ist ein weiteres wichtiges Ziel. Zu den inhaltlichen und formellen Werbekonstanten gehören u.a. ein typischer Werbestil, eine durchgehende Leitidee einer Kampagne sowie formale Konstanten, wie z.B. Markenzeichen, Hausfarben, Typographie, Figuren, Slogans, bestimmter Aufbau, Größe und Format.

Werbekonzeption
(Werbestrategie) Die → Werbeplanung beinhaltet alle Aktivitäten zur Analyse, Planung und Durchführung von Werbemaßnahmen. Die Werbekonzeption ist dabei als zentrale Richtlinie anzusehen. In ihr wird die gewünschte Werbebotschaft mit ihren Zielsetzungen, deren Umsetzung in eine gestaltete Form, die anvisierten Zielgruppen sowie der schwerpunktmäßige Einsatz von Werbeträgern und Werbemitteln beschrieben.

Werbemittel
Ein Werbemittel ist eine materialisierte bzw. gestaltete Werbebotschaft in Form von Texten, Bildern, Symbolen, Tönen etc. Werbemittel sind Instrumente, die zur Erfüllung der gewünschten Werbe- und übergeordneten Marketing- und Unternehmensziele eingesetzt werden. Zu den Werbemitteln zählen u.a. Anzeigen, Beilagen, Werbespots in Hörfunk und Fernsehen, Prospekte, Displays, Kataloge, Flugblätter, Plakate.

Werbemittel-Gestaltung
Unter der Gestaltung von Werbemitteln versteht man das Sichtbarmachen (Visualisieren) einer Werbeidee z.B. in Form einer Anzeige, eines Plakates oder eines TV-Spots. Hierzu gehören sowohl die inhaltlichen (Aussagekraft), als auch for-

malen Mittel (Technik der Darstellung), wie beispielsweise Typographie, Grafik, Fotografie, Animation. Die Gestaltung von Werbemitteln ist in Bezug auf die schnelle Wiedererkennung einer Marke und/oder eines Absenders (Unternehmen oder Institution) und die reibungslose Übermittlung einer Werbebotschaft von zentraler Bedeutung. Der kreative, verbale und visuelle Stil der Kommunikationsmaßnahmen muss den gewünschten Werbezielen voll gerecht werden.

Die Werbung ist in jedem Jahrzehnt auch ein Bestandteil gesellschaftlicher und kultureller Ausdrucksformen gewesen. Veränderte Vorstellungen, Meinungen und Einstellungen haben den Stil, den Ausdruck und den Inhalt der Werbung nachhaltig beeinflusst. Die Gestaltung der einzelnen Werbemittel muss sich daher immer den aktuellen Trends, der Mode, der Kunst etc. bedienen und somit auch anpassen, um dem Verbraucher den Eindruck des Neuen, des Modernen und des Zeitgemäßen zu vermitteln.

Ebenfalls zu berücksichtigen ist die zielgruppenspezifische Ansprache. Die verbale und visuelle Gestaltung mit Farben, Formen und Bildern muss bei der jeweiligen Zielgruppe »ankommen«, um die festgelegten Ziele der Werbung erreichen zu können. Im Zuge der Reizüberflutung in der heutigen Medien- und Informationsgesellschaft muss sich die Werbebotschaft zudem von einer Vielzahl von ähnlichen »Nachrichten« abheben, um überhaupt eine Wirkung erzielen zu können. Der grundsätzliche Aufbau von visuellen Werbemitteln orientiert sich an den folgenden Regeln:

- *Blickfang:* Ein besonders starkes optisches Signal führt zu Interesse und Aufmerksamkeit des Betrachters gegenüber dem Werbemittel.
- *Blickführung:* Weitere aufmerksamkeitsstarke Elemente lenken die Blicke auf die zentrale Werbebotschaft hin.
- *Gedächtniswirkung:* Assoziationen, die durch einige Bestandteile der Botschaft hervorgerufen werden, erhöhen den Erinnerungswert des Werbemittels.
- *Gefühlswirkung:* Der zusätzliche Einsatz von »schönen« Komponenten löst Emotionen aus und führt zu einer gefühlsmäßigen »Einfärbung« der Werbung.
- *Informationsverarbeitungskapazität:* Eine Überforderung des Betrachters wird vermieden, wenn man die Gestaltung auf sechs Wahrnehmungselemente beschränkt.

Die jeweiligen Kommunikationsinhalte und die Gestaltung müssen einer kritischen Überprüfung unterzogen werden und dem jeweiligen Werbeträger angepasst sein. Die Gestaltungskonzeption kann nur dann effizient sein, wenn sie exakt den Vorgaben der zielgruppenspezifischen Ansprache entspricht. (vgl. → Anzeigengestaltung, → Fernseh-Spot, → Hörfunk-Spot, → Plakatwerbung)

Werbemittelkontakte

→ Kontakte

Werbeplanung

Die Werbeplanung beinhaltet alle Aktivitäten zur Analyse, Planung

Werbeplandaten

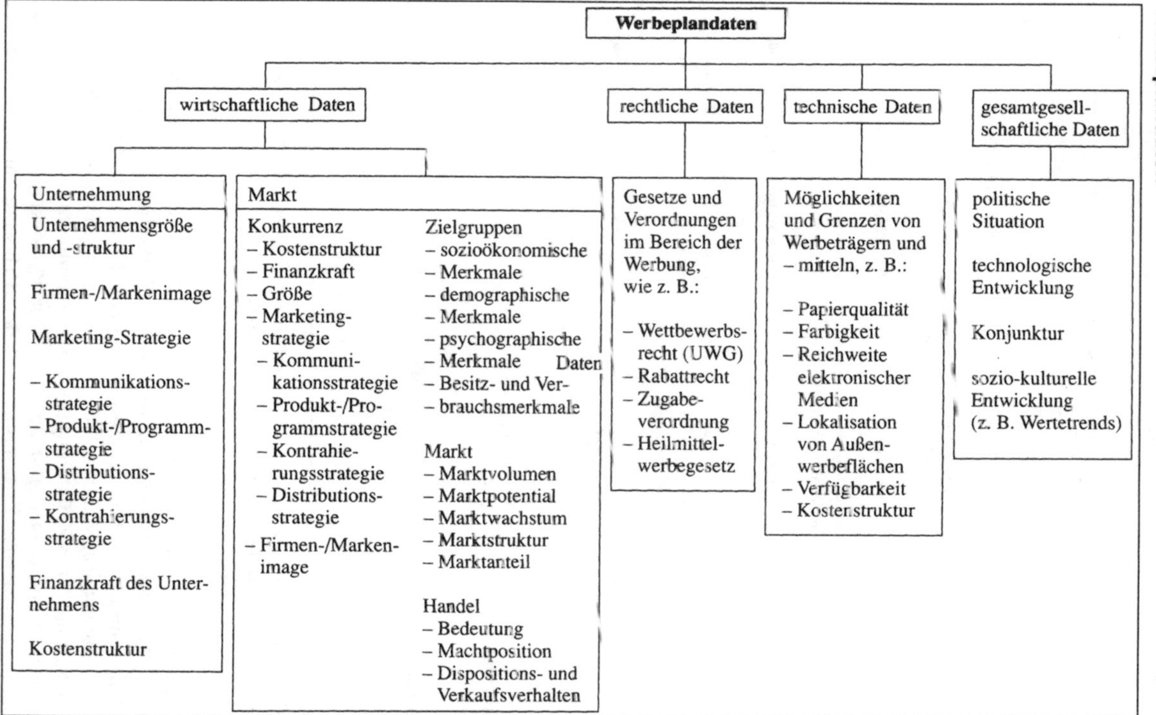

Werbeplandaten als Informationsbasis für die Werbeplanung (Quelle: Berndt / Hermanns, Hrsg., 1993, S. 271)

Planungsprozess der Werbung

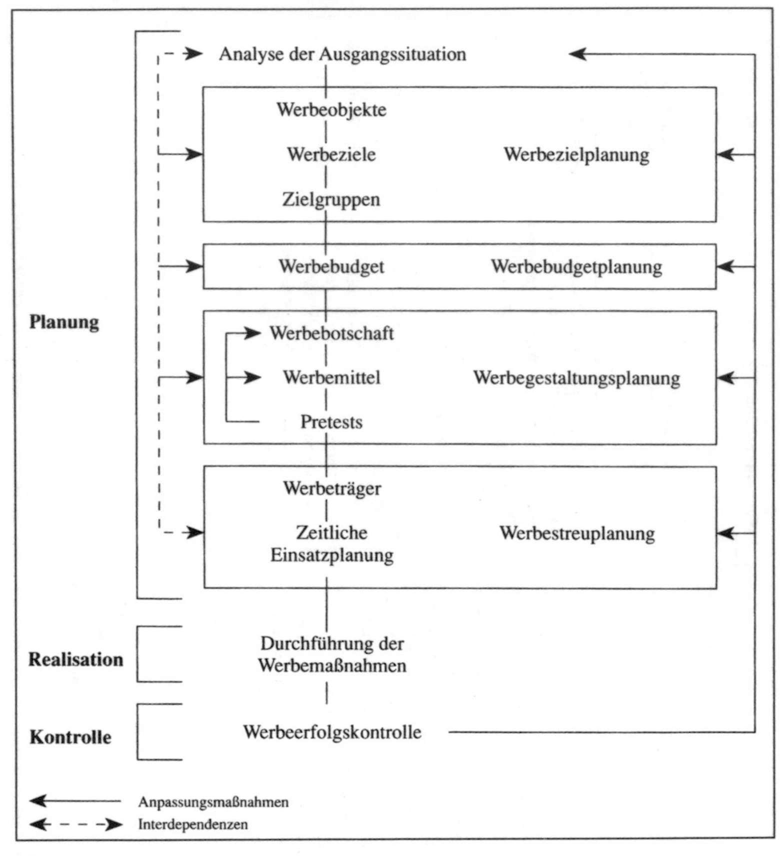

Überblick über den Gesamtprozess der Werbeplanung, -realisation und -kontrolle (Quelle: Berndt / Hermanns, Hrsg., 1993, S. 269)

und Durchführung von Werbemaßnahmen. Die Werbekonzeption ist dabei als zentrale Richtlinie anzusehen. In ihr wird die gewünschte Werbebotschaft mit ihren Zielsetzungen, deren Umsetzung in eine gestaltete Form, die anvisierten Zielgruppen sowie der schwerpunktmäßige Einsatz von Werbeträgern und Werbemitteln festgelegt. Die Werbeplanung umfasst folgende Maßnahmen:

- *Ermittlung und Analyse der Daten:* Der Planungsprozess beginnt mit der Erfassung und Analyse der

Daten. Die Gesamtheit der Daten (z.B. Informationen über das Unternehmen, den Markt, das Produkt, die Konkurrenz, die bereits erfolgten Kommunikationsmaßnahmen) sind die Voraussetzung für eine erfolgreiche Werbeplanung.

- *Festlegung der Zielgruppe und der Werbeziele:* Ausgehend von der Gesamtbevölkerung wird eine näher beschriebene Zielgruppe für die Werbemaßnahmen bestimmt und die damit verbundenen werblichen Ziele näher dargestellt.
- *Bestimmung der Werbebotschaft:* Aus den Werbezielen ist die Gestaltung der Werbebotschaft in Inhalt und formaler Gestaltung abzuleiten. Die Form der Botschaft muss bei der Zielgruppe sprachlich, optisch und gefühlsmäßig »ankommen«.
- *Bestimmung der Werbeträger, Werbemittel und die Werbeetatverteilung:* Nachdem die Werbebotschaft bestimmt wurde, sind die Entscheidungen für bestimmte Werbeträger zu treffen (z.B. Tageszeitung, Fernsehen, Plakat), die Anpassung der Gestaltung an die Werbemittel durchzuführen (z.B. Zeitungsanzeige, Fernseh-Spot) sowie der zur Verfügung stehende Werbeetat aufzuteilen.
- *Bestimmung der Werbezeiträume und -gebiete:* Die Werbemaßnahmen der ausgewählten Werbeträger und Werbemittel werden zeitlich und räumlich festgelegt und genau aufeinander abgestimmt.
- *→ Werbeerfolgskontrolle:* Durch die Kontrolle soll das Maß der Zielerreichung ermittelt werden. Die Ergebnisse der Werbeerfolgskontrolle dienen als Grundlage für zukünftige Werbemaßnahmen.

Werbepsychologie
Teil der angewandten Psychologie, die sich mit der Wirkung von kommunikativen Maßnahmen beschäftigt. Neben den allgemeinen psychologischen Grundlagen der Werbung, wie Wahrnehmung, Denken, Gedächtnis, Lernen und Motivation gehören zu den Schwerpunkten der Werbepsychologie z.B. auch die formale und inhaltliche Gestaltung von Werbemitteln im Hinblick auf ihre Werbewirkung und ihren Werbeerfolg, Einstellungen und Einstellungsänderungen bei den Zielpersonen, Kauf- und Konsumentenverhalten und die Rolle von Meinungsführern und Innovatoren. (vgl. → kognitive Dissonanz, → Reaktanz)

Werberat
→ Deutscher Werberat

Werberecht
Das Werberecht bezieht sich vor allem auf die rechtlichen Rahmenbedingungen der Wirtschaftswerbung bzw. auf den Verkauf von Waren und Dienstleistungen. In den meisten Ländern, wie auch in der Bundesrepublik, ist das Werberecht in keinem einheitlichen und in sich geschlossenen Gesetz festgelegt, sondern durch eine Sammlung von Verordnungen und Einzelgesetzen dokumentiert. Das → Gesetz gegen den unlauteren Wettbewerb (UWG) mit seinen Vorschriften kann jedoch als das allgemeine Werberecht angesehen werden. Das UWG kommt bei

Grenzen der Werbung

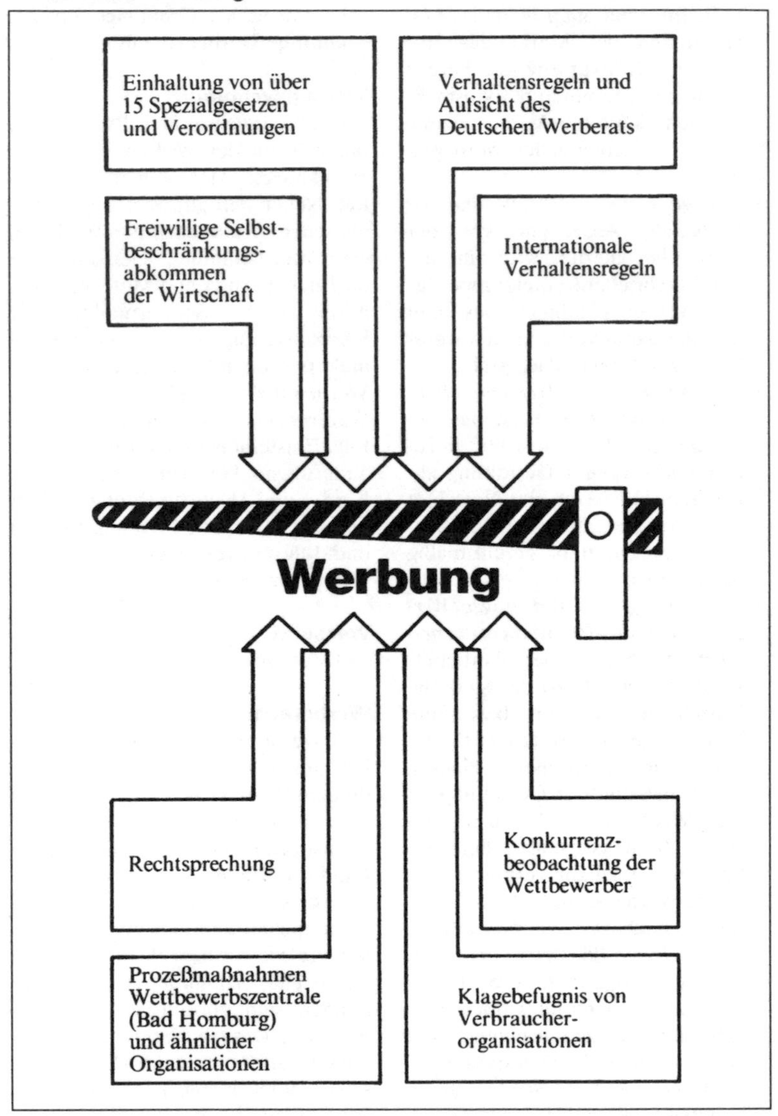

Grenzen der Werbung (Quelle: ZAW, 1994, S. 9)

sämtlichen Wettbewerbshandlungen im geschäftlichen Verkehr zum Tragen. Das Gesetz soll die Mitbewerber bzw. Konkurrenten vor geschäftsschädigender Werbung sowie die gesamte Öffentlichkeit vor unwahren und irreführenden Aussagen schützen. Das UWG versucht damit, den Missbrauch des freien Wettbewerbs zu unterbinden. Zu den weiteren wichtigen Gesetzen, Verordnungen und Werbeverboten gehören u.a.:

- Zugabeverordnung,
- Gesetz über Preisnachlässe (Rabattgesetz),
- Preisangabenverordnung (PAngV),
- Gesetz über den Verkehr mit Arzneimitteln (Arzneimittelgesetz/ AMG)
- Gesetz über den Verkehr mit Lebensmitteln, Tabakerzeugnissen, kosmetischen Mitteln und sonstigen Bedarfsgegenständen (Lebensmittel- und Bedarfsgegenständegesetz/LMBG),
- Gesetz über die Werbung auf dem Gebiet des Heilwesens,
- Gesetz über den Widerruf von Haustürgeschäften und ähnlichen Geschäften,
- Gesetz über den Schutz von Marken und sonstigen Kennzeichen (Markengesetz),
- Gesetz über Wettbewerbsbeschränkungen (GWB),
- Richtlinie des Rates der Europäischen Gemeinschaft über irreführende und vergleichende Werbung (vgl. → vergleichende Werbung),
- Urheberrechtsgesetz (UrhG), → Urheberrecht,
- Geschmacksmustergesetz (→ Geschmacksmuster),
- Gebrauchsmustergesetz (→ Gebrauchsmuster).

Werbe-Schaltung
Die Buchung bzw. Reservierung von Werbeflächen (z.B. Plakatflächen, Anzeigenseiten, Werbeflächen im Internet) oder Werbezeiten (z.B. im Fernsehen oder im Hörfunk) bei einem Werbeträger.

Werbeslogan
»Ein prägnanter und einprägsamer Werbespruch oder Werbevers, der als Konstante in den gesamten Werbemaßnahmen eines Werbetreibenden eingesetzt wird« (Koschnick, 1996, S. 1154). Ein Slogan fasst die Werbebotschaft in kurzer Form zusammen, ist eine Grundlage für die Werbeerinnerung und sollte unverändert und langfristig bei den Kommunikationsmaßnahmen zum Einsatz kommen.

Werbestrategie
→ Werbekonzeption

Werbetext
→ Copy

Werbetexter/in
Der Werbetexter sorgt in einer Werbeagentur oder in einer Werbeabteilung für die wirkungsvolle und stimmige textliche Umsetzung und textliche Konzeption und Gestaltung einer Werbekampagne oder einer anderen Kommunikationsmaßnahme eines Kunden. (vgl. → Werbe- und Medienberufe - Berufs- und Tätigkeitsfelder)

Werbeträger

(Medien, Streumedien, Media) Werbeträger werden in der Werbepraxis auch Medien genannt. Sie transportieren bzw. streuen die Werbebotschaften an die Empfänger bzw. Zielgruppen und werden deshalb auch als Streumedien bezeichnet. Man unterscheidet zwischen Insertionsmedien (z.B. Zeitschriften, Zeitungen), elektronischen Medien (z.B. Hörfunk, Fernsehen, Internet), Medien der Außenwerbung und anderen Werbeträgern (z.B. Branchenbücher). Nachfolgend ein Überblick der Werbeträger:

- Tageszeitungen,
- Wochenzeitungen,
- → Supplements,
- → Anzeigenblätter,
- Publikumszeitschriften,
- Programmzeitschriften,
- → Fachzeitschriften,
- Branchen- und Fernsprechbücher,
- Öffentlich-rechtliche Hörfunkprogramme,
- Private Hörfunkprogramme,
- Öffentlich-rechtliche Fernsehanstalten,
- Private Fernsehprogramme in Kabel- und Satellitenprogrammen,
- → Pay-TV,
- → Videotext,
- Filmtheater,
- → Plakatwerbung und sonstige → Außenwerbung,
- → Direktwerbung,
- Online-Dienste (z.B. → *T-Online*, → *America Online*),
- → Internet.

Im weiteren Sinne gehören zu den Werbeträgern u.a. auch Schaufenster, Verpackungen, Produkte und Werbegeschenke.

Werbeträgerforschung

→ Mediaforschung

Werbeträgerkontakte

→ Kontakte

Werbetreibender

→ Werbungtreibender

Werbe- und Medienberufe

(Ausbildungsberufe) Die folgende Aufstellung enthält eine Auswahl von Ausbildungsberufen im Bereich der Medien und der Werbung:

- *Fachangestellte/r für Medien- und Informationsdienste:* Die Fachangestellten für Medien- und Informationsdienste arbeiten in der Wirtschaft oder im öffentlichen Dienst daran, Medien und Informationen aus dem In- und Ausland zu beschaffen, zu bearbeiten und zu archivieren. Sie setzen dazu elektronische und konventionelle Informations- und Kommunikationssysteme ein und nutzen weltweite Datennetze. Die Ausbildung erfolgt in den Fachrichtungen Archiv, Bibliothek, Information und Dokumentation oder Bildagentur. Die Kundenberatung und -betreuung haben bei der Ausbildung eine besondere Bedeutung. (vgl. IHK)
- *Fachkraft für Veranstaltungstechnik:* Das Berufsbild bietet einen qualifizierten Einstieg in die Messe-, Kongreß- und Ausstellungsbranche. Für Veranstaltungs- und Messehallen, Theater und Konzerthäuser oder auch bei Unternehmen für professionelle Veranstaltungstechnik planen und kalkulieren die Fachkräfte Licht, Bild, Ton

und jede Art von technischer Ausstattung, wie Projektions- oder Datenübertragungen. Bestandteil der Ausbildung ist die kundenorientierte Beratung. (vgl. IHK)

- *Kaufmann/frau für audiovisuelle Medien:* Nachwuchskräfte aus den Bereichen Fernsehen, Hörfunk, Film und Videoproduktionen, Musik, Multimedia und Filmtheater erwerben hier typische kaufmännische und medienspezifische Kenntnisse. Dazu gehören sämtliche Aufgaben der Planung, Herstellung und Vermarktung audiovisueller Medien - von der Rechtebeschaffung über Disposition, Marketing und Vertrieb bis hin zur Planung und Realisation eigener Produktionen. (vgl. IHK)
- *Medienberater/in* siehe *Mediengestalter/in für Digital- und Printmedien.*
- *Mediendesigner/in* siehe *Mediengestalter/in für Digital- und Printmedien.*
- *Mediengestalter/in Bild und Ton:* Dieses Berufsfeld umfasst die Gestaltung und elektronische Produktion von Bild- und Tonmedien. Der Mediengestalter ist für das Beschaffen, Aufzeichnen, Schneiden und Bearbeiten von jeglichem Bild- und Tonmaterial zuständig und arbeitet bei Fernseh- und Rundfunkanstalten oder bei Produktionsfirmen.
- *Mediengestalter/in für Digital- und Printmedien:* Der neue Beruf ersetzt die Berufsbilder Schriftsetzer/in, Reprohersteller/in, Reprograf/in und Werbe- und Medienvorlagenhersteller/in. Vier unterschiedliche Fachrichtungen qualifizieren für den Einsatz in der Druckindustrie, bei Werbestudios, Filmproduktionen und anderen Medienunternehmen:
  - *Medienberatung (Medienberater/-in):* Schwerpunkte sind hier Kalkulation und Kundenberatung, Akquisition, gestaltungsorientierte Beratung, Projektplanung, Termin- und Kostenkontrolle.
  - *Mediendesign (Mediendesigner/-in, Mediengestalter/in):* In diesem Bereich werden Daten und Vorlagen so aufbereitet, dass sie für Printmedien oder digitale Medien, wie Internet, CD-ROMs oder Multimedia-Produktionen verwendet werden können.
  - *Medienoperating (Medienoperator/in):* In dieser Fachrichtung werden Texte, Grafiken, Fotos oder bewegte Bilder und Tondokumente kombiniert und für verschiedene analoge bzw. digitale Verfahren bearbeitet.
  - *Medientechnik (Medientechniker/in):* In der Medientechnik gilt es, die verschiedensten Daten zu bearbeiten, aufzubereiten und mit Hilfe von unterschiedlichen Technologien wie der Reprographie und Digitaltechnik auszugeben. (vgl. IHK)
- *Medienoperator/in* siehe *Mediengestalter/in für Digital- und Printmedien.*
- *Medientechniker/in* siehe *Mediengestalter/in für Digital- und Printmedien.*
- *Reprograf/in* siehe *Mediengestalter/in für Digital- und Printmedien.*
- *Reprohersteller/in* siehe *Mediengestalter/in für Digital- und Printmedien.*

- *Schauwerbegestalter/in*: Der Schauwerbegestalter ist für die optimale Präsentation von Produkten und Dienstleistungen in Schaufenstern, in Verkaufsräumen sowie auf Messen und Ausstellungen zuständig. Sie entwerfen und produzieren die notwendigen Schilder, Beschriftungen, Plakate und Dekorationen.
- *Schriftsetzer/in* siehe *Mediengestalter/in für Digital- und Printmedien.*
- *Werbekaufmann/frau:* Dieser Ausbildungsberuf bietet eine fundierte Basisqualifikation für die unterschiedlichsten Tätigkeitsbereiche im Bereich der Werbung. Gegenstand der Ausbildung sind u.a. kaufmännische Grundlagen, Konzeption und Gestaltung von Kommunikationsmaßnahmen, Mediaplanung und Produktion von Werbemitteln.
- *Werbe- und Medienvorlagenhersteller/in* siehe *Mediengestalter/in für Digital- und Printmedien.*

(vgl. → Werbe- und Medienberufe - Berufs- und Tätigkeitsfelder)

Werbe- und Medienberufe

(Berufs- und Tätigkeitsfelder) Die folgende Aufstellung enthält eine Auswahl von Berufs- und Tätigkeitsfeldern im Bereich Medien und Werbung:

- *Agentur-Controller/in:* Der Controller arbeitet meist selbständig im Auftrag einer Werbeagentur und überprüft die Wirtschaftlichkeit und Rentabilität. Die ermittelten Daten dienen als Grundlage für die Angebotskalkulation, die Auftragsabwicklung und für zukünftige Entscheidungen.
- *Animations-Designer/in:* Der Animations-Designer gestaltet bewegte Computerbilder (Computeranimationen), virtuelle Welten (Cyberspace) und 3D-Effekte z.B. für Computerspiele, Lernsoftware sowie CD-ROMs.
- *Art-Buyer/in:* Er ist der Mitarbeiter in einer Werbeagentur, der für den Kontakt zu den freiberuflich arbeitenden Grafikern, Fotografen, Designern usw. zuständig ist und deren Leistungen »einkauft«.
- *Art-Director/in:* Er ist Leiter der Kreativabteilung bzw. der Grafik in einer Werbeagentur, der die kreativen Umsetzungen vom Entwurf bis zur Produktion plant, koordiniert und überwacht.
- *Computer-Animateur/in:* Der Computer-Animateur gestaltet, ebenso wie der Animations-Designer, bewegte Computerbilder. Sein Aufgabenfeld erstreckt sich auf Werbe- und Kinofilme sowie spezielle Präsentationssoftware.
- *Desktop Publishing-Spezialist/in:* Dieses Berufsbild beinhaltet den gesamten Bereich der digitalen Text-, Grafik- und Bildverarbeitung mit professioneller Software wie z.B. *QuarkXPress, PageMaker, Adobe Photoshop, Macromedia FreeHand, Adobe Illustrator.* Layouts und Druckvorlagen werden mit diesen Programmen für die Produktion von jeglichen Printmedien hergestellt.
- *Etat-Direktor/in:* Er ist für die Koordination, Kostenkontrolle und für die Verwaltung von bestimmten Werbeetats zuständig, die von einer Werbeagentur betreut werden.

- *Event-Manager/in:* Das → Event-Marketing inszeniert bzw. veranstaltet besondere Ereignisse im Rahmen der Unternehmenskommunikation, wie z.B. Ausstellungen, Shows, Sport- und Musikveranstaltungen. Der Event-Manager plant und betreut diese Ereignisse.
- *FFF-Producer/in:* Der FFF-Fachmann (FFF = Film, Funk, Fernsehen) ist in der Agentur für die Produktion von Film-, Funk- und Fernsehspots zuständig. Er trägt die Verantwortung für die Entwicklung, die gestalterische Qualität und den Etat für die Produktion. Der FFF-Fachmann steht in engem Kontakt zu Filmproduktionsgesellschaften und zu Tonstudios.
- *Internet-Designer/in:* Dieses Berufsfeld gehört zu den Screen-Designern und ist auf die Gestaltung und Programmierung von Internetseiten spezialisiert.
- *Kontakter/in (Kundenberater, Account Manager):* Der Kontakter sorgt in einer Werbeagentur für die Betreuung der Kunden, die werbliche Beratung und die Umsetzung der Kundenwünsche. Er ist für den Kunden der Ansprechpartner innerhalb der Werbeagentur und kümmert sich um die termin- und sachgerechte Umsetzung bzw. Koordination des Auftrages.
- *Marktforscher/in:* Der Marktforscher ermittelt und analysiert Informationen bzw. Daten zur Lösung von Marketing-Problemen. Hierzu gehört z.B. die Ermittlung von Meinungen und Wünschen innerhalb der Zielgruppe oder die Suche nach Informationen bezüglich einer Verbesserung eines Produkts. Der Marktforscher arbeitet in größeren Unternehmen, in größeren Werbeagenturen oder in Marktforschungsinstituten.
- *Mediaplaner/in:* Der Mediaplaner wählt diejenigen Werbeträger (Medien) aus, die den Kommunikationszielen und übergeordneten Marketingzielen eines Unternehmens gerecht werden. Er verteilt den zur Verfügung stehenden Etat auf die verschiedenen Werbeträger bzw. Werbemittel, um eine maximale Werbewirkung bei der anvisierten Zielgruppe zu erreichen. Der Mediaplaner sorgt für die gesamte Abwicklung der Mediaschaltungen in einer Werbe- oder Mediaagentur.
- *Multimedia-Spezialist/in:* Der Bereich Multimedia umfasst die Verknüpfung von unterschiedlichen Medien bzw. Informationsträgern, die Text, Grafik, Bild, Ton (Musik, Geräusche, Sprache) und Film verbinden. Ein Multimedia-Spezialist arbeitet beispielsweise an der Konzeption und Produktion von CD-ROMs, → Informationsterminals und an Internetseiten.
- *Produktioner/in:* Der Produktioner in einer Werbeagentur oder Werbeabteilung plant, leitet und überwacht die Herstellung von Printmedien. Er prüft die technisch mögliche Umsetzbarkeit von gestalterischen Ideen und sucht nach den kostengünstigsten Produktionsmöglichkeiten. Die Auswahl von Lieferanten, das Einholen von Angeboten für spezielle Aufträge, die Beurteilung von Druckvorlagen hinsichtlich ihrer Eignung zur

Reproduktion, die Verhandlung mit Dienstleistern, wie Druckereien und Reprobetrieben, die Prüfung der Andrucke sowie die Termin- und Kostenüberwachung gehören zu seinem Aufgabenbereich.

- *Screen-Designer/in:* Ein Screen-Designer arbeitet im Bereich Multimedia und ist für die gesamte grafische Gestaltung z.B. von CD-ROMs, → Informationsterminals und von Internetseiten zuständig.
- *Trafficer (Traffic-Abteilung, Traffic-Manager):* Die Abteilung Traffic ist in einer Werbeagentur für die Arbeitsablauf- und Terminkontrolle zuständig. Sie kümmert sich um den reibungslosen terminlichen Ablauf gegenüber den Kunden und die Abstimmung mit Lieferanten und Dienstleistern. Ein Traffic-Manager ist ein Organisationsfachmann, der für die Arbeitserfassung, -planung und Terminkontrolle zuständig ist.
- *Werbegrafiker/in (Grafikdesigner/in, Garfiker/in):* Der Werbegrafiker arbeitet in einer Agentur oder einer Werbeabteilung an sämtlichen Gestaltungsarbeiten, vom Entwurf über das Layout bis hin zur Reinzeichnung bzw. Umsetzung. Sein Aufgabenbereich umfasst u.a. die Gestaltung von Firmensignets, Prospekten, Katalogen, Plakaten, Anzeigen und jeglichen Werbemitteln.
- *Werbetexter/in:* Der Werbetexter sorgt in einer Werbeagentur oder einer Werbeabteilung für die wirkungsvolle und stimmige textliche Umsetzung und textliche Gestaltung einer Werbekampagne oder einer anderen Kommunikationsmaßnahme eines Auftraggebers.

(vgl. → Werbe- und Medienberufe - Ausbildungsberufe)

Werbe- und Medienvorlagenhersteller/in

→ Mediengestalter/in für Digital- und Printmedien

Werbeverbote

→ Werberecht

Werbewirkung

→ Kommunikationswirkung der Werbung

Werbewirkungskontrolle

→ Werbeerfolgskontrolle

Werbeziele

→ Kommunikationsziele

Werbung

Unter Werbung versteht man alle Formen der gezielten und geplanten Beeinflussung von Menschen. Sie kann im politischen, kulturellen oder wirtschaftlichen Bereich stattfinden. Der Bereich Wirtschaftswerbung kann sich auf ein Unternehmen oder eine Institution als Ganzes beziehen (institutionelle Werbung, Firmenwerbung, Imagewerbung) oder auf Produkte (Produktwerbung) oder Dienstleistungen (Dienstleistungswerbung). Die Wirtschaftswerbung im engeren Sinne wird mit der Absatzwerbung gleichgesetzt. Nachfolgend soll der Begriff Werbung als Absatzwerbung verstanden werden. Die Werbung ist ein Teil des → Marketing-Mix und gehört zu den Instrumenten der → Kommunikationspolitik. »Die Werbung beinhaltet alle Kommunikationsformen, die unpersönlich und in räumlicher Distanz zum Verkaufsort durchgeführt werden und sich auf ein Produkt oder auf eine Gruppe von Bedürfnissen oder Produkten einschließlich der damit in Verbindung stehenden Zusatzleistungen beziehen« (Hellnen, 1985, S. 594). In der Regel findet kein direkter Dialog zwischen Werbungtreibenden und den Empfängern der Werbebotschaft statt. Die Werbung übernimmt eine wichtige Form der Informationsvermittlung zwischen einem Unternehmen und seinen Käuferzielgruppen: z.B. Informationen über die Produkteigenschaften, über das Produkt als Problemlöser, über die Preise und über das Produktionsprogramm. Der Kunde muss die Nützlichkeit des Werbeangebotes eindeutig erkennen können. Ziel der Werbung ist es, das Wissen, die Meinungen und Konsumgewohnheiten der Zielgruppen zu verändern. »Absatzwerbung kann somit als diejenige Einzelform der Werbung bezeichnet werden, die bei Käufern und potenziellen Abnehmern einen Einfluss auf die Kaufentscheidung für die Leistungen des werbenden Unternehmens ausüben soll« (Weis, 1995, S. 361). Die Zielgruppen der Werbung sind nicht nur die Kunden, sondern auch alle anderen Marktpartner, wie Lieferanten (Beschaffungswerbung), Händler, Kapitalgeber und zukünftige Mitarbeiter (Personalwerbung).

Bei den Maßnahmen der Werbung unterscheidet man zwischen den folgenden Bereichen :

- → *Werbeplanung*,
- *Werberealisation*: → Werbemittel-Gestaltung und Einsatz über die Medien),
- → *Werbeerfolgskontrolle*: Messung des Werbeerfolgs.

Nach den Zielen der Werbung lassen sich unterscheiden (vgl. Weis, 1995, S. 363 f.):

- *Einführungswerbung*: die Bekanntmachung eines neuen Produkts oder einer neuen Dienstleistung.
- *Expansionswerbung*: Erhöhung des Umsatzes als Ziel.
- *Erhaltungswerbung, Erinnerungswerbung, Nachfasswerbung*: Bekanntheitsgrad und Umsätze sollen auf einem bestimmten Niveau gehalten werden.
- *Reduktionswerbung*: z.B. Verlagerung des Umsatzes auf einen anderen Teil des Produktprogramms.

Nach der Zahl der Werbenden:

- *Einzelwerbung, Alleinwerbung*: Ein Unternehmen wirbt für seine eigenen Produkte und Leistungen.
- → *Gemeinschaftswerbung* und → *Sammelwerbung*: Mehrere Werbungtreibende schließen sich für gemeinsame Werbeaktivitäten zusammen.

Nach der Anzahl der Umworbenen:

- *Einzelumwerbung* (→ Direktwerbung): Die Werbung ist an eine genau definierte Zielgruppe z.B. per Werbebrief gerichtet.
- *Mengenumwerbung:* Zielgruppe ist die gesamte Bevölkerung (Allgemeinumwerbung) oder ein bestimmter Teil davon (Gruppenumwerbung).

Nach der Stufe des Vertriebsprozesses:

- *Herstellerwerbung:* Sie bezieht sich auf Handel und Endkunden.

- *Handelswerbung (Einzelhandelswerbung):* Meist regionale oder örtliche Werbemaßnahmen von Einzelhandelsunternehmen, die an die Kundschaft im betreffenden Einzugsgebiet gerichtet sind.

Werbungdurchführender
Ein Unternehmen (z.B. ein Zeitungs- oder Zeitschriftenverlag), das im Namen eines Werbungtreibenden (z.B. Automobilfirma) bzw. im Auftrag einer Werbeagentur eine Werbemaßnahme ausführt, bzw. einen Werbeträger oder ein Werbemittel zur Verfügung stellt.

Werbungtreibender
(Werbetreibender) Werbungtreibende sind alle Unternehmen oder Institutionen (z.B. Parteien, Kirchen, Verbände), die durch den Einsatz von Werbemaßnahmen auf ihre Angebote, Leistungen, Programme und auf ihre Ideen in der Öffentlichkeit aufmerksam machen wollen. Die Unternehmen können aus dem Bereich der Konsumgüter, Investitionsgüter, Dienstleistungen oder dem Handel stammen.

Werkdruckpapier
→ Buchdruckpapier

Werksatz
→ Satz

Wertreklame
→ Wertwerbung

Wertwerbung
(Wertreklame) Eine Form von Werbung mit besonderen Vergünstigungen und Zugaben, die den Verkauf von Produkten oder Dienstleistungen fördern sollen. Für die Wertwerbung werden u.a. folgende Mittel eingesetzt:
- Werbegeschenke,
- kostenlose Produktproben,
- kostenlose Originalprodukte,
- kostenlose Presseerzeugnisse,
- Preisausschreiben,
- Verkaufsveranstaltungen,
- Werbeverkaufsfahrten,
- Sonderangebote,
- Rabatte,
- Zugaben.

Wettbewerbspräsentation
→ Präsentation

Wiedererkennung
→ Artwork, → Corporate Design

Wiedererkennungswert
→ Copy-Test

Wirkungselemente der Werbung
→ Bilder, bildhafte Darstellungen, → Farbenwirkung, → Sprache und Text, → Wirkung von Formen

Wirkung von Farben
→ Farbenwirkung

Wirkung von Formen
Jede Form und jedes Zeichen kann zu einem Nachrichtenträger werden. Zu den Grundformen gehören das Viereck, das Dreieck und der Kreis. Diese lassen sich jeweils weiter nach verschiedenen Gesichtspunkten für die formelle (syntaktische) Beurteilung in Qualität, Quantität, Dimension, Begrenzung und Verwirklichung unterteilen (vgl. Kerner, Duroy, 1985, s. 52 ff. und S. 67):

- *Qualität:* z.B. rund oder eckig, regelmäßig oder unregelmäßig, symmetrisch oder asymmetrisch.
- *Quantität:* Räumlicher Eindruck und Größe des Zeichens bzw. der Form, Positiv- oder Negativ-Form.
- *Dimension:* Die Ausdehnung von Zeichen und Formen in einem räumlichen Bezugssystem (z.B. ein Punkt für eine genaue Ortsangabe, eine Linie für eine Richtungs- oder Längenangabe):
  - Der *Punkt* ist eine ungerichtete Form, die im Verhältnis zu seiner Negativform verschwindend klein ist.
  - *Linien* sind Formen, die nur einen Richtungsbezug aufweisen und unbegrenzt erscheinen.
  - *Strecken* sind lineare Formen, die begrenzt sind.
  - *Flächen* sind unbegrenzt scheinende Formen, die Richtungsbezüge in Länge und Breite aufweisen.
  - *Körper* und *Raum* werden als dreidimensionale Formen bezeichnet.
- *Begrenzung:* Die primären Formbegrenzungsarten lassen sich in Leer-, Füll- und Vollform unterscheiden. Die Leerform ist lediglich linear abgegrenzt. Eine Gesamtform kann aus vielen Einzelformen bestehen, man spricht hier dann von einer Füllform. Wenn eine Form ein geschlossenes Gebilde darstellt, bezeichnet man es als Vollform.
- *Verwirklichung:* Die Auswahl der einzelnen Formverwirklichungen ist wiederum von den Kommunikationszielen und den spezifischen Zielgruppen abhängig. Wenn man dieselben Nachrichteninhalte auf unterschiedliche Weise visualisiert, können sich ihr Ausdruckswert und ihr Bedeutungsinhalt grundlegend verändern. Auch das Gestaltungsmittel Form ist gesellschaftlichen Einflüssen, wie z.B. der Kunst, der Mode und den verschiedenen Trends, unterworfen und muss entsprechend angepasst werden.

Wirtschaftswerbung
→ Werbung

Workflow
→ Workflow-System

Workflow-System
Allgemeine Bezeichnung für die Standardisierung und Optimierung von ständig wiederkehrenden Produktions-, Ablauf-, Organisations- und Kommunikationsprozessen u.a. durch Computerunterstützung und Vernetzung der einzelnen Teilbereiche in einem Unternehmen. Workflow-Systeme sorgen für einen reibungslosen Arbeits- und Produktionsablauf, der dem Unternehmen Zeit- und Kostenvorteile einbringen soll. (vgl. → Workgroup-System)

Workgroup
→ Workgroup-System

Workgroup-System
Allgemeine Bezeichnung für die Optimierung von individuellen Produktions-, Ablauf-, Organisations- und Kommunikationsprozessen z.B. innerhalb einer Arbeitsgruppe, Projektgruppe oder Abteilung. Ein Workgroup-System erfordert Flexi-

bilität und Spontanität und lässt sich im Gegensatz zu einem Workflow-System nicht standardisieren. Workgroup-Programme fördern durch computergestützte Kommunikation die Zusammenarbeit der Beteiligten z.B. per Telefonkonferenz, E-Mail oder einer direkten Computervernetzung.

World Wide Web (WWW)
Ein multimediales Benutzersystem bzw. ein Informationsdienst im → Internet, das bzw. der den weltweiten Datenaustausch von Text-, Grafik- und Tondokumenten und das »Surfen« in diesem Medium überhaupt ermöglicht. Die einzelnen Dokumente können durch sogenannte → Hyperlinks (Sprungstellen) miteinander verbunden werden. Für die Kommunikation bzw. den Datenaustausch im Internet ist spezielle Software in Form eines Web-Browsers (z.B. *Netscape Communicator, Microsoft Internet Explorer*) erforderlich. Zu den Anwendungsbereichen und Dienstleistungen im Internet gehören z.B.:

- Datenbanken,
- Informationssysteme,
- Dialog mit den Kunden,
- Kundenservice (z.B. Anleitungen und Informationen über Produkte, Software-Treiber, Updates),
- Präsentation von Produkten,
- Kataloge,
- Vertrieb von Waren und Dienstleistungen,
- virtuelle Warenhäuser (Homeshopping) und Firmen,
- Homebanking.

Werbemöglichkeiten im World Wide Web bestehen vor allem über die → Banner-Werbung. (vgl. → Internet-Werbeformen)

Wortzeichen
Ein → Warenzeichen, das aus einem oder mehreren Wörtern besteht.

WWW
→ World Wide Web

WYSIWYG
Abkürzung für »What you see is what you get«. Der Begriff kommt aus dem Bereich → Desktop Publishing (DTP) und besagt, dass Texte, Symbole, Grafiken und Bilder auf dem Computerbildschirm der späteren Ausgabe auf Druckern oder Belichtungsmaschinen in Größe und Form entsprechen.

Z

ZAW
→ Zentralverband der deutschen Werbewirtschaft e.V.

Zeilenabstand
→ Durchschuss

Zeilendurchschuss
→ Durchschuss

Zeitungsdruckpapier
Stark holzhaltiges, maschinenglattes oder leicht satiniertes Papier (40 bis 56 g/qm). Hinsichtlich Vergilbung, optischer Eigenschaften und Bedruckbarkeit muss dieses Papier nur geringen Anforderungen genügen. Die Wiedergabe von Bildern ist nur mit groben Rastern möglich. Als Rohstoffe werden Holzstoff, Zellstoff und zunehmend auch Altpapier eingesetzt. Das Papier wird für Tages- und Wochenzeitungen sowie für Anzeigenblätter eingesetzt.

Zeitungsformate
- *Berliner Format:* 470 mm hoch, 315 mm breit (Satzspiegel 425 x 283 mm, 6 Anzeigenspalten).
- *Rheinisches Format:* 530 mm hoch, 375 mm breit (Satzspiegel 492 x 320 mm, 7 Anzeigenspalten).
- *Nordisches Format:* 570 mm hoch, 400 mm breit (Satzspiegel 528 x 371 mm, 8 Anzeigenspalten).
- *Sonderformate* zwischen Berliner- und Nordischem Format.

Zellstoff
Ein Rohstoff für die Papier-, Karton- und Pappeherstellung, die in einem chemischen Verfahren vor allem aus Holz gewonnen wird.

Zentralverband der deutschen Werbewirtschaft e.V. (ZAW)
Der ZAW ist die Dachorganisation der deutschen Werbewirtschaft. Er ist ein freiwilliger Zusammenschluss von verschiedenen Organisationen, die in vier Bereiche gegliedert sind:
- werbungtreibende Wirtschaft,
- Werbeagenturen,
- werbungdurchführende Unternehmen und Werbemittelhersteller,
- Werbeberufe sowie Markt- und Sozialforschung.

Der Zentralverband der deutschen Werbewirtschaft sorgt für einen festen Rahmen, eine gemeinsame Politik und einen Interessenausgleich für alle Beteiligten in der Werbewirtschaft. Er widmet sich allen Angelegenheiten der Wirtschaftswerbung, die über den Fachbereich der angeschlossenen Organisationen hinaus für die Werbewirtschaft von Bedeutung sind und er vertritt die Werbebranche nach außen. Durch seine Tätigkeit bezweckt er, die staatlichen Werberegelungen und eine Werbeaufsicht überflüssig zu machen. Siehe hierzu die Abbildung auf der folgenden Seite.
(vgl. → Deutscher Werberat)

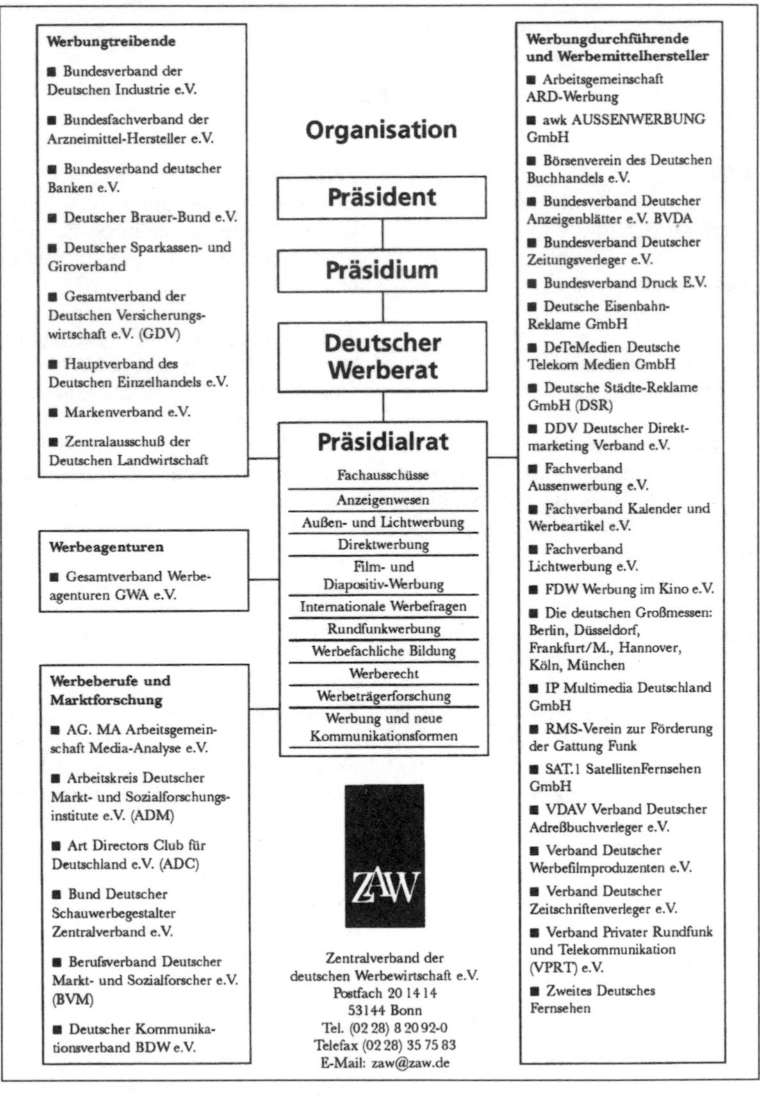

Die Organisation des Zentralverbandes der deutschen Werbewirtschaft e.V. (Quelle: ZAW, 1999)

Zickzackfalz
→ Leporello, → Falzarten

Zielgruppe
(Zielpersonen) Die Zielgruppe sind diejenigen Personen und/oder Institutionen, die mit den Kommunikationsinstrumenten, wie Werbung, Public Relations, Verkaufsförderung angesprochen werden sollen, um bestimmte Werbe- bzw. Kommunikationsziele erreichen zu können. Die Zielpersonen werden gemäß der Marketingkonzeption innerhalb der Kommunikations- bzw. → Werbeplanung festgelegt und stellen eine spezielle Auswahl aus der Gesamtbevölkerung dar. (vgl. → Zielgruppenanalyse)

Zielgruppenaffinität
→ Affinität

Zielgruppenanalyse
(Zielgruppenbestimmung, Zielpersonenbestimmung, Zielpersonenanalyse) Die genaue Bestimmung der Zielgruppe ist eine Voraussetzung und der Ausgangspunkt für alle Kommunikations- bzw. Werbemaßnahmen. Die Werbemittel müssen zielgruppengerecht gestaltet und das zur Verfügung stehende Budget optimal auf die Medien verteilt werden. Dazu müssen die Meinungen, Einstellungen, Verhaltensweisen und Mediennutzungsgewohnheiten der Zielpersonen bekannt sein sowie die Märkte oder Teilmärkte genau festgelegt werden. Die Zielgruppenbestimmung lässt sich allgemein aus der Sicht eines Unternehmens in drei Bereiche unterteilen (vgl. Meffert, 1998, S. 662 f.):

- *Vertikale Bestimmung der Zielgruppe* (z.B. Käufer, Einzelhandel, Großhandel, Lieferanten).
- *Horizontale Bestimmung der Zielgruppe* (z.B. Käufer, Verwender, Meinungsführer, Innovatoren).
- *Personale Bestimmung der Zielgruppe* (z.B. Berufstätige mit Familie oder Senioren im Alter zwischen 55 und 65 Jahren).

Diese genannten Bereiche sind nicht getrennt, sondern als voneinander abhängig anzusehen. Um eine Zielgruppe genau beschreiben zu können, bedarf es aber einer noch exakteren Betrachtung. Folgende Möglichkeiten der Zielgruppenbeschreibung bieten sich hierzu an:

Sozio-demographische Merkmale, wie z.B.:
- Alter,
- Geschlecht,
- Beruf,
- Bildung,
- Einkommen.

Geographische Merkmale, wie z.B.:
- Wohnortgröße,
- → Nielsen-Gebiet,
- Bundesland.

Psychologische Merkmale, wie z.B.:
- Wünsche,
- Meinungen,
- Einstellungen,
- Vorurteile.

Konsummerkmale, wie z.B.:
- Freizeitverhalten,
- Kaufverhalten,
- Besitzansprüche.

Die Lifestyle-Forschung (vgl. → Lifestyle) ermittelt Persönlichkeitstypen und beschreibt sie anhand von Lebensstil, Konsum- und Medienverhalten, sozio-demographischen Daten und anhand ihrer Meinungen.

Zielgruppenbestimmung
→ Zielgruppenanalyse

Zielgruppenzeitschrift
Zielgruppenzeitschriften sind periodisch erscheinende Presseerzeugnisse, die auf die Lese- bzw. Informationsbedürfnisse von bestimmten Zielpersonen (z.B. Senioren, Hausfrauen, Eltern) abgestimmt sind wie z.B. Frauenzeitschriften und Männermagazine. (vgl. → Fachzeitschrift, → Publikumszeitschrift, → Special Interest-Zeitschrift)

Zielpersonen
→ Zielgruppe

Zielpersonenanalyse
→ Zielgruppenanalyse

Zielpersonenbestimmung
→ Zielgruppenanalyse

zweiseitige Kommunikation
→ Kommunikation

Zwei-Stufen-Fluss der Kommunikation
→ Kommunikation

Zweitmarke
→ Markenarten

Zwei-Zyklen-Fluss der Kommunikation
→ Kommunikation

zyklische Werbung
(prozyklische Werbung) Die zyklische Werbung ist eine Strategie eines Werbungtreibenden, die bei hohen Umsätzen oder einer positiven wirtschaftlichen Entwicklung eine Vergrößerung der Werbeaktivitäten vorsieht. Bei rückläufigen Einnahmen oder einer wirtschaftlichen Rezession hingegen wird der Werbeetat entsprechend reduziert. Die zyklische Werbung passt sich in dieser Hinsicht auch den saisonalen Absatzschwankungen an. (vgl. → antizyklische Werbung)

Literatur- und Quellenverzeichnis

A. C. Nielsen Deutschland GmbH, Hrsg.: Universen '98, Frankfurt am Main 1998.

ADC, Art Directors Club für Deutschland e.V., Hrsg.: Der Art Directors Club, wer ist das?, Frankfurt am Main, 1995.

Agte, R. / Götz, C. / u.a.: Das große Lexikon der Graphik, Köln 1989.

Auer, M.: Product Placement - Die Kunst der geheimen Verführer, Düsseldorf 1988.

Baufeldt, U. / Dorra, M. / Rösner, H. / Scheuermann, J. / Walk, H.: Informationen übertragen und drucken, 11. Auflage, Itzehoe 1993.

Baumann, H.D.: Lexikon Macintosh-Grafik, Reinbek bei Hamburg 1992.

BDZV (Bundesverband Deutscher Zeitungsverleger e.V.), Hrsg.: Die deutschen Zeitungen in Zahlen und Daten (Auszug aus dem Jahrbuch Zeitungen '98), Bonn 1998.

Beck Verlag im dtv, Deutscher Taschenbuch Verlag, Hrsg.: Urheber- und Verlagsrecht, 7. Auflage 1998.

Berekhoven, L. / Eckert, W. / Ellenrieder, P.: Marktforschung - Methodische Grundlagen und praktische Anwendung, 7. Auflage, Wiesbaden 1996.

Berg, H. / Meissner, H.G. / Schünemann, W.B.: Märkte in Europa - Strategien für das Marketing, Stuttgart 1990.

Berndt, R. / Hermanns, A., Hrsg.: Handbuch Marketing-Kommunikation, Wiesbaden 1993.

Bliemel, F. / Fassott, G. / Theobald, A., Hrsg.: Electronic Commerce, Wiesbaden 1999.

Böcker, F. / Thomas, L. / Gierl, H.: Marketing, 6. Auflage, Stuttgart 1996.

Bode, U.: Die Informationsrevolution, Wiesbaden 1997.

Böhler, H.: Marktforschung, 2. Auflage, Stuttgart 1992.

Brand / Schulze: Die Zeitungsanzeige - medienkundliches Handbuch, Aachen 1990.

Braun, G.: Grundlagen der visuellen Kommunikation, hrsg. in Zusammenarbeit mit »novum gebrauchsgraphik«, internationale Monatszeitschrift für Kommunikationsdesign, 2. Auflage, München 1993.

Bruhn, M.: Kulturförderung und Kultursponsoring - neue Instrumente der Unternehmenskommunikation, in: Bruhn, M. / Dahlhoff, H.D. (Hrsg.), Kulturförderung, Kultursponsoring, 1989.

Bruhn, M.: Marketing - Grundlagen für Studium und Praxis, 3. Auflage, Wiesbaden 1997.

Bürger, H.J.: Arbeitshandbuch Presse und PR, 2. Auflage, Essen 1985.

BVM, Berufsverband Deutscher Markt- und Sozialforscher e.V., Hrsg.: BVM-Handbuch der Marktforschungsunternehmen 1997, Offenbach 1997.

Conrad, M. & Burnett, L., Hrsg.: Life-Style-Research, Frankfurt am Main, 1991.

creativ collection Verlag GmbH, Hrsg.: Etat-Kalkulator 1996, Freiburg im Breisgau 1996.

creativ collection Verlag GmbH, Hrsg.: Etat-Kalkulator 1996/97, Freiburg im Breisgau 1996.

creativ collection Verlag GmbH, Hrsg.: Etat-Kalkulator 1997, Freiburg im Breisgau 1997.

creativ collection Verlag GmbH, Hrsg.: Etat-Kalkulator 1997/98, Freiburg im Breisgau 1997.

Dalmer, H., Hrsg.: Handbuch Direct Marketing, 7. Auflage, Wiesbaden 1997.

DDV, Deutscher Direktmarketing Verband e.V., Hrsg.: Direct-Mail - der direkte Weg zum Kunden, Wiesbaden 1995.

DDV, Deutscher Direktmarketing Verband e.V., Hrsg.: Who's who im Direktmarketing, Wiesbaden 1997.

Deutsche Telekom AG, Hrsg.: Das kleine Lexikon - Telekommunikation, 1998.

Dichtl, E. / Eggers, W., Hrsg.: Marke und Markenartikel - als Instrumente des Wettbewerbs, München 1992.

Diller, H., Hrsg.: Vahlens Großes Marketing Lexikon, München 1994.

dmmv (Deutscher Multimedia Verband), Hrsg.: Informationsseiten im Internet, 1999.

Dobbeck, O. D. : Wettbewerb und Recht, Wiesbaden 1991.

Eckert, A. / Müller, J.: Internet-Programmierung mit Visual Basic, Bonn 1997.

Eggert, U.: Megatrends im Verkauf, Düsseldorf und München 1995.

Förster, H.-P.: Handbuch Pressearbeit, 2. Auflage, München 1994.

Francke, L.: Erlaubtes und Unerlaubtes in der Verkaufsförderung und in der Werbung von A bis Z, 3.Auflage, München 1997.

Gottwald, F.-T. / Sprinkart, K. P.: Multi-Media Campus, Düsseldorf und Regensburg 1998.

Grünwald, H.: Marketing, Kunden finden - Kunden behalten, 6. Auflage, Stuttgart 1989.

Hannoversche Allgemeine / Neue Presse, Markt Media Service, Hrsg.: Media Lexikon, Hannover, o.J.

Heinen, E.: Industriebetriebslehre, 8. Auflage, Wiesbaden 1985.

Heinrich Bauer Verlag Anzeigen + Marketing KG: Mediabegriffe definiert und angewendet, 3. Auflage, Hamburg 1997.

Hindle, T. / Thomas, M.: Marketing - Erfolgreich werben und verkaufen von A bis Z, München 1994.

Hofe, K. G.: Praktisches Werbe- und Marketing-ABC, praktische Reihe der creativ collection, 2. Auflage, Freiburg im Breisgau 1993.

Hopfenbeck, W.: Umweltorientiertes Management und Marketing, Landsberg am Lech 1989.

Huth, R. / Pflaum, D.: Einführung in die Werbelehre, 6. Auflage, Stuttgart 1996.

Irle, M.: Lehrbuch der Sozialpsychologie, Göttingen, Toronto und Zürich 1975.

IUP, Initiative Umwelt und Papier, Hrsg.: Papierrecycling, Bonn 1997.

IVW, Informationsgesellschaft zur Feststellung der Verbreitung von Werbeträgern e.V.: Geschäftsbericht 1997/1998, Bonn 1998.

Kerner, G. / Duroy, R.: Bildsprache 1, München 1985.

Kinnebrock, W.: Integriertes Event marketing, Wiesbaden 1993.

Klaffke, K. / Klaffke, Konstantin: Anzeigenlexikon, Edition Publikumszeitschriften, VDZ Zeitschriften Akademie, Bonn 1998.

Klaffke, K. / Riedl-Klaffke, M.: Vertriebslexikon, Edition Publikumszeitschriften, VDZ Zeitschriften Akademie, Bonn 1998.

Kodak AG, Hrsg.: Film im Auftrag, Stuttgart 1978.

Koschnick, W.J.: Standard-Lexikon für Marketing, Marktkommunikation, Markt- und Mediaforschung, München 1987.

Koschnick, W.J.: Standard-Lexikon für Mediaplanung und Mediaforschung, München 1988.

Koschnick, W.J.: Standard-Lexikon für Mediaplanung und Mediaforschung in Deutschland, 2. Auflage, München 1995.

Koschnick, W.J.: Standard-Lexikon für Markt- und Konsumforschung, 1. Auflage, München 1995.

Koschnick, W.J.: Standard-Lexikon Werbung, Verkaufsförderung, Öffentlichkeitsarbeit, 1. Auflage, München 1996.

Koschnick, W.J.: Lexikon Marketing (Enzyklopädie des Marketing I), 2. Auflage, Stuttgart 1997.

Kotler, P. / Bliemel, F.: Marketing-Management, Stuttgart 1992.

Kröplien, M. / Grieshaber, J. M.: Grafik-Design, Stuttgart 1989.

Leu, O.: Corporate Design - Bestandteil der Unternehmenskommunikation, hrsg. in Zusammenarbeit mit »novum gebrauchsgraphik«, internationale Monatszeitschrift für Kommunikationsdesign, München 1992.

Leu, O.: Stilformen der grafischen Gestaltung, hrsg. in Zusammenarbeit mit »novum gebrauchsgraphik«, internationale Monatszeitschrift für Kommunikationsdesign, München 1993.

MACup Verlag GmbH, Hrsg.: screen Multimedia CD-ROM: Multimedia Lexikon, Hamburg 1995.

Massow, M.: Atlas Neue Werbe- und Kommunikationsberufe, Düsseldorf und München 1998.

Maurer, S.: So finden Sie den richtigen Sponsor, München 1992.

Meffert, H.: Lexikon der aktuellen Marketingbegriffe, Wien 1994.

Meffert, H.: Marketing - Grundlagen marktorientierter Unternehmensführung, 8. Auflage, Wiesbaden 1998.

Meffert, H. / Kirchgeorg, N.: Marktorientiertes Umweltmanagement, Stuttgart 1992.

Meyer-Hentschel, G.: Alles was Sie schon immer über Werbung wissen wollten, Wiesbaden 1995.

Michael Conrad & Leo Burnett, Hrsg.: MC & LB Life Style 1990, Frankfurt am Main 1990.

Müller, K. M.: Praktisches Multimedia-ABC, praktische Reihe der creativ collection, Freiburg im Breisgau 1997.

Nickel, V.: Vergleichende Werbung - Chancen und Risiken, Redemanuskript IVH-Jahreshauptversammlung, Weimar 1998.

Nieschlag, R. / Dichtl, E. / Hörschgen, H.: Marketing, 16. Auflage, Berlin 1991.

Noelle-Neumann, E. / Schulz, W. / Wilke, J.: Fischer Lexikon Publizistik/Massenkommunikation, Frankfurt am Main 1994.

Pawletko, P.: Layouten, hrsg. in Zusammenarbeit mit »novum gebrauchsgraphik«, internationale Monatszeitschrift für Kommunikationsdesign, München 1992.

Pepels, W.: Lexikon des Marketing, München 1996.

Pepels, W.: Praxiswissen Marketing, München 1996 b.

Pepels, W.: Kommunikationsmanagement, 2. Auflage, Stuttgart 1996 c.

Pepels, W.: Lexikon der Marktforschung, München 1997.

Pflaum, D. / Bäuerle, F., Hrsg.: Lexikon der Werbung, 6. Auflage, Landsberg am Lech 1995.

Pflaum, D. / Pieper, W., Hrsg.: Lexikon der Public Relations, 2. Auflage, Landsberg am Lech 1993.

Poth, L. G., u. a.: Praktisches Lehrbuch der Werbung, 4. Auflage, Landsberg am Lech 1988.

Reichardt, I..: Das praktische 1 x 1 der PR - Leitfaden für erfolgreiche Kommunikation nach innen und außen, Wiesbaden 1997.

Reiter, W.M., Hrsg.: Werbeträger, 8. Auflage, Frankfurt am Main 1994.

Rota, F. P.: PR- und Medienarbeit im Unternehmen, 2. Auflage, München 1994.

Schneider, K., Hrsg.: Werbung in Theorie und Praxis, 3. Auflage, Waiblingen 1995.

Schneider, K., Hrsg.: Werbung in Theorie und Praxis, 4. Auflage, Waiblingen 1997.

Schulisch, O.: Informationstheorie Manuskripte, o.J.

Schumacher Fachbuchverlag, Hrsg.: Lexikon der Aussenwerbung, 2. Auflage, Hofheim am Taunus, 1996.

Seebohn, J.: Compact-Training Werbung 2, Waiblingen 1997.

Siemoneit, M.: Typographisches Gestalten - Regeln und Tips für die richtige Gestaltung von Drucksachen, 3. Auflage, Frankfurt am Main 1989.

Springer & Jacoby, Hrsg.: Print CD, Hamburg 1993.

Stankowski, A. / Duscheck, K.: Visuelle Kommunikation, Berlin 1989.

Stiebner, E.: Bruckmanns Handbuch der Drucktechnik, München 1992.

Stiebner, E. D. / Zahn, H.: Anzeigen, München 1989.

Strauch, R.: Das Marketinglexikon, München 1996.

Strauch, R.: Das Werbelexikon, München 1997.

Suhrkamp Verlag, Hrsg.: Wettbewerbs- und Kartellrecht, Frankfurt am Main 1998.

Tacke, W.: Der deutsche Marktforschungsmarkt (Manuskript), Bielefeld 1998.

Teschner, H.: Offsetdrucktechnik, Fellbach 1989.

Teschner, H.: Fachwörterbuch für visuelle Kommunikation und Drucktechnik, 2. Auflage, Thun 1995.

Tietz, B., Hrsg.: Die Werbung - Handbuch der Kommunikations- und Werbewirtschaft, Band 3 - Die Werbe- und Kommunikationspolitik, Landsberg am Lech 1982.

Tietz, B.: Euro-Marketing - Unternehmensstrategien für den Binnenmarkt, Landsberg am Lech 1990.

Tietz, B.: Marketing, 3. Auflage, Düsseldorf 1993.

Unger, F.: Werbemanagement, Heidelberg 1988.

Unger, F.: Marktforschung, Grundlagen, Methoden und praktische Anwendungen, Heidelberg 1989.

Unger, F. / Dögl, R.: Taschenbuch Werbepraxis, Heidelberg 1995.

Urban, D.: Text im Kommunikationsdesign - Zur Gestaltung von Texten für die visuell-verbale, audio-verbale und audiovisuell-verbale Kommunikation, hrsg. in Zusammenarbeit mit »novum gebrauchsgraphik«, internationale Monatszeitschrift für Kommunikationsdesign, München 1980.

Urban, D.: Gestaltung von Signets, hrsg. in Zusammenarbeit mit »novum gebrauchsgraphik«, München 1991.

Urban, D.: Anzeigen gestalten, hrsg. in Zusammenarbeit mit »novum gebrauchsgraphik«, internationale Monatszeitschrift für Kommunikationsdesign, München 1992.

vdp, Verband Deutscher Papierfabriken e.V., Hrsg: Kleines Lexikon Papier, Karton, Pappe, Bonn.

vdp, Verband Deutscher Papierfabriken e.V., Hrsg: Kleines Umwelt-ABC, Bonn, o.J.

Verband Deutscher Lesezirkel e.V., Hrsg.: Lesezirkel Planungsdaten 98/99, Düsseldorf 1998.

von Keitz, B.: Wirksame Fernsehwerbung, Würzburg und Wien 1983.

von Normann, R.: Lexikon des treffenden Fachworts für die Wirtschaft, Frankfurt am Main und Berlin 1994.

von Stackelberg, G.-W., von Stackelberg, K.-U.: Das ECON Multimedia-Lexikon, Düsseldorf und München 1997.

Wagner, A. / Englich, G.: MacReiseführer - Grafik, Scannen, Typo und Layout, Reinbek bei Hamburg 1991.

Walz, H. / Clauß, C.: Glossar Digital Imaging - Terminologie von A-Z für die Prophoto GmbH, 2. Auflage, Frankfurt am Main, 1998.

Wamser, C. / Fink, D.H., Hrsg.: Marketing-Management mit Multimedia, Wiesbaden 1997.

Weber, E.A.: Sehen - Gestalten und Fotografieren, Berlin 1990.

Weichert, J.: Druckschriften, hrsg. in Zusammenarbeit mit »novum gebrauchsgraphik«, internationale Monatszeitschrift für Kommunikationsdesign, München 1991.

Weis, H.C.: Marketing, 7. Auflage, Ludwigshafen (Rhein) 1990.

Weis, H.C.: Marketing, 9. Auflage, Ludwigshafen (Rhein) 1995.

ZAW (Zentralverband der deutschen Werbewirtschaft), Hrsg.: Unterschwellige Werbung, edition ZAW, Bonn 1987.

ZAW (Zentralverband der deutschen Werbewirtschaft), Hrsg.: Werbung in Grenzen, edition ZAW, Bonn 1994.

ZAW (Zentralverband der deutschen Werbewirtschaft), Hrsg.: Studium Werbung, edition ZAW, Bonn 1996.

ZAW (Zentralverband der deutschen Werbewirtschaft), Hrsg.: Schleichwerbung in Pressemedien, edition ZAW, Bonn 1997.

ZAW (Zentralverband der deutschen Werbewirtschaft), Hrsg.: Werbung unverblümt, edition ZAW, Bonn 1997 b.

ZAW (Zentralverband der deutschen Werbewirtschaft), Hrsg.: Werbung in Deutschland 1998, edition ZAW, Bonn 1998.

ZAW (Zentralverband der deutschen Werbewirtschaft), Hrsg.: Werbung in Deutschland 2000, edition ZAW, Bonn 2000.

ZAW (Zentralverband der deutschen Werbewirtschaft), Hrsg.: Jahrbuch Deutscher Werberat 1998, edition ZAW, Bonn 1998 b.

Zentes, J.: Grundbegriffe des Marketing, 4. Auflage, Stuttgart 1996.

Anhang

Investitionen in Werbung — Deutschland

nominal / Milliarden Mark / gerundet

Investitionen in Werbung	Deutschland gesamt Ergebnisse				*Prognose*
	1996	1997	1998	1999	*2000*
Gesamt Honorare, Werbemittel-produktion, Medien	54,9 +2,4%	56,6 +3,1%	59,0 +4,2%	61,5 +4,2%	*63,7* *+3,6%*
davon Einnahmen Werbeträger	37,3 +2,6%	38,7 +3,7%	40,7 +5,1%	42,7 +4,9%	*44,4* +3,9%

Quelle: Zentralverband der deutschen Werbewirtschaft (ZAW), 2000

Die werbestärksten Branchen in Deutschland

Rangfolge der Brutto-Medien-Investitionen 1999, Werte gerundet

Branchen Rangfolge 1999	1999 in Mio Mark	1998 in Mio Mark	Vergleich 1999/1998 in Prozent	Rangfolge 1998
1. Auto-Markt	3 173	3 011	+ 5,4	1
2. Massenmedien	2 674	2 464	+ 8,6	2
3. Telekommunikations-Netze	2 314	–	–	–
4. Handelsorganisationen	1 893	1 871	+ 1,2	3
5. Schokolade und Süßwaren	1 227	1 135	+ 8,1	5
6. Pharmazie Publikumswerbung	1 028	1 033	– 0,5	6
7. Banken und Sparkassen	966	971	– 0,5	7
8. Bier	744	843	– 11,7	8
9. Spezial-Versender	721	722	– 0,2	9
10. Versicherungen	589	644	– 8,5	10
11. Unternehmenswerbung (branchenübergreifend)	544	372	+ 46,4	20
12. Buchverlage	527	490	+ 7,4	14
13. Computer und Zusatzgeräte	520	–	–	–
14. Alkoholfreie Getränke	488	493	– 1,0	12
15. Reisegesellschaften	487	445	+ 9,6	16
16. Waschmittel	462	486	– 4,9	15
17. Haarpflege	453	436	+ 3,8	17
18. Energie-Versorgungsbetriebe	400	134	+199,5	52
19. Kaffee, Tee, Kakao	396	395	+ 0,5	18
20. Möbel und Einrichtung	379	371	+ 2,1	21
21. Finanzanlagen und -beratung	356	271	+ 31,3	29
22. Putz- und Pflegemittel	349	381	– 8,6	19
23. Pflegende Kosmetik	337	283	+ 19,1	28
24. Milchprodukte – Weiße Linie	326	–	–	–
25. Oberbekleidung	309	329	+ 6,1	23

Quelle: Nielsen-Werbeforschung S+P (Hamburg)/ ZAW-Berechnung

Quelle: Nielsen-Werbeforschung S+P, Hamburg / ZAW-Berechnung, 2000

Netto-Werbeeinnahmen erfassbarer Werbeträger in Deutschland

in Mio Mark/ohne Produktionskosten/Veränderungen in Prozent

Gebiet	Deutschland							
Werbeträger	1996	Prozent	1997	Prozent	1998	Prozent	1999	Prozent
Tageszeitungen	10 678,7	– 0,4	10 869,7	+ 1,8	11 477,4	+ 5,6	11 864,9	+ 3,4
Fernsehen	6 896,9	+ 8,7	7 438,2	+ 7,8	7 904,9	+ 6,3	8 444,4	+ 6,8
Werbung per Post	5 717,2	+ 8,9	5 926,0	+ 3,7	6 237,8	+ 5,3	6 473,5	+ 3,8
Publikumszeitschriften	3 416,6	– 2,5	3 509,4	+ 2,7	3 655,4	+ 4,2	3 924,4	+ 7,4
Anzeigenblätter	3 011,0	+ 3,2	3 278,8	+ 8,9	3 446,0	+ 5,1	3 408,0	– 1,1
Verzeichnis-Medien	2 299,0	+ 1,6	2 302,0	+ 0,1	2 343,0	+ 1,8	2 400,0	+ 2,4
Fachzeitschriften	2 110,0	– 4,6	2 162,0	+ 2,5	2 272,0	+ 5,1	2 327,0	+ 2,4
Hörfunk	1 153,2	+ 2,3	1 176,0	+ 2,0	1 182,7	+ 0,6	1 351,5	+ 14,3
Außenwerbung	1 038,2	+ 3,7	1 002,4	– 3,4	1 100,8	+ 9,8	1 333,3	–*
Wochen-/ Sonntagszeitungen	439,4	– 2,1	472,3	+ 7,5	487,6	+ 3,2	511,1	+ 4,8
Filmtheater	299,9	+ 1,4	305,4	+ 1,8	323,6	+ 6,0	337,1	+ 4,2
Online-Angebote	5,0	–	25,0	+400,0	50,0	+100,0	150,0	+200,0
Zeitungssupplements	225,7	–10,5	211,5	– 6,3	180,5	– 14,7	143,4	– 20,6
Gesamt	37 290,8	+ 2,6	38 678,7	+ 3,7	40 661,7	+ 5,1	42 668,6	+ 4,9

Netto - nach Abzug von Mengen- und Malrabatten sowie Mittlerprovisionen, sofern nicht anders bezeichnet; vor Skonti
*) Wegen Präzisierung der Erhebungsmethode mit dem Vorjahr nicht vergleichbar

Quelle: Zentralverband der deutschen Werbewirtschaft (ZAW), 2000

Langzeitanalyse der Netto-Werbeeinnahmen 1990–1999

Wachstum erfassbarer Werbeträger in Mio Mark

Werbeträger	1990	1999	Werbewachstum Prozent
Fernsehen	2 858,2	8 444,4	+195
Werbung per Post	2 993,6	6 473,5	+116
Außenwerbung	681,5	1 333,3	+ 96*
Verzeichnis-Medien	1 372,1	2 400,0	+ 75
Anzeigenblätter	1 965,3	3 408,0	+ 73
Filmtheater	214,6	337,1	+ 57
Hörfunk	908,7	1 351,5	+ 49
Tageszeitungen	8 062,7	11 864,9	+ 47
Wochen-/ Sonntagszeitungen	353,7	511,1	+ 44
Publikumszeitschriften	3 060,7	3 924,4	+ 28
Fachzeitschriften	1 925,0	2 327,0	+ 21
Zeitungssupplements	217,1	143,4	– 34
Online-Angebote	–	150,0	–
Gesamt	24 613,2	42 668,6	+ 73

* wegen Präzisierung der Erhebungsmethode nur bedingt vergleichbar

Quelle: Zentralverband der deutschen Werbewirtschaft (ZAW), 2000

Werbeaufwendungen in der Bundesrepublik Deutschland 1985 - 1997
Marktanteile der Medien in Prozent

	1985	1989[1]	1990	1991	1992	1994	1996	1997
Tageszeitungen	37,1	34,3	32,9	33,0[2]	32,1	30,5	28,5	28,1
Wochen- und Sonntagszeitungen	1,8	1,5	1,4	1,4	1,5	1,2	1,2	1,2
Zeitungssupplements	-	0,9	0,9	0,7	0,9	0,8	0,6	0,5
Publikums-zeitschriften	15,1	13,1	12,5	11,5[2]	10,8	9,7	9,1	9,1
Anzeigenblätter	7,0	8,0	8,0	7,7[2]	7,7	8,3	8,0	8,5
TV	8,3	10,0	11,6[2]	13,2[2]	13,9	16,5	18,4	19,2
Hörfunk	3,0	3,6	3,7[2]	3,4[2]	3,1	3,3	3,2	3,1
Direktwerbung	10,6	11,1	12,2[2]	12,5[2]	13,1	13,4	15,2	15,3
Übrige Medien[3]	17,2	17,5	16,8[2]	16,6[2]	17,0	16,3	15,8	15,0
Gesamt	100	100	100	100	100	100	100	100

1) In der Rubrik Tageszeitungen nur bedingt, in den Positionen Wochen- und Sonntagszeitungen, Publikumszeitschriften mit den Vorjahren nicht vergleichbar, da die Erhebungsbasis 1988 strukturell bereinigt wurde
2) Inklusive Werbeaufwendungen in den neuen Ländern
3) Adreßbuch-, Außen- ,Fachzeitschriften- und Filmtheaterwerbung

Quelle: Bundesverband Deutscher Zeitungsverleger (BDZV) / ZAW 1998

Werbeaufwendungen in der Bundesrepublik Deutschland 1985 - 1997
Marktanteile der Medien in Mrd. Mark

	1985	1989[1]	1990	1991	1992	1994	1996	1997	Veränderungen zu 1995
Tageszeitungen	6,51	7,76	8,06	9,30[2]	10,03	10,37	10,68	10,87	1,8%
Wochen- und Sonntagszeitungen	0,31	0,34	0,35	0,40	0,47	0,42	0,44	0,47	7,5%
Zeitungssupplements	-	0,21	0,22	0,21	0,26	0,26	0,23	0,21	-6,3%
Publikums-zeitschriften	2,64	2,96	3,06	3,25[2]	3,38	3,31	3,42	3,51	2,7%
Anzeigenblätter	1,22	1,81	1,97	2,18[2]	2,41	2,82	3,01	3,28	8,9%
TV	1,46	2,26	2,86[2]	3,70[2]	4,33	5,63	6,90	7,44	7,8%
Hörfunk	0,53	0,82	0,91[2]	0,95[2]	0,98	1,10	1,15	1,18	2,0%
Direktwerbung	1,85	2,51	2,99[2]	3,51[2]	4,11	4,55	5,72	5,93	3,7%
Übrige Medien[3]	3,01	3,46	4,12[2]	4,63[2]	5,29	5,48	5,75	5,77	-0,3%
Gesamt Mrd. DM	17,53	22,63	24,55	28,14	31,26	33,93	37,29	38,65	+ 3,7%
Index Gesamt	100	129	140	161	178	194	213	220	
Index Tageszeitungen	100	119	124	143	154	159	164	167	

1) In der Rubrik Tageszeitungen nur bedingt, in den Positionen Wochen- und Sonntagszeitungen, Publikumszeitschriften mit den Vorjahren nicht vergleichbar, da die Erhebungsbasis 1988 strukturell bereinigt wurde
2) Inklusive Werbeaufwendungen in den neuen Bundesländern; seit 1992 für alle Medien
3) Adreßbuch-, Außen-, Fachzeitschriften- und Filmtheaterwerbung

Quelle: Bundesverband Deutscher Zeitungsverleger (BDZV) / ZAW 1998

Entwicklung der Tages-, Sonntags- und Wochenzeitungen

	Tageszeitungen[1]		Sonntagszeitungen[2]		Wochenzeitungen	
Jahr	Zahl[3]	verk. Aufl. i. Tsd. Expl.	Zahl	verk. Aufl. i. Tsd. Expl.	Zahl	verk. Aufl. i. Tsd. Expl.
1950	429	11.104	1	361	18	639
1955	455	13.253	3	651	28	718
1960	498	15.465	3	1.924	49	879
1965	494	17.076	3	2.609	50	1.148
1967	474	17.423	3	2.917	56	1.216
1968	465	17.714	3	2.769	64	1.294
1969	411	18.108	3	2.859	64	1.315
1970	430	17.336	3	2.642	58	1.456
1971	419	17.960	3	2.585	58	1.451
1972	406	18.038	3	2.533	53	1.690
1973	410	18.310	3	2.681	52	1.696
1974	407	18.721	3	2.661	53	1.756
1975	398	18.910	3	2.600	52	1.796
1976	408	19.742	3	2.762	47	1.659
1977	407	20.196	3	2.901	45	1.825
1978	404	20.348	3	2.927	47	1.793
1979	395	20.342	4	3.366	46	1.679
1980	395	20.408	4	3.689	47	1.841
1981	392	20.556	3	3.603	49	1.997
1982	385	21.371	3	3.679	46	1.854
1983	385	21.328	3	3.659	43	1.874
1984	385	21.181	3	3.705	46	1.892
1985	382	20.994	4	3.695	45	1.851
1986	382	20.740	4	3.699	44	1.835
1987	375	21.112	4	3.701	44	1.812
1988	360	20.500	5	3.655	42	1.831
1989	358	20.598	5	3.828	37	1.813
1990	356	20.960	5	3.901	29	1.824
1991	410	24.174	7	4.661	29	1.904
1992	416	26.014	8	4.907	30	2.015
1993	414	25.902	9	4.778	31	2.059
1994	411	25.757	8	4.727	31	2.147
1995	406	25.467	8	4.765	30	2.174
1996	400	25.218	8	4.651	26	2.081
1997	393	25.038	7	4.370	24	2.043

Angaben nach IVW, jeweils 4. Quartal (1984: 3. Quartal)

1) Erfaßt sind alle gemeldeten Zeitungen mit mehr als einmal wöchentlichem Erscheinen.
2) Alle durch die IVW separat ausgewiesenen Sonntagszeitungen.
3) Zugrunde liegt die Zahl der Zeitungen, die ihre Auflagen tatsächlich der IVW gemeldet haben.

Quelle: Bundesverband Deutscher Zeitungsverleger (BDZV) 1998

Werbemarkt Deutschland im internationalen Vergleich
Die 10 werbestärksten Staaten der Welt

Staaten	1987 Werbung in US-Dollar	1996 Werbung in US-Dollar	Veränderung in Prozent	Position 1987
USA	66 156	97 876	+ 47,9	1
Japan	19 013	36 238	+ 90,6	2
Deutschland	9 699	21 410	+ 120,7	3
Großbritannien	8 416	13 648	+ 62,2	4
Frankreich	5 948	10 188	+ 71,3	5
Italien	4 369	5 997	+ 37,3	6
Brasilien	k.A.	5 858	k.V.m.	-
Südkorea	978	5 376	+ 449,7	13
Spanien	1 955	4 799	+ 145,5	9
Australien	2 693	4 671	+ 73,4	8

Quelle: World Advertising Trends 1998, NTC Publications LTD, Oxfordshire / ZAW, 1998

Stellenangebote für Werbeberufe 2000

Berufsbereich	Stellenangebote 1999	Stellenangebote 2000	Veränderung in Prozent	Stelleninserate von: werbungtreibende Firmen – *Warenhersteller*	Stelleninserate von: werbungtreibende Firmen – *Dienstleister*	Stelleninserate von: Werbeagenturen	Stelleninserate von: Medien
Grafiker/Mediendesigner	2361	**2585**	+ 9	78	281	2138	88
Mediaexperten	1582	**2256**	+ 43	22	203	536	1495
Kontakter	1317	**1769**	+ 34	4	50	1701	14
Art-Director	994	**1294**	+ 30	6	59	1217	12
Marketing + Werbung	990	**1109**	+ 12	327	492	157	133
Texter	884	**1058**	+ 20	12	95	937	14
Werbefachmann/-frau	659	**683**	+ 4	92	173	353	65
Werbeproduktion	514	**569**	+ 11	41	81	432	15
Werbeassistenten	528	**423**	- 20	40	70	271	42
Sekretärin/Assistentin	257	**380**	+ 48	1	11	353	15
Werbeleiter	134	**135**	+ 1	49	54	3	24
Schauwerber	116	**117**	+ 1	18	95	4	0
Hilfskräfte	72	**95**	+ 32	0	0	94	1
Marktforscher	45	**78**	+ 73	20	37	10	11
Geschäftsführer	52	**42**	- 19	3	2	36	1
				713	1703		
Gesamt	10505	**12593**	+ 20	**2416** (+ 30,4 %)		**8247** (+ 14,0 %)	**1930** (+ 36,2 %)

Quelle: Zentralverband der deutschen Werbewirtschaft (ZAW), 2001

Einstellung der Bevölkerung zur Werbung

Top-2-Boxen (4-stufige Skala), in Prozent

Stimme voll und ganz bzw. weitgehend zu...	Gesamt	Abitur/ Studium	hohes Politik-interesse
Werbung ist nützlich für unsere Wirtschaft	81	87	84
Werbung sichert auch Arbeitsplätze	79	83	80
Werbung sichert die Existenz vieler Medien und damit auch die Meinungsvielfalt	78	76	78
Werbung ist Teil des modernen Lebens	73	81	75
Werbung ist etwas ganz Normales	69	80	72
Werbung bringt oft nützliche Tipps	41	31	40
Werbung erleichtert mir das Einkaufen	21	14	18

Basis: 1.968 Personen ab 14 Jahren, die mindestens einmal in der Woche fernsehen; Befragungszeitraum Juni 1999
Auftraggeber: ARD-Werbung und ZDF-Medienforschung/ZDF-Werbefernsehen.
Durchgeführt vom Institut Media Markt Analysen (MMA), Frankfurt a.M.

Quelle: Zentralverband der deutschen Werbewirtschaft (ZAW), 2000

Adressen der Kommunikationswirtschaft

Berufsverbände

AGD
Allianz deutscher Designer e.V.
Steinstraße 3
38100 Braunschweig
Telefon: 05 31 / 1 67 57
Telefax: 05 31 / 1 69 89
http://www.agd.de
e-mail: info@agd.de

ASID
Arbeitsgemeinschaft
Selbständige Industrie-Designer e.V.
Geschäftsstelle
Schulplatz 2
39343 Beendorf
Telefon: 03 90 50 / 9 95 94
Telefax: 03 90 50 / 9 95 96
http://www.asid.de
e-mail: asidev@aol.com

BDG
Bund Deutscher Grafik-Designer e.V.
Bundesgeschäftsstelle
Flurstraße 30
22549 Hamburg
Telefon: 0 40 / 83 29 30 - 43
Telefax: 0 40 / 83 29 30 - 42
http://www.bdg-deutschland.de

BDS
Bund Deutscher Schauwerbe-
gestalter Zentralverband e.V.
Otto-Lilienthal-Straße 9
71034 Böblingen
Telefon: 0 70 31 / 22 78 77
Telefax: 0 70 31 / 23 24 68
http://www.bds.schauwerbe.de

BDVT
Bund Deutscher Verkaufsförderer
und Trainer e.V.
Hohenzollernring 48
50672 Köln
Telefon: 02 21 / 25 31 - 21
Telefax: 02 21 / 25 31 - 34
http://www.bdvt.com
e-mail: bdvt-koeln@t-online.de

BFF
Bund Freischaffender
Foto-Designer e.V.
Tuttlinger Straße 95
70619 Stuttgart
Telefon: 07 11 / 47 34 22
Telefax: 07 11 / 47 52 80

Bundesverband der Werbemittel-
Berater und -Großhändler e.V.
Gartenstraße 33a
41460 Neuss
Telefon: 0 21 31 / 22 25 60

DDV
Deutscher Designer Verband e.V.
Geschäftsstelle
Gelsenkirchener Straße 181
45309 Essen
Telefon: 02 01 / 8 30 40 - 10
Telefax: 02 01 / 8 30 40 - 19
http://www.germandesign.de
e-mail: ddv@germandesign.de

DJV
Deutscher Journalisten Verband e.V.
Bennauer Straße 60
53115 Bonn
Telefon: 02 28 / 2 01 72 - 0
Telefax: 02 28 / 2 01 72 - 33
http://www.djv.de
e-mail: djv@djv.de

DPV
Deutscher Presse Verband e.V.
Stresemannstraße 375
22761 Hamburg
Telefon: 0 40 / 8 99 77 99
Telefax: 0 40 / 8 99 77 79
http://www.dpv.org

Fachverband der Medienberater e.V.
Hegnacher Straße 30
71336 Waiblingen
Telefon: 0 71 51 / 2 22 06
Telefax: 0 71 51 / 2 33 38
http://www.medienreport.de

FFW
Fachverband Freier Werbetexter e.V.
Tannenstraße 33
72237 Freudenstadt
Telefon: 0 74 41 / 8 44 01
Telefax: 0 74 41 / 8 44 05
http://www.werbetexter-ffw.de
e-mail: werbetexter-ffw@t-online.de

VDID
Verband Deutscher Industrie-Designer e.V.
Zettachring 6
70567 Stuttgart
Telefon: 07 11 / 7 28 53 03
Telefax: 07 11 / 7 28 56 36
http://www.germandesign.de

VDPI
Ingenieure für Kommunikation e.V.
An der Windmühle 2
53111 Bonn
Telefon: 02 28 / 9 83 58 - 0
Telefax: 02 28 / 9 83 58 - 74
http://www.vdpi.de
e-mail: info@ifkom.de

Verband Deutscher Werbefilmproduzenten e.V.
Poststraße 33
20354 Hamburg
Telefon: 0 40 / 3 50 85 13
Telefax: 0 40 / 3 50 85 80
http://www.werbefilmproduzenten.de
e-mail:
info@werbefilmproduzenten.de

VGD
Verband der Grafik-Designer e.V.
Rykestraße 2
10405 Berlin
Telefon: 0 30 / 44 34 28 - 80
Telefax: 0 30 / 4 41 13 - 15

Druck und Papier

AGRAPA
Arbeitsgemeinschaft Grafische Papiere
Schaumburg-Lippe-Straße 5
53113 Bonn
Telefon: 02 28 / 9 15 27 - 0
Telefax: 02 28 / 9 15 27 - 99

Bundesverband Druck e.V.
Biebricher Allee 79
65187 Wiesbaden
Telefon: 06 11 / 80 31 81

Telefax: 06 11 / 80 31 13
http://www.bvd-online.de
e-mail: info@bvd-online.de

FFI
Fachverband Faltschachtel-Industrie e.V.
Grazer Straße 29
63073 Offenbach am Main
Telefon: 0 69 / 89 01 20
Telefax: 0 69 / 89 01 22 22
e-mail:
fachverbaende.offenbach@t-online.de

HPV
Hauptverband der Papier, Pappe und Kunststoffe verarbeitenden Industrie e.V.
Strubbergstraße 70
60489 Frankfurt am Main
Telefon: 0 69 / 97 82 81 - 0
Telefax: 0 69 / 97 82 81 - 30
http://www.hpv-ev.org
e-mail: info@hpv-ev.org

IUP
Initiative Umwelt und Papier
Adenauerallee 55
53113 Bonn
Telefon: 02 28 / 21 31 65
Telefax: 02 28 / 21 31 65

PTS
Papiertechnische Stiftung
Heßstraße 134
80797 München
Telefon: 0 89 / 1 21 46 - 0
Telefax: 0 89 / 1 23 65 92

VDB
Verband Deutscher Buchbindereien für Verlag und Industrie e.V.
Holbeinstraße 26
79100 Freiburg
Telefon: 07 61 / 79 12 79 - 0
Telefax: 07 61 / 79 12 79 - 79
http://www.vpdm.de
e-mail: infos@vpdm.de

VDBF
Verband der Briefumschlag- und Papierausstattungs-Fabriken e.V.
Herberts Katernberg 52b
42113 Wuppertal
Telefon: 02 02 / 7 24 06 94
Telefax: 02 02 / 7 24 06 95

VDP
Verband Deutscher Papierfabriken e.V.
Adenauerallee 55
53113 Bonn
Telefon: 02 28 / 2 67 05 - 0
Telefax: 02 28 / 2 67 05 - 62
http://www.vdp-online.de
e-mail: vdp.bonn@vdp-online.de

VDW
Verband der Wellpappen-Industrie e.V.
Hilpertstraße 22
64295 Darmstadt
Telefon: 0 61 51 / 92 94 - 0
Telefax: 0 61 51 / 92 94 - 30

Verband Druck und Medien Bayern e.V.
Friedrichstraße 22
80801 München
Telefon: 0 89 / 33 03 60
Telefax: 0 89 / 33 03 61 50
http://www.vdmb.de
e-mail: info@vdmb.de

Verband Druck und Medien in Baden-Württemberg e.V.
Zeppelinstraße 39
73760 Ostfildern-Kemnat
Telefon: 07 11 / 4 50 44 - 0
Telefax: 07 11 / 4 50 44 - 15

http://www.verband-druck-bw.de
e-mail:
info@verband-druck-bw.de

Verband Druck und Medien Berlin-Brandenburg e.V.
Am Schillertheater 2
10625 Berlin
Telefon: 0 30 / 3 02 20 21
Telefax: 0 30 / 3 01 40 21
http://www.vdmbb.de
e-mail:
druckindustrie.bb@t-online.de

Landesverband Druck Bremen e.V.
Schillerstraße 10
28195 Bremen
Telefon: 04 21 / 3 68 02- 0
Telefax: 04 21 / 3 68 02 - 49
e-mail: obrauch@urhb.de

Verband Druck und Medien Hessen e.V.
Klettenbergstraße 12
60322 Frankfurt am Main
Telefon: 0 69 / 95 96 78 - 0
Telefax: 0 69 / 95 96 78 - 90
http://www.vdmh.de
e-mail:
druckverband.hessen@t-online.de

Verband Druck und Medien Rheinland-Pfalz und Saarland e.V.
Friedrich-Ebert-Straße 11-13
67433 Neustadt an der Weinstraße
Telefon: 0 63 21 / 85 22 75
Telefax: 0 63 21 / 85 22 89
http://www.druckrps.de
e-mail: landesverband@druckrps.de

Verband Druck und Medien Niedersachsen e.V.
Bödekerstraße 10
30161 Hannover
Telefon: 05 11 / 3 38 06 - 0
Telefax: 05 11 / 3 38 06 - 20
http://www.vdmn.de
e-mail: info@vdmn.de

Verband Druck und Medien Nord e.V.
Gaußstraße 190
22765 Hamburg
Telefon: 0 40 / 39 92 83 - 0
Telefax: 0 40 / 39 92 83 - 22
http://www.vdnord.de
e-mail: info@vdnord.de

Verband Druck und Medien Nordrhein e.V.
Bublitzer Straße 26
40599 Düsseldorf
Telefon: 02 11 / 9 99 00 - 0
Telefax: 02 11 / 9 99 00 - 10
http://www.vdmn.org
e-mail: vdmn@vdmn.org

Verband Druck und Medien Westfalen-Lippe e.V.
An der Wethmarheide 34
44536 Lünen
Telefon: 0 23 06 / 2 02 62 - 0
Telefax: 0 23 06 / 2 02 62 - 99
http://www.vdmwl.de
e-mail: info@vdmwl.de

Verband Druck und Medien Sachsen, Thüringen, Sachsen-Anhalt e.V.
Melscher Straße 1
04299 Leipzig
Telefon: 03 41 / 8 68 59 - 0
Telefax: 03 41 / 8 68 59- 28
e-mail:
druckverband-sta@t-online.de

Verband Papier, Druck und Medien Südbaden e.V.
Holbeinstraße 26

79100 Freiburg im Breisgau
Telefon: 07 61 / 7 90 79 - 0
Telefax: 07 61 / 7 90 79 - 79
http://www.vpdm.de
e-mail: infos@vpdm.de

Fernsehen, Film, Video, Audiovision

Arbeitgemeinschaft ARD-Werbung
c/o Bayerische Rundfunkwerbung GmbH
Arnulfstraße 42
80335 München
Telefon: 0 89 / 59 00 04
Telefax: 0 89 / 59 00 42 24
http://www.ard.de

Arbeitskreis Bild und Ton e.V.
Dombacher Straße 11
51065 Köln
Telefon: 02 21 / 69 26 57
Telefax: 02 21 / 69 95 87

ARD
Arbeitsgemeinschaft der öffentlich-rechtlichen Rundfunkanstalten
Arnulfstraße 42
80335 München
Telefon: 0 89 / 59 00 33 44
Telefax: 0 89 / 59 00 40 70
http://www.ard.de

APR
Arbeitsgemeinschaft Privater Rundfunk
Perfallstraße 1/IV
81675 München
Telefon: 0 68 06 / 92 02 92
Telefax: 0 68 06 / 92 02 94
http://www.privatfunk.de

AV-Medien Nord
Arbeitsgemeinschaft Audiovisuelle Medien in Norddeutschland e.V.
Friedensallee 44
22765 Hamburg
Telefon: 0 40 / 3 99 19 00 - 0
Telefax: 0 40 / 3 99 19 00 - 10
http://www.avmediennord.com
e-mail:
avmn@avmediennord.com

BOK
Bundesverband Offene Kanäle e.V.
c/o Offener Kanal Rheine
Hohe Lucht 21
48431 Rheine
Telefon: 0 59 71 / 1 27 92
Telefax: 0 59 71 / 1 28 79

BVK
Bundesverband Kamera e.V.
Brienner Straße 52
80333 München
Telefon: 0 89 / 34 01 91 90
Telefax: 0 89 / 34 01 91 91
http://www.bvkamera.org
e-mail: bvk@bvkamera.org

BVV
Bundesverband Video
Vereinigung der Video-Programmanbieter Deutschlands e.V.
Gurlittstraße 31
20099 Hamburg
Telefon: 0 40 / 24 12 98
Telefax: 0 40 / 24 67 63
http://www.bv-video.de
e-mail: bvvideo@t-online.de

Deutsches Video Institut e.V.
Auguststraße 34
10119 Berlin
Telefon: 0 30 / 23 08 96 - 0
Telefax: 0 30 / 23 08 96 - 21
http://www.dvi.de
e-mail: info@dvi.de

FDW
Werbung im Kino e.V.
Charlottenstraße 43
40210 Düsseldorf
Telefon: 02 11 / 1 64 07 33
Telefax: 02 11 / 1 64 08 33
http://www.fdw.de
e-mail: info@fdw.de

FSF
Freiwillige Selbstkontrolle
Fernsehen e.V.
Lützowstraße 33
10785 Berlin
Telefon: 0 30 / 23 08 36 - 0
Telefax: 0 30 / 23 08 36 - 70
http://www.fsf.de
e-mail: info@fsf.de

Fördergemeinschaft Audiovisual
Communication
Hegnacher Straße 30
71336 Waiblingen
Telefon: 0 71 51 / 2 22 06
Telefax: 0 71 51 / 2 33 38
http://medienreport.de

FSK
Freiwillige Selbstkontrolle
der Filmwirtschaft
Kreuzberger Ring 56
65205 Wiesbaden
Telefon: 06 11 / 7 78 91 - 0
Telefax: 06 11 / 7 78 91 - 39
http://www.spio-fsk.de
e-mail: info@spio-fsk.de

HDF
Hauptverband
Deutscher Filmtheater e.V.
Geschäftsstelle
Gr. Präsidentenstraße 9
10178 Berlin
Telefon: 0 30 / 23 00 40 41
Telefax: 0 30 / 23 00 40 26
e-mail: info@kino-hdf.de
Regionalbüro Saarland
Merkurstraße 33
66333 Völklingen
Telefon: 0 68 98 / 2 33 33
Telefax: 0 68 98 / 2 56 40
http://www.kino-hdf.de

Spitzenorganisation
der Filmwirtschaft e.V.
Kreuzberger Ring 56
65205 Wiesbaden
Telefon: 06 11 / 7 78 91 - 0
Telefax: 06 11 / 7 78 91 - 39
http://www.spio-fsk.de
e-mail: info@spio-fsk.de

Verband Deutscher Werbefilm-
produzenten e.V.
Poststraße 33
20354 Hamburg
Telefon: 0 40 / 3 50 85 13
Telefax: 0 40 / 3 50 85 80
http://www.werbefilmproduzenten.de
e-mail:
info@werbefilmproduzenten.de

VFFV
Verband der Fernseh-, Film- und
Videowirtschaft
Nordrhein-Westfalen e.V.
Brüsseler Straße 89-93
50672 Köln
Telefon: 02 21 / 5 77 75 - 0
Telefax: 02 21 / 5 77 75 - 55
http://www.vffv.de

VPRT
Verband Privater Rundfunk und Telekommunikation e.V.
Burgstraße 69
53177 Bonn - Bad Godesberg
Telefon: 02 28 / 9 34 50 - 0
Telefax: 02 28 / 9 34 50 - 48
http://www.vprt.de
e-mail: vprt@vprt.de

VTFF
Verband technischer Betriebe für Film und Fernsehen e.V.
Buckower Chaussee 134
12277 Berlin
Telefon: 0 30 / 7 42 40 35
Telefax: 0 30 / 7 42 40 36

ZDF
Zweites Deutsches Fernsehen
Postfach 4040
55100 Mainz
Telefon: 0 61 31 / 7 01
Telefax: 0 61 31 / 70 - 27 88
http://www.zdf.de

Institutionen

GEMA
Gesellschaft für musikalische Aufführungs- und mechanische Vervielfältigungsrechte
Generaldirektion Berlin
Bayreuther Straße 37
10787 Berlin
Telefon: 0 30 / 2 12 45 - 00
Telefax: 0 30 / 2 12 45 - 950
Generaldirektion München
Rosenheimer Straße 11
81667 München
Telefon: 0 89 / 4 80 03 - 00
Telefax: 0 89 / 4 80 03 - 969
http://www.gema.de

Institut für Urheber- und Medienrecht
Salvatorplatz 1
80333 München
Telefon: 0 89 / 29 19 54 - 70
Telefax: 0 89 / 29 19 54 - 80
http://www.urheberrecht.org

IVW
Informationsgemeinschaft zur Feststellung der Verbreitung von Werbeträgern e.V.
Villichgasse 17
53177 Bonn
Telefon: 02 28 / 82 09 21 50
Telefax: 02 28 / 36 51 41
http://www.ivw.de
e-mail: ivw@ivw.de

Zentrale zur Bekämpfung unlauteren Wettbewerbs e.V.
Landgrafenstraße 24b
61348 Bad Homburg
Telefon: 0 61 72 / 12 15 - 0
Telefax: 0 61 72 / 8 44 22
http://www.wettbewerbszentrale.de

Kommunikation und Information

ALM
Arbeitsgemeinschaft der Landesmedienanstalten
c/o Landesanstalt für Rundfunk

Nordrhein-Westfalen (LfR)
Zollhof 2
40221 Düsseldorf
Telefon: 02 11 / 7 70 07 - 140
Telefax: 02 11 / 7 70 07 - 345
http://www.alm.de

BITKOM
Bundesverband Informationswirtschaft, Telekommunikation und neue Medien e.V.
Hauptgeschäftsstelle Berlin
Albrechtstraße 10
10117 Berlin
Telefon: 0 30 / 2 75 76 - 0
Telefax: 0 30 / 2 75 76 - 400
Geschäftsstelle Bad Homburg
Dietrich-Bonhoeffer-Straße 4
61350 Bad Homburg
Telefon: 0 61 72 / 93 84 - 0
Telefax: 0 61 72 / 3 10 10
http://www.bvit.de

Deutsche Gesellschaft für Kommunikationsforschung e.V.
Feldstraße 105
51469 Bergisch Gladbach
Telefon: 0 22 02 / 4 30 29
Telefax: 0 22 02 / 4 29 35
e-mail: dgkf.gladbach@t-online.de

Landesanstalt für Kommunikation Baden-Württemberg
Rotebühlstraße 121
70178 Stuttgart
Telefon: 07 11 / 6 69 91 - 0
Telefax: 07 11 / 6 69 91 - 11
http://www.lfk.de
e-mail: info@lfk.de

Markt- und Meinungsforschung

A.C. Nielsen GmbH
Ludwig-Landmann-Str. 405
60486 Frankfurt am Main
Telefon: 0 69 / 79 38 - 0
Telefax: 0 69 / 7 07 40 12
http://www.acnielsen.de

ADM
Arbeitskreis Deutscher Markt- und Sozialforschungsinstitute e.V.
Langer Weg 18
60489 Frankfurt am Main
Telefon: 0 69 / 97 84 31 - 36
Telefax: 0 69 / 97 84 31 - 37
http://www.adm-ev.de
e-mail: adm.ev@t-online.de

AG.MA
Arbeitgemeinschaft Media-Analyse e.V.
Am Weingarten 25
60487 Frankfurt am Main
Telefon: 0 69 / 15 68 05 - 0
Telefax: 0 69 / 15 68 05 - 40
http://www.agma-mmc.de
e-mail: agma@agma-mmc.de

BVM
Berufsverband Deutscher Markt- und Sozialforscher e.V.
Bundesgeschäftsstelle
Frankfurter Straße 22
63065 Offenbach
Telefon: 0 69 / 8 00 15 52
Telefax: 0 69 / 8 00 31 43
http://www.bvm.org
e-mail: bvm.blos@t-online.de

Fördergemeinschaft für Absatz- und Werbeforschung e.V.
Friedensstraße 11
60311 Frankfurt am Main

forsa Gesellschaft für Sozialforschung und statistische Analysen mbH
Max-Beer-Straße 2
10119 Berlin
Telefon: 0 30 / 6 28 82 - 0
Telefax: 0 30 / 6 28 82 - 400
http://www.forsa.de
e-mail: info@forsa.de

GfK Gruppe Gesellschaft für Konsum-, Markt- und Absatzforschung
Nordwestring 101
90319 Nürnberg
Telefon: 09 11 / 3 95 - 0
Telefax: 05 21 / 3 95 - 2209
http://www.gfk.de

INFRATEST BURKE AG Holding
Landsberger Straße 338
80687 München
Telefon: 0 89 / 56 00 - 0
Telefax: 0 89 / 56 00 - 313
http://www.infratest-burke.com
e-mail: ib@hqde.infrabrk.com

Institut für Demoskopie Allensbach GmbH
Radolfzeller Straße 8
78476 Allensbach
Telefon: 0 75 33 / 8 05 - 0
Telefax: 0 75 33 / 30 48
http://www.isd-allensbach.de
e-mail: info@isd-allensbach.de

TNS EMNID
Stieghorster Straße 90
33605 Bielefeld
Telefon: 05 21 / 92 57 - 0
Telefax: 05 21 / 92 57 - 333
http://www.emnid.tnsofres.com
e-mail: info@emnid.tnsofres.com

Messe und Ausstellung

AUMA
Ausstellungs- und Messe-Ausschuss der Deutschen Wirtschaft e.V.
Lindenstraße 8
50674 Köln
Telefon: 02 21 / 2 09 07- 0
Telefax: 02 21 / 2 09 07- 12
http://www.auma.de
e-mail: info@auma.de

Deutsche Messe-AG
Messegelände
30521 Hannover
Telefon: 05 11/ 8 93 - 0
Telefax: 05 11/ 8 93 26 26
http://www.messe.de
e-mail: info@messe.de

FAMA
Fachverband Messen und Ausstellungen e.V.
Messezentrum
90471 Nürnberg
Telefon: 09 11 / 8 14 71 02
Telefax: 09 11 / 8 14 90 90
http://www.fama.de
e-mail: info@fama.de

FAMAB
Fachverband Messe- und Ausstellungsbau
Berliner Straße 26
33378 Rheda-Wiedenbrück
Telefon: 0 52 42 / 94 54 - 0
Telefax: 0 52 42 / 94 54 - 10
http://www.famab.de
e-mail: info@famab.de

Hamburg Messe
Hamburg Messe und Congress GmbH
St. Petersburger Straße 1

20355 Hamburg
Telefon: 0 40 / 35 69 - 0
Telefax: 0 40 / 35 69 - 21 80
http://www.hamburg-messe.de
e-mail: info@hamburg-messe.de

IDFA
Interessengemeinschaft deutscher Fachmessen und Ausstellungsstädte
Messehaus
Norbertstraße 2
45131 Essen
Telefon: 02 01 / 72 44 - 0
Telefax: 02 01 / 72 44 - 448

KKA
Karlsruher Kongress- und Ausstellungs-GmbH
Festplatz
76137 Karlsruhe
Telefon: 07 21 / 37 20 - 0
Telefax: 07 21 / 37 20 - 21 06
http://www.kka.de
e-mail: info@kka.de

Köln Messe GmbH
Messeplatz 1
50679 Köln
Telefon: 02 21 / 8 21 - 0
Telefax: 02 21 / 8 21 - 25 74
http://www.koelnmesse.de
e-mail: info@koelnmesse.de

Leipziger Messe GmbH
Messe-Allee 1
04356 Leipzig
Telefon: 03 41 / 6 78 - 0
Telefax: 03 41 / 6 78 - 87 62
http://www.leipziger-messe.de
e-mail: info@leipziger-messe.de

Messe Berlin GmbH
Messedamm 22
14055 Berlin
Telefon: 0 30 / 30 38 - 0
Telefax: 0 30 / 30 38 - 23 25
http://www.messe-berlin.de
e-mail: central@messe-berlin.de

Messe Düsseldorf GmbH
Stockumer Kirchstraße 61
40474 Düsseldorf
Telefon: 02 11 / 45 60 - 01
Telefax: 02 11 / 45 60 - 6 68
http://www.messe-duesseldorf.de
e-mail: info@messe-duesseldorf.de

Messe Essen GmbH
Messehaus Ost
Norbertstraße
45131 Essen
Telefon: 02 01 / 72 44 - 0
Telefax: 02 01 / 72 44 - 2 48
http://www.messe-essen.de
e-mail: info@messe-essen.de

Messe Frankfurt GmbH
Ludwig-Erhard-Anlage 1
60327 Frankfurt am Main
Telefon: 0 69 / 75 75 - 0
Telefax: 0 69 / 75 75 - 64 33
http://www.messe-frankfurt.de
e-mail: info@messefrankfurt.com

Messe Friedrichshafen GmbH
Meistershofener Straße 25
88045 Friedrichshafen
Telefon: 0 75 41 / 7 08 - 0
Telefax: 0 75 41 / 7 08 - 1 10
http://www.messe-fn.de
e-mail: info@messe-fn.de

Messe München GmbH
Messegelände
81823 München
Telefon: 0 89 / 9 49 - 01
Telefax: 0 89 / 9 49 - 09
http://www.messe-muenchen.de

e-mail:
newsline@messe-muenchen.de

Messe Stuttgart International
Stuttgarter Messe- und Kongress-gesellschaft mbH
Am Kochenhof 16
70192 Stuttgart
Telefon: 07 11 / 25 89 - 0
Telefax: 07 11 / 25 89 - 4 40
http://www.messe-stuttgart.de
e-mail: info@messe-stuttgart.de

Saarmesse GmbH
Messegelände
66117 Saarbrücken
Telefon: 06 81 / 9 54 02 - 0
Telefax: 06 81 / 9 54 02 - 30
http://www.saarmesse.de
e-mail: messe@saarmesse.de

Messe Offenbach GmbH
Kaiserstraße 108-112
63065 Offenbach
Telefon: 0 69 / 82 97 55 - 0
Telefax: 0 69 / 82 97 55 - 60
http://www.messe-offenbach.de
e-mail: info@messe-offenbach.de

Messe Pirmasens GmbH
Messegelände
66953 Pirmasens
Telefon: 0 63 31 / 55 33 00
Telefax: 0 63 31 / 6 57 58
http://www.messe-pirmasens.de

Messe Westfalenhallen
Dortmund GmbH
Rheinlanddamm 200
44139 Dortmund
Telefon: 02 31 / 12 04 - 5 25
Telefax: 02 31 / 12 04 - 8 80
http://www.westfalenhallen.de
e-mail: info@westfalenhallen.de

Multimedia, Internet

dmmv
Deutscher Multimedia Verband
Kaistraße 14
40221 Düsseldorf
Telefon: 02 11 / 60 04 56 - 0
Telefax: 02 11 / 60 04 56 - 33
http://www.dmmv.de
e-mail: info@dmmv.de

Electronic Commerce Forum e.V.
Verband der deutschen Internetwirtschaft
Grasweg 2
50769 Köln
Telefon: 02 21 / 97 02 - 407
Telefax: 02 21 / 97 02 - 408
http://www.eco.de
e-mail: info@eco.de

Online Anbietervereinigung e.V.
Geschäftsstelle Online-AV
Konrad-Celtis-Straße 77
81369 München
Telefon: 0 89 / 74 10 02 29
Telefax: 0 89 / 74 10 02 39
http://www.online-av.de
e-mail: info@online-av.de

ZIM Multimedia Forschungs- und Entwicklungs-GmbH
Köhlstraße 10
50827 Köln
Telefon: 02 21 / 2 50 - 31 28
Telefax: 02 21 / 2 50 - 31 29
http://www.zim.de
e-mail: gmbh@zim.de

ZIM Zentrum für
interaktive Medien e.V.
Köhlstraße 10
50827 Köln

Telefon: 02 21 / 2 50 - 31 26
Telefax: 02 21 / 2 50 - 31 29
http://www.zim.de
e-mail: zim@zim.de

Printmedien

BDZV
Bundesverband Deutscher Zeitungsverleger e.V.
Markgrafenstraße 15
10969 Berlin
Telefon: 0 30 / 72 62 98 - 0
Telefax: 0 30 / 72 62 98 - 2 99
http://www.bdzv.de
e-mail: bdzv@bdzv.de

BVDA
Bundesverband Deutscher Anzeigenblätter
Dreizehnmorgenweg 36
53175 Bonn
Telefon: 02 28 / 9 59 24 - 0
Telefax: 02 28 / 9 59 24 - 30
http://www.bvda.de
e-mail: info@bvda.de

Die Deutsche Fachpresse
Büro Frankfurt
Großer Hirschgraben 17-21
60311 Frankfurt am Main
Telefon: 0 69 / 13 06 - 3 26
Telefax: 0 69 / 13 06 - 4 17
http://www.fachpresse.de
e-mail: bv-fachpresse@t-online.de
Büro Berlin
Markgrafenstraße 15
10969 Berlin
Telefon: 0 30 / 72 62 98 - 1 40
Telefax: 0 30 / 72 62 98 - 1 42
http://www.fachpresse.de
e-mail: s.voss@vdz.de

KONPRESS-Anzeigen eG
Kurfürstenwall 19
45657 Recklinghausen
Telefon: 0 23 61 / 92 01 - 0
Telefax: 0 23 61 / 92 01 - 30

VDAV
Verband Deutscher Auskunfts- und Verzeichnismedien e.V.
Heerdter Sandberg 30
40549 Düsseldorf
Telefon: 02 11 / 57 79 95 - 0
Telefax: 02 11/ 57 79 95 - 44
http://www.vdav.de
e-mail: info@vdav.org

Verband Deutscher Lesezirkel e.V.
Grafenberger Allee 241
40237 Düsseldorf
Telefon: 02 11 / 69 07 32 - 0
Telefax: 02 11/ 67 49 47
http://www.presse.de/lesezirkel

VDZ
Verband Deutscher Zeitschriftenverleger e.V.
Haus der Presse
Markgrafenstraße 15
10969 Berlin
Telefon: 0 30 / 72 62 98 - 0
Telefax: 0 30 / 72 62 98 - 2 99
http://www.vdz.de

Public Relations

Deutsche Public Relations-Gesellschaft e.V.
St.-Augustiner-Straße 21
53225 Bonn
Telefon: 02 28 / 9 73 92 87
Telefax: 02 28 / 9 73 92 89
http://www.dprg.de
e-mail: info@dprg.de

DIPR
Deutsches Institut für Public Relations e.V.
Postfach 52 02 42
22592 Hamburg
Telefon: 0 40 / 8 81 15 55
Telefax: 0 40 / 8 81 15 12

GPRA
Gesellschaft Public Relations Agenturen e.V.
Schillerstraße 4
60313 Frankfurt am Main
Telefon: 0 69 / 2 06 28
Telefax: 0 69 / 2 07 00
http://www.gpra.de
e-mail: info@gpra.de

Werbungtreibende

Markenverband e.V.
Schöne Aussicht 59
65193 Wiesbaden
Telefon: 06 11 / 58 67 - 0
Telefax: 06 11 / 58 67 - 27
http://www.markenverband.de

wbz
Bundesverband des werbenden Buch- und Zeitschriftenhandels e.V.
Geschäftsstelle
Brahmsweg 3
50169 Kerpen
Telefon: 0 22 73 / 67 17
Telefax: 0 22 73 / 67 18
http://www.presse.de/wbz

Werbewirtschaft, Marketing

ADC
Art Directors Club für Deutschland e.V.
Melemstraße 22
60322 Frankfurt am Main
Telefon: 0 69 / 5 96 40 09
Telefax: 0 69 / 5 96 46 02
http://www.adc.de
e-mail: adc@adc.de

AGA
Arbeitsgemeinschaft Abonnentenwerbung e.V.
Brahmsweg 3
50169 Kerpen
Telefon: 0 22 73 / 10 47
Telefax: 0 22 73 / 48 31
http://www.aga-kerpen.de

aim
Ausbildung in Medienberufen-Koordinations-Centrum
Im Mediapark 7
50670 Köln
Telefon: 02 21 / 5 74 32 35
Telefax: 02 21 / 5 74 32 39

http://www.aim-mia.de
e-mail: aiminfo@aim-mia.de

AIW
Arbeitskreis Industriewerbeagenturen
Geschäftsstelle
Terrassenstraße 42
09131 Chemnitz
Telefon: 03 71 / 4 72 93 - 0
Telefax: 03 71 / 4 72 93 - 10
http://www.aiw-werbung.de
e-mail: info@punds-marketing.de

BDWV
Bundesfachvereinigung
Deutscher Werbemittelverteiler e.V.
Oststraße 41-43
22844 Norderstedt
Telefon: 0 40 / 5 26 47 96
Telefax: 0 40 / 5 26 46 53
http://www.bdwv.de

BSM
Bundesarbeitsgemeinschaft
Sozialmarketing -
Deutscher Fundraising Verband e.V.
Emil-von-Behring-Straße 3
60439 Frankfurt am Main
Telefon: 0 69 / 95 73 30 - 70
Telefax: 0 69 / 95 73 30 - 71
http://www.sozialmarketing.de
e-mail: info@sozialmarketing.de

DDV
Deutscher Direktmarketing Verband e.V.
Hasengartenstraße 14
65189 Wiesbaden
Telefon: 06 11 / 9 77 93 - 20
Telefax: 06 11 / 9 77 93 - 99
http://www.ddv.de
e-mail: info@ddv.de

Kommunikationsverband e.V.
Adenauerallee 118
53113 Bonn
Telefon: 02 28 / 9 49 13 - 0
Telefax: 02 28 / 9 49 13 - 13
http://www.bdw-online.de
e-mail:
info@kommunikationsverband.de

Fachverband Außenwerbung e.V.
Ginnheimer Landstraße 11
60487 Frankfurt am Main
Telefon: 0 69 / 70 90 59
Telefax: 0 69 / 7 07 49 69
http://www.faw-ev.de
e-mail: info@faw-ev.de

Fachverband für Sponsoring und
Sonderwerbeformen
Claus-Ferck-Straße 5
22359 Hamburg
Telefon: 0 40 / 60 95 08 - 35
Telefax: 0 40 / 60 95 08 - 34
http://www.sponsoring-verband.de

Fachverband Kalender und
Werbeartikel e.V.
Ritterstraße 19
33602 Bielefeld
Telefon: 05 21 / 17 12 03
Telefax: 05 21 / 17 19 08
http://www.kalenderforum.de

FDW
Werbung im Kino e.V.
Charlottenstraße 43
40210 Düsseldorf
Telefon: 02 11 / 16 40 - 733
Telefax: 02 11 / 16 40 - 833
http://www.fdw.de
e-mail: info@fdw.de

GWA
Gesamtverband Werbeagenturen e.V.
Friedensstraße 11
60311 Frankfurt/Main

Telefon: 0 69 / 25 60 08 - 0
Telefax: 0 69 / 23 68 83
http://www.gwa.de
e-mail: info@gwa.de

GWW
Gesamtverband der Werbeartikel-Wirtschaft e.V.
Völklinger Straße 4
40219 Düsseldorf
Telefon: 02 11 / 90 19 11 10
Telefax: 02 11 / 90 19 11 39
http://www.gww.de
e-mail: info@gww.de

Werbe-Vertriebs-Organisations-Verband e.V.
c/o Markus Engel GmbH
Am Aubach 36
63619 Bad Orb
Telefon: 0 60 52 / 8 07 - 2 19
Telefax: 0 60 52 / 8 07 - 2 60

ZAW
Zentralverband der deutschen Werbewirtschaft e.V.
Hausanschrift
Villichgasse 17
53177 Bonn
Postadresse
Postfach 20 14 14
53144 Bonn
Telefon: 02 28 / 8 20 92 - 0
Telefax: 02 28 / 35 75 83
http://www.zaw.de
e-mail: zaw@zaw.de